# 美暗の中で

麻田春太

美しき暗がり
満たされない暗さ
慣れない暗さ
安心できない不安な暗さ
程よい空気のような暗さ
よどみ幽かな暗さ
その暗さは月明かりではない
その暗さは星明かりでもない
不安で切ない夜
でも不思議と美しく暗い
私の秋よ
この美暗の空気に口づけせよ
美暗の空気に包まれ
私は静かに眠る

第八期
通巻577号
2021年11月

# 九州文學

表紙の言葉▷川上信也

うっすら漂う雲海の合間から，次第に台地が見えてきました。
まるでパッチワークのような美しい田畑が朝の光に輝いています。
阿蘇城山展望所より。

■小説



■評論



題字：椎窓 猛／カット：久冨正美［窓の秋 シリーズ］

# コーヒーカウンターの想い出

松野弘子

マーケットのひと隅の
コーヒーカウンター
ふたつの椅子に腰かけているのは
老いた父と母

父のために
コーヒーソフトクリーム
母には
白く無造作なカップに
淹れたてのコーヒー

少し量の多いソフトクリームから
ひと匙　貰って
コーヒーに落してやると
ふたり仄かに笑う

ケアハウスの退屈な午後
いつも
ここへ連れてきた

あ……
ほら　見えないだろうか
今
あなたが座ろうとしている
その椅子

そこにはもう私の
想い出が
腰を下ろしている——

# 庭木たちのささやき

秋山喜文

わが家の庭木たちは
静かにささやきをかわしている
私はいつも耳を傾けているが
何も聞えない

昨夜風がとても強く吹き
数本の大きな枝が折れた
これは大変
あとどうするのか
どうなるのか
真剣に取り組まねばならない

今朝は静かな朝だ
庭木はまだ眠っているのか
何しろ昨夜はひどい嵐だったのだが
彼らには気持ちの乱れはなく
折れた大きな枝の跡をどうするか
真剣にかつ静かに
ささやきあっているのだろうか

それは私が取り組まねばならないこと
庭木に責任はなく
対策もとることはできない
じっと成り行きを見ているほかないのだ

そういう庭木たちの想いを感じながら
はてどうしたものか
折れた大きな枝の跡を見上げながら
私は立ちつくしている
私が取り組まねばならないのだ
庭木たちの思いを感じながら

# 田舎・山育ちの亡父追想

椎窓たけし

亡父の生誕　遠き明治も初年代
肥後のくに境　伊良戸
〝イラド〟と呼ばれた奥深き山郷
藁屋根の大屋敷
夜は〝いろり火〟ちろおろ
学問好きの父ヒトシは

ランプ灯して〝論語〟読み
大正六年　百姓の身分に
学問不要の一家の声を
おしきって、福岡農学校
受験、首尾よく合格
わが家の座敷には
大正九年　春　三月
優等生の賞に卒業証書を
残し掲げている

今に老いて　感無量の想いで読み
それから、イラドの円型状の遠き山仰ぐのである

# メダカ

高森　保

メダカが商品になって売られている
えげつない世の中になった
春が来るとメダカは田んぼの溝にわんさと出て来て
同じ向きにそろって泳いでいた
掬(すく)ってみるか　と水中に手を入れた途端　一斉に
さっと向きを変え去って行く
その先に手を入れると　また向きを変えてしまう

群から遅れて泳ぐメダカなんていない
メダカは勢揃いして泳ぐ
上から見ていると　流れの早い渓流のようで
メダカの背中が渓流の下の小石のように見える
それで天敵の鳥たちの目を避け生き延びて来たのか
♬メダカの学校は　川の中　誰が生徒か　先生か
　みんなで　お遊戯しているよ♬
半世紀よりも前　まだ幼い子どもに私は返っていた
もうその頃の現実には帰れない

小学校の教員をしていて　五年生の理科でメダカを教えるようになっていた
メダカを探して　学校周辺から歩いたがいない

やっと隣町の丘下の小川で発見　掬って教材にできた
それから数年後　地元の若い同僚が五年生担任で
メダカを教えていられたが　その生きた教材の小魚は
ハヤ　動きが速くすばしこく単独行動をする
「これハヤ　メダカは目が少し上について大きい」
「そうですか　メダカって見かけないもんですから」
それで私はメダカを採集した場所を教えたのだった
どうしてメダカはいない

思えばベトナム戦争後
そこで使われていた枯葉剤等の毒薬が農業用に転用され出したのだった
ホリドール散布後の水田が　梅雨末期の大雨で冠水

氾濫した川面に淡水魚が白い腹を見せて流される
それが毎年繰り返され　それ以上に農業の近代化
土地改良と国営の事業が展開されたのだった
自然を残した昔からの小川　田の畔溝(あぜみぞ)も姿を消した
もう在来のメダカどころか鮒(ふな)も蟹(かに)も汽水の蜆(しじみ)もいない
これが豊かな日本の国土なのか
メダカ売ります　ヒメダカ　シロメダカ　きれいですよ

※メダカの在来種は絶滅危惧種に指定

# 秋の声

柴田康弘

白くけぶる雨後の森林から
白鷺が一羽
十月の空を飛翔する

拒否すること
その風の透明さ

さかのぼる風上の
渓流に住む山女のように

冷たさのなかに宿る命がある

滝下にほとばしる水泡
淵の深みへは
死者の内耳のように
秋の声だけしか降りてゆけない

ひかりを放つもの
季節の底に
たとえ一塊の水晶があったとしても
秋野の明るさが増すわけではない

いま
森の暗紅色へ
鳶色（とびいろ）の目をした鳥たちが
いっせいに降下していく

# 塒

林　恭子

あれはアオサギ
知らぬ間に此処を塒（ねぐら）と決めたよう
一歩一歩踏みしめて
自分のテリトリーだと
堂々と歩く　幽雅に歩く

夜は喬木を
寝所と定め
身を守る

あれはアオサギ
眼を外した隙に身を隠す
飛んだ気配は　ない
漂鳥と
清夏とは言えぬが
潜んだ藪かげで明日の命を思う

# 壁蝨（だに）の話

麻田春太

妻は　私の顔にダニが
いっぱいついているという
何（な）ぜ　私にダニがつくの
食事をしているとき
ごはんつぶをより分けている
みそ汁の具を分けている
私には　見えないダニが

妻には見えるのだ
けさ　たいたばかりのごはん
けさ　つくったばかりのみそ汁
顔を洗ったばかりの私
何ぜ
つきまとい
ゆすり
たかり
血を吸うダニ
舌を巻いたか
私は
ダニにおかされたか
妻は精神病棟にカクリされた

# 萩の花咲きてありや

金子秀俊

天平二年十二月　大納言となった大伴旅人は
大宰帥(だざいのそち)を兼任しながら　京(みやこ)に帰った
齢六十七となっていた

天平三年
彼は自分の余命の少ないことを
悟ったのであろうか
歌を詠った

　三年辛未(かのとひつじ)に、大納言大伴卿(おおとものまえつきみ)、寧楽(なら)の家に在りて、故郷を思ふ歌二首
しましくも　行(ゆ)きて見(み)てしか　神(かむ)なびの　淵(ふち)はあせにて　瀬(せ)にかなるらむ

さすすみの　栗栖（くるす）の小野（をの）の　萩（はぎ）の花（はな）　散（ち）らむ時（とき）にし　行（い）きて手向（たむ）けむ

栗栖の小野は今は所在はわからない
が　旅人が三十歳になるまで過ごした明日香の地にあると考えられる

「できることなら
故郷の神に　萩の花を手向けたい」と願った
が　その願いは叶わなかった

秋　七月の二十五日　大伴旅人は逝った

旅人の側（そば）近く仕えた　余明軍（よのみょうぐん）は詠った
かくのみに　ありけるものを　萩（はぎ）の花（はな）　咲（さ）きてありやと　問（と）ひし君（きみ）はも

「萩の花は咲いたであろうか」
大伴旅人　最期の言葉である

＊大伴旅人の歌：『万葉集』巻六―九六〇、九七〇。余明軍の歌：『万葉集』巻三―四五六
（旧『国歌大観』番号による）

# ダイエット

小松陽子

　スカイブルーの空をキャンバスにして、白い雲は犬の形を描いていく。飛行機が長い白線をたなびかせて遠ざかる。夏の雲と秋の雲が入り混じる行き合いの空を眺めて、久し振りに平和な土曜日の午前中を過ごした。重い腰を上げたのは、昼食を済ませた後だったから、もう二時近くにはなっていたろう。

　時折吹き込む涼風に、夏も終わったな、と一人ごとを言いながら掃除機をかけていると、垣根の間から同級生が顔を覗かせた。ちょっと前まで幼木だと思っていた狭庭の木々が枝葉を繁らせ、同級生の頭上に覆い被さっている。河童のように見えて吹き出しそうになったが必死で抑えた。

　同級生は微塵の遠慮も見せず家に上がってきて、茶を催促するような素振りを見せた。私は急いで掃除機を端の方に寄せて台所へ走った。走るほどの距離ではないが、同級生のせかせかした態度に、いつもつい吊られてしまう。

　麦茶を出し、一緒に飲み始めると、同級生は「よし」と頷いて、

「あなたはね、大体働き過ぎなのよ。人生六十年を私たちは遙かに超えたわけだから、余生は長閑に穏やかに、豊かに余裕を持って、楽しく送るべきなのよ」

と述べた。

「あなたはそう言うけど、私は独り者だし、全て自分でしなくちゃいけないのよ。あなたとは違う。掃除は勿論、食事の仕度、食後の後片付け、洗濯、買い物、草取り、幸い小さな木ばかりだからいいものの、剪定だって私の仕事。それにね、あなたも知ってる通り、日本舞踊に茶

道、書道、カラオケ、他になんか有ったかなぁ。たまには旅行や、友達と食事もしたいし、これを一人でこなしているのだから、毎日暇がなくて当たり前。それを忙しいとも思ってないし、改めようとも思ってない」

私は尚も続けた。今言っておかないと、次はいつ言えるか分からない。

「あなたとは違う。映画鑑賞や絵画展、コンサート行ったり、旅行したり、そうそう三カ月前には、豪華客船で日本一周もしたわよね。誘ってはもらったけど、ちょっと羨ましかった。私は楽しいことばかりに浸ってはおれないわけよ」

同級生は、そんなことどうでもいい、と短く言い、「お茶菓子はないの?」と、台所や、振り返って仏壇辺りまで探している。私は慌てて、昨日買っておいたアイスクリームを持ってきた。

「まだ冷たいものがいいわね。あらっ、このアイスクリーム美味しいわね。どこの製品? あなたにしてはいいもの探してきたわね」と、スプーンで掬ったり舐めたりしながら、あっさり完食し、思い出したように言った。

「あなた、その割には痩せないわね。なぁに、その振袖のような二の腕、ピッチピチの腹部。ダイエットした方がいいんじゃなぁい」

言いたい放題を私に投げて満足したのか、「さぁ、散歩の続きをしよう」と、両頬をピタピタとはたいて、赤い派手なタオルを首に巻き、外に出ると、沿道の木陰を選んで歩いていった。

私は同級生が右折して消えるまで窓から見送り、また掃除機のスイッチを入れた。夏の終わりの気温は、全身にしっとりと汗をかかせる。後のシャワーを楽しみに、台所の方まで回って完了した。

湯温は温めにして、シャワーをゆっくり浴びる。「はぁ、極楽、極楽」と、父や母が口にしていた言葉を思い出し、私も同じように呟いてから、「はぁ、いい湯だな」と歌ってみるが、シャワーではピンと来ない。

ふと「あなたとは違う」と口走ったことを思い出した。同級生は、サラリーマンの夫と力を合わせ、三人の子どもを育てあげ、それぞれ所帯を持たせてもいる。私の知らない努力や苦労があったのだろうと思うと、後悔に責められ胸が痛んだ。やがてそれもシャワーに溶かされ流れていった。

「さぁ」と掛け声を掛けて浴室のドアを開け、鏡の前に立った。

「いっ、いつの間に!」

鏡の中の自分の姿を見て、思わず悲鳴に近い声が私の口から洩れた。胃の辺りから腹部に向かって、盥（たらい）を伏せたように膨らんでいる。

　何かの病気ではないかと不安になったが、考えてみれば最近の食欲は酷い。何でも美味しいのだ。特に私の甘い物好きは度を越している。つい先日もそうだった。ショートケーキを続け様に三個食べた。いや、先日ばかりではない。ちょいちょいあって、これで肥満を警戒するのはおかしな話だろう。こうなって当たり前。脂肪腹が洗面所の鏡一面を占めている。鏡は、情け容赦なく、一つの修正も行わず、実直に如実に映し出している。正視できなくなり私は目を逸らした。明日からダイエットに真剣に挑戦しなければと思った。

「さぁ」と言って、パジャマを着て、クーラーの利いた部屋に寝転がって「極楽、極楽」と、また言った。

　夕食は、あらゆる野菜と豚肉、ソーセージ、卵をトッピングした手作り中華麺の美味しかったこと。もう腹部のことなど忘れ去って、仏前に供えていた草餅で締めた。

　明日は雨という。良かった、今日の内に掃除、洗濯を済ませておいて、と思った。

　朝から雨は止む気配もなく降っている。狭庭の木々にも花にも雑草にも、乾いた土にも、雨は平等に降り注ぎ潤している。農家の人々には恵みの雨となっているだろう。窓の外を見ていると、雨だれが可憐な生き物の清（す）んだ瞳のように煌めいて、一粒一粒、私と視線を合わせてから落ちていく。

　そうだ、こんな日は雨の滴と思い出話でもして過ごそうと、横になったとき、玄関のチャイムがけたたましくなった。

「居るんでしょう。開けて。私よ」

同級生が執拗に叫び、大声で私の名前を何度も呼んでいる。折角雨の日のいい過ごし方を発見したのに、と思いながら仕方なくドアの鍵を外し開けると、

「あなた、寝てたの？　もうすぐ夏も終わるのよ。お洒落の季節到来よ。気にならないの？　脂肪をたっぷり蓄えたそのお腹、丸い体型、それでスパッツ穿ける？セーター着れる？　着れるはずないわね」

「私はこのお腹で充分満足してるけど……」

「ああ、もう見ちゃいられない。さぁ、着替えて。エアロビクスで汗を流して脂肪を取るのよ。どう、私、近頃、スリムになったと思わなぁい」

と、自衛隊のように踵をカチンと合わせ、背筋を張って起立して見せた。下腹の脂肪がたわわんと揺れて、以前と大差ない同級生のボディを黙って眺めながら、私はの

ろのろとパジャマを脱いだ。

「分かる？　分からないのね？　スリムな肉体を作ることによって、コレステロールは減少し、糖尿病や心臓病、高血圧、それから、ええと、まっ、色々な病気の予防になるというわけ。女はいつまでも若々しく美しくありたいものでしょう。日々努力よ、努力」

と、専門家のように言い、家の前に停めていた車に、私を強制的に乗車させ、ダイエット効果抜群というエアロビクス教室へと運んで行く。窓外の風景が流れていく。銀杏の木のてっぺんが少し色付き始め、赤とんぼが一匹、横切っていった。

駅近くの三階建て雑居ビルの三階だという。私はエレベーターを探したが、「歩いて上がるのよ。運動、運動」と、同級生が私の背中を一押しして追い越す。身体を前後左右にくねくねと動かしていくその臀部を、いやでも目にしながら、私も手すりを使わずに上がっていった。

教室には、二、三十人が床に尻餅をついた状態で、ゆっくり開脚したり閉じたりしている。ドアの閉まる音に気付いてインストラクターが「はーい。皆さぁん、新人さんを紹介しまぁす」と言い、「お名前は？」と私に小声で聞いた。私が名乗るより先に同級生が私の名前を声高々と発表すると、両足を広げていた生徒は急いで足を閉じ、新人という私に一斉に視線を浴びせ、「なるほどね」と言った表情をして一瞬緊張した空気を元に戻していった。私を見つめる皆は、規則のようにふくよかで観音様のように平和な顔をしていて神々しく見えた。

インストラクターがパンパンと手を打ち鳴らし、「はいっ、はいっ」と歯切れのいい声を部屋中に響き渡らせ、それに合わせて二、三十人が左右に足を滑らせ、交互に片足ずつを上げたり下げたりしている。単純なようで体力を要するのだろう。一様に額に汗が滴っている。

「さあ、あなたもやってみる？　初歩だからそう難しくはないはずよ」と、インストラクターが案外甲高い声で私に言った。私も、私より若いそのインストラクターに「はい」と言って素直に従った。

足を上げたり下げたり開いたりするダンスより、どちらかといえば日本舞踊の方が好きな私は、「不向きかなぁ」と心で言った。表情に出たのか、「大丈夫よ。直ぐに慣れて面白くなるから」とインストラクターが言い、同級生も「頑張りなさい。必ずお腹引っ込むから……」と言った。

教室を出ると雨が上がっていて、所々にできた水溜りの飛沫を跳ね上げながら、ひっきりなしに車が通過する。

「いい汗かいたわね。食事でもしましょう。ううん、うちのだんなはいいの。少食だしインスタントラーメンでも作ってる頃よ。それで充分間に合う人なの。ほら、あそこ、焼肉食べ放題。あそこね、唐津牛らしいわよ。大皿に大盛りよ。黄金の唐津牛が大盛りよ」

と、同じようなことを何度も言った。やはり同級生も食欲には勝てない種族なのだと、納得したり安心したりして、私も「食は命なり」と賛同して低く拳を挙げた。

同級生が言う唐津牛は、大皿に大盛りとまではいかないが、バラの花のように美しく並べられて目の前に差し出され、私たちはテーブルに落ち着くや否や箸を出し、既に熱くなった鉄板に置いた。

唐津牛はジュージューと音を立てて、そこら中にいい匂いを振りまく。どこの牛か、本物の唐津牛なのか真偽は判別できなかったが、そんなことはもう、眼中になかった。たちまち一皿を平らげ、同級生が追加注文して、それもまた平らげた。私も良く食べるが、同級生の食欲旺盛にも驚いた。

お腹に詰め込まれた牛肉は明日の血となり、肉となる。

（了）

# 同人募集

九州文学同人会では、同人を募集しています。

経歴は問いません。

書きたいという熱意を文字にしてみませんか。

あなたの作品をお送りください。

編集委員会で検討の上、連絡をさせていただきます。

**▷原稿送り先**

Eメール：2kyubundojinkai@gmail.com

電　　話：090－7164－8789

〒818－0035　筑紫野市美しが丘3－1－10－601　目野方

木島丈雄 宛

コラム

## 駐輪場利用のマナーと軽犯罪

六月のある朝、駅前のごみ拾いをしていたら、二人のサラリーマン風の若い男が近寄って来た。「こういう者ですが」。ちらっと見せた光の矢が飛び出た警察マーク、私服の刑事か。一人は後ろへ回っている。「自転車の整理をされていますね」「してますが……」

「どうしてされるんです。駐輪場は市の施設でしょ。実は保護者の方から子供さんの自転車のサドルにボールペン書きの跡が付いて傷つけられたと被害……サドルの上で何か書かれたのでは……」

「たまたま『マナー良くして』と書いたことがありますが……」

「それテープで貼り付けたら軽犯罪ですよ」

この一件、家に電話されて、「毎朝、軽犯罪を犯して平気でいる」「一人よがりの正義漢、周囲は誰も共感しません」など。子らからも通告を浴びる始末。何でこんなことに……。

鉄道が分割され、JRは東駅、その入口近くに身障者の駐車スペースと駐輪場、その奥に観光バス二台の駐車場、その最奥が一般駐車場でしたが、身障者の駐車スペースが駅前公園の一角に移動になり、そこに駐輪していた思いやりのない自転車の持ち主の問題は起こらなくなりました。新しい駐輪場は屋根付きで、二本の通路の左右に自転車を並列させ、四列・四十八台が駐輪できます。もう一方のMR松浦鉄道側は、線路に沿ってホーム、ホーム下に高低差をつけて自転車前輪を載せるラックを設け、百台近く駐輪できる市の施設ができました。しかしラックに入れるのは半数以下でした。

無料で置けますが面倒なことはしたくないのでしょう。近くの高校の生徒指導教諭は連れだって視察に来、ホーム口に近い通路の自転車を抱えてラックに入れていました。観光バスの運転士はバスから降り、通路上の自転車を抱えて場内に放り込んでいました。五台も六台も……。観光ボランティアガイドをしていてそういう現場を見て来たことから、整理をしていたのですが……。

（高森）

# 秋は飽き厭き空くらす

麻田春庵

秋の日のコロナため息出口なし

秋味は薄味のように腹満たす

アパートの空室めだつ秋の暮

秋思とは飽き厭きあきと空くらす

秋雨やコロナウイルスとじ込めよ

諦めよ買い物行けぬ秋日和

モツと酒キープしたまま秋の宵

あてもなくポストコロナの秋の空

# 未練文

中園　倫

秋高し笑ひの転(まろ)ぶ通学路

鬼灯や塒(ねぐら)に極む赤い艶

秋さぶて入日しづもる汐の果

忘れへぬ萩月に立つ面影（かげ）えみて

七夕やこの世彼の世と未練文

天空に在（お）はす五年（いつとせ）今日の月

十六夜や心盗られし影追ひて

星合に縋るひと夜の浮き寝かな

# 偶感

中村重義

霧込めに昏るる木曽路の幾曲り馬籠（まごめ）は岐阜県妻籠（つまご）は長野県

沖縄の書店にて求めし「おもろさうし」壺屋焼の壺に隣りて

「今日ありて明日なき命転輸工（てんてつこう）」と転轍工の友は言いいき

午前六時時計の針より正確に「検温です」と看護師入りくる

無言館の扉の軋り画学生らのこころの痛み思うおりふし

弾丸に胸貫かれし死あり一閃(いっせん)に首刎ねられし死あり

世の中は強者、弱者に分かれいて杖つく我はつね弱者なり

酷い時代でしたねと慰藉さるることにも慣れて卒寿となりぬ

# 祈り

今給黎靖子

　授業を終えて職員室に戻ってくると、「先生、授業が終わったら事務室の方へ来てくださいって、事務長から電話がありましたよ」と若い女教師が言った。

「そうですか、ほかになにか言われませんでした」と尋ねると、「いいえ、なにも、それだけでした」という返事。そのまま教科書と資料を机の上に置いて、お茶も飲まずに階下に降りていき、事務室のドアを開けると、事務長が「こっち来て」と手招きした。

　窓際のソファーに腰掛けると、「あのね、先生、大分前のことやったけど、生徒を長崎に連れて行きたいからバスを出して欲しいって言うてたでしょう。それがね、今日ひょっこりバス出して貰えるようになったって理事長から話があってね」

「そうですか。よかった。それで、いつ出していただけるんです」

「いつでもよかって」

「嬉しいですね。善は急げ、ですよね。気が変わらないうちに。そうですね。日曜日だったら学生もバイトがないし、他の先生の授業にも関係しないし、次の日曜日にお願いしましょうか。急過ぎるようであれば、その次の日曜日でもいいですね」

「そしたらすぐに手配しましょう。大型バスって聞いていましたから、四、五十人は乗れますからね」

「上級クラス二つ、三十八人全員行けますね」

　奈津は小学校教師を定年退職した後、ここ日本語学校で働いていた。担当は日本事情。世界の若者たちに一人でも多く原爆のことを知って欲しいと常々思っていたのだ。その思いがやっと現実のものになろうとしていた。

学校がバス代をもってくれるという。働きながら勉強している生徒たち、彼らは旅行が大好き、喜ぶに違いない。奈津までわくわくしてきた。早く知らせてあげたい。事務長に「よろしくお願いします」と頭を下げて教室へ戻って行った。

早速このことを生徒たちに話すと、「わあー嬉しい、今度の日曜日がいい」と、わいわいがやがや。

職員室へ行くと他の教師たちも「私たちも行きたい。いいですよね」と。

「そりゃいいですよ。人が多いほど楽しいですから。ただバスに乗れる人数っていうことで」

新緑の美しい季節、思いがけなく日帰り旅行ということになった。生徒三十八人、教師五人が加わり、バスはほぼ満席に。ガソリン代、高速料金など含めて全て学校負担ということで、生徒たちの負担といえば自分で食べるお昼の食事代だけということになった。

学校を九時に出発し、途中パーキングで二十分の休憩を取った。銘々おしゃべりをする者、眠っている者など、なかには奈津に話しかけてくる者もいた。

「先生、日本の田舎って家が大きくて立派な家が多いですね」と中国人。「日本は緑が多い。木がいっぱい」など「飛行機の上から見ても緑ばっかり」と言う欧米人やインド人、そしてアラブ人。そんな国から見るとそうだろうと思う。

「なんで田舎の家って立派なんですか？　中国じゃ農民は貧しいですよ。家も古くて汚くて」

「日本の場合は農民はみんな土地を持っているからですよ。都会に住む人は土地から買わなくてはならないから、家を建てるのは大変なことなのね。でも農民は土地があるから家の分だけお金を出せばいいでしょう。だから大きい家が建てられるのね」

「日本はいいね。自分の土地を持てるんだから。中国じゃ土地は全て国の物ですよ。日本は個人で土地売ったり買ったりできるんでしょ」

「そりゃできますよ。でも都会には土地を持ってない人も沢山いますし、反対に買いたくてもお金がなければ買えないでしょ。田舎の土地は安いけど、都会の土地は超高い。需要と供給の関係ですから、これもマーケットの原理でね。天神や博多駅近くの土地は凄いよね」

「天神に土地持っている人っていいね」と中国人の張さん。

「もし、道ができるとかなって、土地買い上げられるってなったら、普通売る時より高くなって税金も付かないって聞きましたよ。本当ですか？　中国だったら、ほんの少しの立ち退き料を払って、どけどけってふうに追い出してしまいますね。なんでもかんでも国が勝手にしてしまいます。共産党が自分たちでいいようにします。国民はなんにも言えないんです」

「自由ないい国になって欲しかったら国民が頑張らなくては」

「それはできないですよ。なぜなら憲法で共産党独裁に決まっているんですから。日本に住みたいですね。アメリカとかに」

授業の時には聞けない生徒の本音。こんな時にこそ聞くことができる。これも奈津にとっては大きな収穫だった。

パーキングに入って一休みすることに。生徒たちは小腹が空いたのか、おやつの時間になって、飲み物やちょっとした食べ物を買って食べたり飲んだりしていた。これもまた小旅行の楽しみなのだ。

食べたり飲んだりする時、人間関係は親密になり、外国人とは思えない関係になる。日本人と同じように可愛い生徒たちになるのだ。いや日本人よりもっと可愛く感じることがある。

十二時少し前に平和公園に到着した。予定していた時間通りである。一時間の昼食時間を取ると話した。豚肉を食べられない生徒もいれば、ベジタリアンの生徒もいる。それぞれ好きな店に分かれて入った。

奈津は多くの外国人に出会う前はみんな同じ食堂、同じ食べ物、それが当たり前であった。日本人は何でも同じ枠にはめ込んでしまう。本当の自由というものを知らなかったような気がする。外国人と出会ったことで自由というものを教えられた。

中国人は「日本人ってラーメンをおかずにしてご飯食べますね。どちらも主食じゃないですか」。そう言われてみると本当におかしなことだ。それでも日本人にとっては当たり前で、おかしなことではない。外国人から見れば日本人は当たり前と思っていても、おかしなこと、不思議なことが沢山あるのだ。そんな違いを認め合うことが、これからの社会にとって大切なことになってくる。それが国際人というものだろう。

多くの生徒たちがカレーレストランに入った。カレーは国際料理なんだろう。若い人は国籍を問わず、大抵の人が好きな食べ物。

「先生、うどんにしませんか」と背中から聞こえた。何にしようかと考え中だった奈津は、うどんもいいかなと思って後ろを振り向くと、韓国人の男の子が二人いた。

「ああ、そうしましょうか」と同意して、うどんの店の方へ歩いて行くと、中国人も三、四人ついて来た。

何人かが海老天うどんを注文していた。奈津は釜揚うどんを注文した。「海老天うどんが好きなの?」と聞くと、「大好き」と、他の子もうなずいていた。「おれは海老天うどんが一番好き、うまいね」と言いながら、おいしそうにすすっている。

「日本のうどん、うまいですね。麺もうまいけどスープがうまいね。鰹や昆布で出しを取っているからヘルシーだし、おいしい」

しきりに誉めている。中国人は魚の味に慣れてない人が多いのに、鰹のおいしさが分かるんだ。

「うどんはお腹に優しいからね」と奈津は言った。

「ラーメンも中国のものより日本のラーメンの方がおいしいですよ」と言いながら笑った。他の子も、「そうそう」と同意していた。

平和祈念像の前で、作者・北村西望(せいぼう)について、彼がどんな思いを込めて作成したかなど簡単に説明した。奈津は話している間、当時の原爆投下の情景が頭の奥から湧き上がり広がってきて、胸が苦しくなってくるのだった。

入場券を配りながら、「中に入ってください。二時三十分に出口の所で待ちます。一時間半ありますのでゆっくり見て来てください」と言った。

五月の空は青く広がり、さやさやと風に鳴る新緑はまぶしいほど美しい。五十数年前、この地が原爆によって地獄と化していた情景を、今は想像もできない。なんと美しく静かなことだろう。平和、なんと素晴らしいことか。ここに気づくために、日本人はどれほど大きな犠牲を払ったことだろう。当時十二歳だった奈津は、館内の掲示写真に自分と同じ年くらいの子供の痛ましい姿を見ると、言葉にならない。

日本は大変な過ちを犯した。嘆いても過去は戻ってこない。小学校教師をしていた時、修学旅行で子どもたちを何度もここへ連れて来た。何度参観しても、あの時の思いが甦ってきて胸が苦しくなるのだ。世界中の人がみんな恐ろしい原爆のことを知らねばならない。人間が人間に犯した最大の悪なのだ。

二度と再び、世界のどこかででも、あってはならない。絶対に。

ロビーで待っていると、二、三人の中国人が出て来て奈津の側に来るなり、

「アメリカって酷(ひど)いことしてますね。日本は原爆を落

されたとは聞いていましたけど、こんな酷いことになっていたなんて全く知りませんでしたね。こんなことされて日本人は仕返ししないんですか」

「仕返し？　しませんよ。そんなことしたら、また戦争になるでしょう。されたら仕返す。また仕返す。負の連鎖が続いて、そのうち地球は絶滅しますよ。もう芯から日本人はそう思っているんです。さっき見た平和祈念像は平和を希求する姿、それを表しているんですよ」

「それにしてもアメリカは酷い」と出て来た生徒たちが口々に言う。

「この戦争はアメリカもまた間違っていたと思いますよ。あきらかに国際法違反ですし、何の罪もない子供や老人、一般の人々を殺しました。戦争は恐ろしいね」

「日本が戦争したおかげで韓国人も沢山死んだんですよ」と金（キム）さん。

「そうなんですよ。日本が韓国、朝鮮半島の皆さんを戦争に巻き込んでいきましたからね。日本人として申し訳なく思っていますよ」と奈津は頭を深く下げた。

すると後ろの方にいたフィリッピン人のウルスラさんが気の毒そうな顔をして、

「こんなこと言うと広島や長崎の人には申し訳ないんだけど、日本がいつまでもいつまでも戦争を続けて止めなかったでしょう。だからこんなことになって……。本当に申し訳ないとは思うんですけど」

その言葉に奈津は、はっとした。フィリピンといえば第二次世界大戦のとき激戦地となった国、日本は大変な迷惑をかけている。フィリッピンだけではない。その周辺の島々、そして国を、アメリカ、イギリス、オランダなどと戦って戦場にしてしまった。ガダルカナル、ラバウル、テニアン、パラオ、もう数えきれないほど多くの地を戦場と化した。そして玉砕という名の下、多くの兵士は野に屍をさらし、目も当てられない地獄と化してしまった。この有様を知らされてなかったのは本国の日本人で、戦場となったフィリッピンの人々やその周辺の国の人々は、日本人に対して、この国の人は人間なのだろうかと呆れ果てていたことだろう。

勿論、日本国民にしても食べる物なく、着る物も家も空襲で焼かれ、惨憺たる有様で、その日その日をやっと生きているという状態だった。

ウルスラさんが言う通りだった。しかし戦後、原爆はアメリカが日本に戦争をやめさせるためだった、と聞いた時、言い訳にしてもあまりに酷い。人道に反する行為、勝った国のエゴだと奈津は思った。こんなことが二度とあってはならない。ネバー。

世界中の人が日本の国に対して抱いた感情も分かる。他国から見れば、負けても負けても止めない、一億玉砕などと言って戦い続ける日本人――狂人としか思えなかったことだろう。そう、日本は全く常識を失って狂人になってしまっていたのだ。

中国人は相変わらず、アメリカは酷いことをした、と言い続けていた。アメリカを非難するために生徒たちを連れて来たのではなかった。しかしアメリカはやはり酷いことをしたことには変りない。

そのときオーストラリアのニールさんが言った。

「もう、そんなこと言うの止めようよ。今は地球人の時代だよ。世界中みんな友達でしょう」

何人かの生徒たちが、そうだそうだと言った。

「時間になったみたいだから、バスの方に行きましょう」と奈津は言った。

バスの中でだれかが「はーるをあいするひとは」と歌い出すと、それに連なってみんなが声を合わせて歌い出した。良い雰囲気になって歌が続く。奈津も一緒に歌った。歌でみんなの心が一つになる。若者は歌うのが大好き。次々に出してきて、いつまでも歌い続けていた。

戦後、日本初のノーベル賞受賞者となった湯川秀樹博士。自ら日本軍による原爆研究に関わっていたという。博士の三十一文字の歌に、

今よりは　世界ひとつに
　ことわに　平和を守る
　　ほかに道なし

それから二十年が過ぎただろうか。奈津も年を取り、一人暮らしを楽しんでいる。

平和な日々の中に突如コロナが入り、昨年の春から世界中が苦しんでいる。そんな中、中国の経済が目覚ましく発展し、覇権主義になって世界は不安定になり、これに対しアメリカも同盟国を中心に中国包囲網を作っている。

キナ臭い匂いが漂う中、平和を祈る日々である。

（了）

# 山は秋色

木村　咲

　朝早くから、そわそわと落ち着かない様子だった夫が、カメラ・バッグを担いで出ようとした。照代は、そんな夫を追うように尋ねた。

「あら、今日はどこに行くと？」

「雷山」

「雷山。あらよかね、私も行こうかしら」

そう言ったが、いつものように夫の返事はない。

　照代は、やはり夫は浮気している、と思った。それはかなり前から気づいていたことだった。妻は、そうした夫の動きや仕草で分かってしまうのだから。

　退職してからカメラを趣味にして出掛ける日が多くなっていた夫に、始めのうちは照代がお供で着いて行っていたが、ただ一度、カルチャー・センターの友人三人と食事に行こうとしたとき、たまたま外出していた夫と出会って友人を紹介したことがあった。友人はその後二、三度食事に付き合っていたが、用事があるからと先に帰るようになった。夫も、その日は必ず外出していたようだ。

　そのことがきっかけに老いの恋が始まったようである。いつもは雨の日には家にいるのだが、最近は雨の日にも出掛けていく。車だから濡れる心配はないし、どこにでも行ける気安さがある。友人は一人暮らしと聞いていた。誰からも干渉されることなく、意見がましいことを言われることもない気楽さがあったようである。

　そうした恋愛感情とは無縁の日常を夫と過ごしている照代は、今日こそ、と無理に助手席に乗り込んだが、狭い空間で一緒にいれば、何かのきっかけで夫婦としての会話がはじまるかもしれない。そうした考えがあったのだが、友人のことを問い質すきっかけは摑めず、勿論、夫は一言もしゃべろうとしない。そうなると照代も無言で前を見ているしかない。そんな雰囲気では笑って話せる気持ちの余裕もなく、その状態のままで雷山千如寺前に着いた。

この寺院は、千手千眼観音立像をお祀りしてある古刹で、国宝に指定されている。指の一指一指に目を開いておられ、天を突くような背の高さの上に、大きな眼球が見開かれている。照代は息子や孫たちと何度もお参りしたことがあるので、門内に入ろうとしたが、夫は、ついっと足をかわして山頂に向かった。

数日後、「今夜は遅くなる」、そう言って、買ったばかりのスーツを着て出掛けて行った。勤めていた会社のOB会が市内ホテルで行われるらしい。照代は、夕食をすませ、食台にも使っている炬燵の上に、塗り絵の道具一揃いをならべ、クレパスのピンク色を取り出し、女の子のドレスに模様をつけようとしたとき、玄関のチャイムがゆるく鳴った。

ドアを開けると、二月以上顔を見せなかった息子が寒風の中に立っていた。そして「車で来た」と言い、「寒いね」、そう言いながらも冷蔵庫から瓶ビールを出して栓を抜き、コップにあふれる泡をじっと見ている。その横顔がなにかしらやつれて見えた照代は、出したばかりの塗り絵のあれこれを片付けながら聞いた。

「夕飯は食べたと?」

「ううん、まぁだ」

流し込むようにビールを飲むと、音をたててコップを炬燵の上においた。息子は不精なのか忙しいのか、たまにしか来ないし、電話もしてこない。その息子がこんな時間に、しかも食事もせずにやってくるとは、よほどの訳がありそうだ。そう思いながら冷蔵庫から肉や野菜を出して流しに立った。息子が、どのような話を持ち込んできたのか想像もつかないが、取り乱すことだけはしないでおこう。そう腹を決めてキャベツに包丁を入れたとき、息子は、ぽつんと言った。

「別居しようと思う」

「はあ、別居?」

突然のことで、照代は包丁を握ったまま息子のほうに体を向けた。照代はその次の言葉が見つからないまま向き直り、小刻みに震えだした手に力をいれ、野菜を切った。なにはともあれ食べさせなければ……。熱せられたフライパンから油のにおいが立ち、換気扇の音がいつもより強く唸りたてる。照代は、鍋の中に材料を放り込み、カタカタとフライパンを揺すった。

「もう、決めたとね？」

「うん」

「ようく話し合ったとね？」

「一応は」

二言、三言のやりとりで、息子の言おうとしていることが分かった。頭の中では、やはりそうなったのか、という思いがあったからだ。

「別居？　それとも離婚？」

「離婚しようかと思いよる」

やはりそうか、この子はいつもそうした言い方をする。相手のショックを和らげようとする気遣いか、それとも母親の態度を見たうえで話を先に進めようと思っているのか。その性格が息子の優しさであると同時に、あらぶる感情を抑えて表面に出し切れない心の弱さであり、爆発しきれないその我慢強さが、時として周囲の人たちに物足りなさを感じさせたり、歯痒かったりする。

「二十代の若者なら、考え直しなさいとか、どうしてって、二人を前に意見もしようけど、四十にもなろうとする男と女が話し合って親に報告しに来たとに、私は何にも言えんよね」

息子に向き合って座った。さっきまで、事の重大さに震えていた心や体の騒ぎがおさまりかけているが、言いようのない憤りが体を強張らせている。

お互いに認め合って結婚した二人が、相手の影の部分を見落としていたのだ。結婚後、自分の親、つまり照代たちの意見も聞かずに、妻の実家から五分ほどの所にマンションを買い入居した。その頃から息子との関わりが薄れていき、孫を含めた四人の生き方に危なっかしいものを感じながら、口に出すことを控えていたのだった。

熟年と呼ばれる照代世代が口を挟めば、若者の間では「時代が違う」と拒絶される、と聴いたことがある。その違いを汲み取って、ここ数年は此方から会うことも控えていた。それもこれも煩わしいと思われたくない気持ちと、嫁との接触を避けていれば争わなくてすむという、親心でもあったはずだったのだが。

息子が自分の両親との関わりを避けていた理由は、嫁にもあると感じていた。彼女が照代夫婦と快く交際してくれていたならば、また違った生活が生じていたかもしれない。親はそうした気配を感じ取ることができる。そして寂しくなる。同居したいとまで思っていた息子だったから、身を切られるような思いで黙って受け止めてきた。息子は養子にやった、と百八十度視点を変えれば、僅かに寂しさが薄らいだが、心のうちで、必死に切り捨てようとしたこともあった。

それに、照代自身、夫の家族と同居していた苦い経験もあったからである。息子が結婚したら、あのような苦しみを味わわせたくないし、あのような姑にはなりたくない、と、日頃から思っていたことでもある。

「それで、今後はどうするつもりね」

過去は過去として、今後を前向きに考えなければならない。照代はとっさにそう考えた。

「僕が、あのマンションを出ようと思う」

「子供は？」

「二人とも、いまのマンションに住みたいらしいけん、好きにさせたい」

「下の正志は？」

「あの子はまだ三年生じゃけん、離婚とか分からんじゃろ。兄弟は一緒に暮らすがよかち、思うけん」

私と同じ考えだ、と思った。照代も、兄弟は一諸に育つた方がいい、と夫との生活をつづけてきた。孫はどちらも無口だけど、家庭内の雰囲気には敏感に反応していると思う。好きとか嫌いを口にしないまでも、心の中で耐えていると思う。照代にはそう感じるところがあるので、どう接したらいいか戸惑うことがあった。子供は、両親が落ち着いた生活をしていれば、自然と良い育ち方をすると思っている。とにかく息子の今後の生活方針に左右され兼ねない孫のことも気がかりである。

「和江は？」

照代は、息子の妻の名をはじめて呼び捨てにした。今は、〝さん〟をつけて呼ぶ気にならなかったからだ。

「子供とマンションに住むとたい」

「マンションのローンは、払い済みね」

「いや、まだ半分ぐらい残っとる。それに、僕名義だから後の残りも僕が払っていくことになるし、子供の養育費も含めて仕送りせんならん」

「それは大変ばい。仕送りの他に自分のアパート代と諸々の生活費、あんたの給料でやっていけるとね？」

それほどの出費を負担しても別れたい、とは。今の生活がよほど心の重荷になっているに違いない。

「最初は、この家でお母さん達と暮らそうかなと、思ったんだけど」

「そうね……」

照代は考えた。気持ちとしては息子も孫も受け入れ、狭くても肩を寄せ合って暮らしていけば楽しいだろう。合意の上の離婚となればマンションを売り払ってもいいわけだし、後腐れもなくなるのだが。さて、私は、夫の浮気のいらいらと、同じような性格の息子との間で気を使って、二人の孫の世話をし、家族として難なく暮らしていけるだろうか。それに、六十を過ぎた身に体力もない。突然、離婚すると言われて、取り乱さなかったのが精一杯のふんばりだった。「孫も連れて帰っておいで」と、その場限りの優しい言葉をかけるのがためらわれたのである。

息子はビールを空にすると、夫愛飲の酒をコップに注ぎレンジに入れ、「人肌人肌」と呟きながら、

「僕んちは、男が二人おるっちゃもんね」

そのことは照代も感じていたことである。嫁の私達に接する様子、顔に出る表情の険しさに、ドキッとするきつさがあった。親の前で手形が付くほど強く、息子を打ったことも。そのとき照代は自分が打たれたような痛みを感じたものである。息子は、酒を含むと、

「子供が可愛いっちゃんね。子供に不自由させたくないけん、あのマンションを出ることにしたけど、僕の借りるアパートの保証人になってもらえんじゃろうか、お父さんに」

こんなとき、どうして父親でなければならないのだろうか。母親だって、保証人になる権利と、義務があるはずである。法律は、老齢年金の高額者ならば支払いに間違いがないだろう、ということかもしれないが、女はいつも見下されている気がしてならない。が、

「子供が可愛くない親がありますか」

私は、貴方可愛さに、夫と別れることができなかった。と言いたいが、息子が成人しても別れなかったことまで息子の所為にはしたくない。息子は順序だてて事を選び、報告かたがた保証人の依頼に来たのだろう。

「今夜は遅くなるよ。何度も聞くけど、やっていけるとね？　一人暮らしも大変よ」

息子が結婚して以来、二人の生活が身に付いている。二人で住むには広すぎるほどの部屋はあるが、一部屋は仏間になっている。五人の生活となると窮屈だろう。それより夫と息子の間に立って、気疲れしてしまうのは目に見えている。我儘いっぱいに育った昭和初期の男は、今まさに浮気の真っ最中だからだ。

家の前で車の停まる音がした。夫のお帰りだ。息子との話も一段落したときだった。めったに顔を見せない息子が炬燵で酒を飲んでいるのを見て、不審に思ったのか、

「おう、来とったとか、何か用事か」

夫にもかなり酒が入っているようだ。言葉の語尾がもつれ、体も揺れている。息子は、父親に気付かれないよう唇に指を当てた。照代も、夫の今の酔い心地に水をさすようなことはしたくなかった。たとえ話しても、夫の意見は酔いも手伝って混乱するのは分かっているからだ。

照代は息子の合図に頷いた。

「孫は元気か？　何か用か」

「友達の家に行ったけん、帰りに寄ったと。お父さん、今夜は御機嫌やね」

「孫に久しゅう会わんが、孫は可愛かばい。いつか連れて来い」じいちゃん、じいちゃん言うて寄って来るぞ。

夫は、いつもの無口を返上して同じ言葉を繰り返している。さっきまで話していた息子の離婚問題を、夫が感じているような気がして二人は顔を見合わせた。息子がタクシーで帰った後、崩れんばかりの夫を寝かせ、自分の部屋に座り込んだ。

照代はなかなか眠りにつくことができなかった。息子は悩んだ末に出した結論だったろうが、その間に一度の相談もなかったし、顔を見せることもなかった。それは、老親に心配をかけたくない心遣いもあっただろうが、世代の違う意見を並べられて、混乱するのを恐れていたのかもしれない。照代は、頭では分かっているつもりだが、神経がいらだってきて、手を出せない不甲斐なさが、深い息とともに肩の力を落としていた。とりあえず、明日はアパートを借りるために必要な印鑑証明を貰ってこなければならない。ようやく夜明け近くに眠ったようだった。

二日酔いの夫は、昼近くになっても起きてこない。照代が勝手に動き回るほど簡単な問題ではない。仔細を夫に話して、区役所に行かなければならない。

「あなた、まだ起きれんですか、大事な話があるとですよ」

大事な話と聞いた夫は、まだ酒の気の残っている目をかろうじて見開いて起きてきた。

「なんか……、大事な話って」

夫は、照代に向きあって座った。照代は、息子の生活が変わろうとしている経緯を話しているうち、ふと、数年前のことを思い出していた。

照代は当時、昭和初期生まれの男にありがちな亭主関白で、その上意固地な夫との生活に疲れ果てていた。そこへ浮気という辛く悲しい重荷がのしかかってきて、離婚、または別居をと覚悟を決めたことがあった。それは結婚して、二度、いや三度目。アパート探しまでしたことがあった。それでも思い止まったのは二人の息子可愛さであり、照代自身に継母との苦い生活を経験していたからでもある。

思い止まった頃はまだ若かった。体力も気力もあり、気持ちを切り替える余裕もあったように思う。それだけではなく、四十年余りを共に暮らし、どう気持ちを切り替えても触れ合わずに、自分で処理しきれなくなったとき、市民相談室に駆け込んだ。照代は、人前で涙を見せることができない。夫の浮気で身を削られ、狂いそうになったときも、夫の前では決して泣かなかった。そんな女は、男にとっても可愛い気がなかろう。自分でもそう思っている。しかし、大声で泣いて喚いて摑みかかって一騒動したならば気分が収まるだろうか。おそらく老妻の涙など、愛しいとも美しいとも、かわいそうだとも感じてはくれないだろう。

　市民相談室は閑散としていた。二人の相談員が入り口を向いてかけている。

「どうぞ」と椅子をすすめられて、照代は頭を少し下げて話し出した。

「あのー、六十を過ぎて離婚するとしますね、そんなとき、国とか市町村で、なんらかの補助が受けられるでしょうか」

「そうしたシステムはありませんね」

「夫の年金から、月々幾らか受け取ることができると聞いたことがありますが」

「法律で、年金の半分を妻がもらえるとか言っていますが、結婚した年数とか、両方の年金額とか、いろいろ審査した上で決まることですから。男性も生活していくだけの物は必要ですから、別れた妻にまで年金を振り分ける能力は無いんじゃないですか」

「はーあ、それじゃ、慰謝料なんかもらえますか？」

「それも、サラリーマンには無理でしょうね」

そんなことがあったのを思い出していた。

十数年後、息子は再婚し、孫もそれぞれに所帯を持ち落ち着いた頃、夫がふと呟いた。

「俺たちもあんとき、我慢せんでよかったとに」

（了）

# 仮の妻

小泊有希

宗麟は幼少の頃より蒲柳の質だったが、年を重ねるにつれてさらに病弱となり、持病の心の臓の発作にくわえて、夏に胃腸、冬には風邪と病にいとまがなかった。

西の丸の宗麟には、親家（由布の次男）がひたと寄り添い、自邸から五人の若い侍女をつかわせて身のまわりの世話をさせていたが、病臥すると若い侍女では心もとなく、折から身を寄せていた大姫（由布の姉）に看護を命じたのである。

「親家の命令では、姉上さまも拒むことはできない」

「さようですとも」

宗麟の妻・由布と葵（侍女頭）は大姫の苦労に対して、心からの同情を惜しまなかった。

「もしや大姫さまは、由布さまと大殿さまのおとりなしに出かけたのやもしれません」

葵は目を輝かせて、そんなことも言った。事実、その後登城した大姫は、宗麟に由布との縒を戻すように進言したと告げ、

「気長に待てば、大殿さまも気が変わってお戻りなされよう」

と言って、由布を喜ばせた。由布は大姫の言葉をひたすら信じ、宗麟の帰りを待ちわびた。

だが白い築地塀（粘土をつき固めて作った塀）をまわして別邸が竣工すると、宗麟は新邸に移り住み、二度と由布のもとに戻ることはなかった。そして十日後、大姫の姿が消えた。

二日たっても三日たっても大姫は姿を見せなかった。身の上を案じて葵が親家の屋敷を訪れると、大姫は五味

浦（別邸）へ出かけているという。葵の脳裏を不吉な予感がかすめた。

「まさか大殿さまのご別邸では？」

眉根を寄せる葵に、

「大殿さまの仰せでございます」

と、もじもじしながら絹（親家の妻）は答えた。

「由布さまには、何のお断りもせずにですか。大姫さまは、いやしくも由布さまの侍女頭ですぞ」

葵は驚愕のあまり、きびしい指弾を絹に浴びせた。

「申しわけありません」

葵の剣幕にけおされて、絹は消え入りそうな声で詫びた。

――とり返しのつかぬことにならねばよいが……。

葵は案じた。城に戻ってそのむねを伝えても、由布はあまり気にしなかった。

「また親家の言いつけじゃろう」

と言って笑った。が、悪い直感が頭によぎり、このときばかりは葵は鉾をおさめなかった。

「たとえ親家さまの仰せでありましょうとも、由布さまのお許しをいただいて出向くのが筋。ここは若殿（義統）か親賢（由布の兄）さまに、意見していただくのがよろしいかと存じます」

言われてみればその通りである。大姫は姉であっても、城においては由布に仕える侍女頭。主従のけじめをなおざりにすれば、奥御殿の秩序が乱れる。

「わかりました」

由布は葵の主張にしたがい、義統を別邸へ出向かせた。ところがあろうことか、義統は誰もが予測せぬ唐突な返答をもち帰った。唐突な返答とは、宗麟が大姫を妻に迎える、というものだった。

「大殿と姉上が夫婦に？」

意表を突かれて由布は訊き返した。義統は、

「はい。それもただの夫婦ではなく吉利支丹の夫婦と言うております」

「なれど南蛮宗では縁切りは認めぬ、と聞いちょりますが……」

たまりかねて葵が口をはさむ。

「それがしもそのことを問い質した。すると伴天連が、母上を仮の妻にいたす、と申したとか……」

「仮の妻？　それはまた、どういう意味でございますか」

葵は義統にせまった。

「由布さまは、大殿さまが二十数年つれそわれた大友家のご正室ではございませんか。大殿さまの御子を八人

も産み、ご当主さまのご生母さまでもございます。そのようなお方が、なにゆえに仮の妻なのでござりますか……」

葵は声を詰まらせ、言い終わらぬうちにすすり上げた。由布は葵の怒りと悲しみを、ひとごとのように眺めていた。頭の中が真っ白で、自身のこととは思えなかった。

茫然としている由布に代わって、葵は大姫に対する憤懣をぶちまけた。

「夫に死別し、わびしい思いをいたしておった大姫さまを侍女頭にとりたてたのは、由布さまではございませんか……」

葵はさらに、大姫がつい先ごろまで由布さまと共に南蛮宗を非難し、禁止を申し出ていたのに、掌を返すように吉利支丹になるとはどういう了見か……。南蛮宗は生涯一夫一婦をむねとし、離縁を認めないから、宗麟を一生わがものとするために吉利支丹になるのではないか、とも言った。

「葵、口が過ぎよう」

由布は、怒り心頭に発した葵をたしなめた。けれど、葵が自室に下がり居間にひとりになると、怒りと悲しみは由布のものとなった。戦国武将は多くの愛妾をかかえるのが常であり、一夫一婦を守り通した武将など片手にもたりない。

宗麟も最初の正室は離縁したし、家臣の妻に懸想したり、また誅殺した叔父の後家をかこったり、といった過去がある。それゆえ由布は覚悟をしていた。が、こともあろうに由布の実の姉を選ぶとは……。それも二十数年正室をつとめ、八人もの子女を産んだ由布を仮の妻にして正室にするという。

――なんと理不尽な……。

由布は唇をかんだ。大姫に訊けば別邸に出かけたのも、宗麟との婚姻も、また吉利支丹になるのもすべて親家の命令であり、拒めば絹が苦境に立つ、と弁解するにちがいない。むろん由布は信じない。別邸行きも、婚姻も、そして入信も、大姫が宗麟を慕っていればこそのこと。別邸行きは親家の命令だったかもしれないが、婚姻は妹への背信であり、南蛮宗への入信は奈多家との決別を意味する。どちらも親家への遠慮だけで出来ることではない。

由布はふと娘の頃を思い出した。由布と宗麟の婚姻が決まると大姫はふさぎこみ、母のお清が別府の別墅(べっしょ)(別荘)へ湯治に行かせた。

――姉上は、あの頃からずっと大殿に思慕の情をいだきつづけていたのでは……

由布の胸中に、大姫と宗麟に対する憎悪がたぎった。と同時に、由布には世間が気になった。

「大殿さまが大姫さまに懸想したと！」

「なら、由布さまは大姫さまに大殿さまを寝取られたのじゃ」

あることないこと言いたてて、世間は嘲笑するにちがいない。それを思うと、由布は身の置きどころがないほどの恥ずかしさを覚えた。

あまりの衝撃に気鬱の病が再発したのか、由布の目の前が真っ黒になり、ずるずると暗い穴の中に落ち込んでいくような気がした。

そして暗い穴の中で、由布は父鑑基（あきもと）の声を聞いたのだ。

「正室としてはずかしめを受けるようなことがあれば、命を絶て！」

それは嫁ぐ日、由布に懐剣を渡しながら、鑑基が発したことばだった。

「まさか大友家にあっては、その必要もあるまいが……」

あのとき鑑基はそうも言ったが、そのまさかが生じたのである。それも実の姉大姫によって……。

由布は死のうと思った。由布はよろりと立ち上がり、仏間へ歩いた。奈多へは墓参にいけぬので、由布は父母の菩提をとむらうべく、臼杵に宝岸寺を建立し、仏壇に位牌を安置している。由布は合掌して両親の戒名を口ずさむ。

「どうぞ御許（みもと）へみちびいてくだされ」

由布はそう念じながら、震える手で錦包みの懐剣をとりだし、黒塗りの鞘を払って喉もとにあてた。「うっ」という気合とともに、懐剣を握る手に力をこめる。

懐剣の切っ先が喉にささる。痛いというよりはむしろ熱い、といった感触だ。由布はさらに両の手で力をこめる。

懐剣が喉にくいこんで生ぬるいものが両手につたわる。すーっと顔から血の気が引いて目がかすみ、体がしびれて意識がとぎれた。


幸か不幸か、由布の自害は未遂におわった。由布が目覚めたとき、褥のまわりには子女たちが集っている。さすがに親家の顔はなかった。子女はみな目を泣きはらし、心配そうに由布の顔をのぞき込んでいる。由布は胸をしめつかれて、涙をこぼした。

由布の回生を見とどけると、義統は立ち上がった。

「これより別邸へまいり、父上に翻意を促してまいります」

すると、子どもたちはみな立ち上がり、大挙して別邸へ押しかけた。しかし一刻もせぬうちに、みなあらたな涙に暮れて戻ってきた。由布の自害を告げても宗麟はいささかも動ぜず、姫たちが泣いて頼んでも決意は変えなかったという。

由布が海を眺めるようになったのは、その頃からである。

半月ばかりたつと疵口はふさがり、床上げはしたものの心の疵は癒えず、ふっと気持ちが沈むとき、由布はひとり奥座敷に座った。

海とともに生きてきた由布にとって、海は心のよりどころであった。潮の香を嗅ぎ、潮騒の音を聞きながら海原を彷徨すると、心のわだかまりが溶けて気持ちが安らいでいく。

季節が秋から冬へ移り、海の色が紺青から鈍色に変わっても、由布の海を眺める日はつづいた。

海原に白波がたち、打ち寄せる怒濤がしぶきになって降りかかる日も、由布はひとり奥座敷に座っていた。

（了）

# 波濤千里

森　泰一郎

## （一）

源兵衛は嘉永五年（一八五二年）六月十日、諫早藩古賀村佐瀬郷上床（うわとこ）に地主の森家の長子として生まれた。この頃の森家は、大地主というわけではなかったが、父・清兵衛が古賀村では一番の土地持ちであり、苗字帯刀御免の家柄であった。

清兵衛には、妻・たまとの間に、源兵衛を頭に五名の子供があった。家には数名の奉公人がおり、何不自由のない生活を営んでいた。とくに長子の源兵衛は、子供頃から賢く、古賀村では唯一の家塾でも最も優れた子供の一人であった。人間的にも長子らしく鷹揚（おうよう）で、人ざわりも良かった。したがって友人も多く、彼の周りには人が集まった。また、当時としては背も高く、堂々とした体軀であった。

しかし、源兵衛にとってこうした不自由のない生活は、母たまの死で終わりを告げた。

母たまは、四十代の半ばに脳溢血で急逝した。元気であった母の急死は、数え十五歳の源兵衛の心に大きな傷を与えた。それ以来、源兵衛は人に頼るということを止めた。何事も自分の決断と判断で行動するようになった。

父・清兵衛は、間もなく、後添えに亡妻たまの縁筋の留という娘を娶った。留は矢上村の自営農民の娘であったが、清純でおとなしかった。

源兵衛は、父の後添えである留が来る時に、家を出る覚悟をした。これは揺るがぬ覚悟であった。源兵衛は長崎に出て商人となることを志した。商人となって遠く清国との貿易することを夢見た。

当時の長崎には、数軒の貿易商がいた。源兵衛は比較的大きな貿易商を選び、そこで丁稚奉公をしようとしていた。縁を伝って、長崎の古い貿易商・品川屋に丁稚として勤めることが叶った。源兵衛は必死に働いた。

品川屋の丁稚から手代になる頃、念願であった清国の上海に渡り、木綿の輸入を手掛けることができた。源兵衛は、貿易のために清国の言葉であるシナ語も必死で学び、一般的会話も修得した。こうして「木綿屋・源兵衛」といわれるようになり、大商いを沢山手掛けはじめた。

源兵衛は、品川屋の許しもあって、品川屋の女中頭・いしを妻にすることを条件に、独立した貿易商と認められることになった。

いしは諫早藩湯江村の出身であった。家は自作農で、裕福な暮らしの中で育った。十三歳になった時に、品川屋の女中として働くことになった。いしの両親は、いずれは、いしが長崎の商家へと嫁ぐことを願ってのことであった。

いしは賢く優しい性格で、品川家でも高く評価され、女中頭となってからは実質的に品川家を取り仕切った。

源兵衛といしは、互いに郷里も近く、好意を持ちあっていた。

源兵衛は森商店を興し、上海からの木綿を朝鮮国釜山へ売り渡す三角貿易を日本で最初に始めた。これが成功をおさめて巨額の財を得、その頃の長崎で第一の貿易商にまで上り詰めた。

源兵衛は、この財で長崎で最初の銀行を設立した。三友銀行と名付け、大阪と釜山・上海に支店を置いた。直ぐ後に、国立第十八銀行が長崎に作られ、それに続いて幾つかの銀行が作られていった。

源兵衛は、三角貿易の巨大な利益は、いずれ終わりが来ることを予測し、今から始まろうとしている国内の金融化の時代に先駆けて、銀行を創ったのであった。

家庭的にも恵まれ、二男三女を持った。家塾しか教育を受けていなかった源兵衛は、子供たちの教育にも熱心であった。

二人の息子には、当時の最高の学歴をつけさせたかった。長男の源八郎と次男の友三郎には、東京にできたばかりの明治法律学校へ進学させた。二人は四歳違いであった。とくに学問的な能力の高い友三郎には、代言人(現在の弁護士)を目指させた。当時、代言人は制度ができたばかりで、社会的に注目された職業であった。源八郎には、自分の仕事の跡継ぎとして、その頃できたばかりの商法を学ばせた。

源兵衛は、二人の息子たちが生活に困らないようにと莫大な仕送りを続けていた。息子たちは東京でそれぞれ女を囲い、一応の家庭を持っていた。

源兵衛は仕事の合間を見つけては、東京に息子たちの生活ぶりを視察に行くこともあった。息子たちは父・源兵衛を、下にも置かぬ扱いでもてなした。源兵衛は、それに満足して上機嫌で帰郷した。

三人の娘たちは、それぞれに神戸・大阪・横浜の大きな貿易商へ嫁がせた。上海・釜山に大きな拠点を持つ源兵衛の娘を娶ることは、これらの貿易商にとっても大きなメリットがあった。

源兵衛は、当時の長崎の財界でリーダー的な存在となっていた。源兵衛の絶頂期であった。

（二）

源兵衛は五十歳になった時に引退を考え、長男の源八郎に仕事を徐々に任せていくことにした。

友三郎には、東京で代言人になるように勉強を続けさせていた。明治法律学校を既に卒業していたが、代言人の事務所に見習いで働きながら明治法律学校で更に学問を続けていた。

源八郎は、源兵衛の下で仕事を引き継いでいった。長男で気っぷのよい源八郎は、父の仕事にも興味をもって励んだ。また、賭けごとが大好きで、仕事が終わると当時流行り始めた麻雀に卓を並べた。友人も多く、頼られる存在となっていた。

父・源兵衛は酒を嗜まなかったが、源八郎はよく飲んだ。源兵衛は、これも商人として大成する道だと考え、それをたしなめることはしなかった。

源八郎も時々は大商いをして、源兵衛を喜ばせた。ところが、源兵衛がそろそろ老妻・いしとの楽隠居を考えはじめた頃、源八郎が大商いをして大失敗をしたのである。

源兵衛は商売で今まで失敗を経験したことはなかった。源八郎は、この大失敗で、借金のかたに熊本・阿蘇の楠山三十町歩を取られたのである。この楠山は、源兵衛が自分の子孫のためにと、自ら見分して買った大切な財産であった。この山があれば、沢山の樟脳が取れ、孫子の末まで裕福な暮らしができると源兵衛は考えていたのである。

源兵衛の源八郎への怒りは治まらなかった。仕事から手を引かせ、森家から縁を切り、森を名乗ることを許さなかった。また、長崎に住まうことも許さなかった。源八郎は仕方なく吉武姓を名乗り、長崎郊外の諫早町に住まわされた。

ただ、源兵衛は、諫早町での源八郎一家の生活をおもんぱかり、諫早町での唯一の書店を買い取り、文陽堂と名づけ、これを源八郎に与えた。源八郎一家は、この書店の売り上げで細々と暮らした。さらに源兵衛は、これでは生活に困るだろうと月々の仕送りもしていた。自らの名で仕送りをすることを快しとせず、次男の友三郎の名前で相当額を仕送りした。当時は郵送で送金することはまだ難しく、友三郎の息子たちが毎月、諫早町の源八郎宅に持参するしかなかった。

源八郎は、これを快しとはしなかったが、自分たちの生活のためには、これを受け取るしかなかった。源八郎は、弟へのコンプレックスも相まって、飲酒と麻雀を止めなかった。

源兵衛は、長男・源八郎の不始末以外に、商売上や生活面での心配はなかった。上海・釜山との綿布の三角貿易は一応順調に行われ、三友銀行も安定した経営を続けていた。

源兵衛は多くの資産を神戸の鈴木商店に預けていた。当時、西日本地域では、多くの資産を預けるには、神戸の鈴木商店が最も安全と思われていたのである。

（三）

源兵衛は鈴木商店に信頼を寄せていたが、大正不況の中で、鈴木商店の経営不振を聞くと不安になり、一部の資産を国立銀行に移管させた。しかし、多くの資金は鈴木商店に預けたままであった。

源兵衛は、商人らしく鈴木商店や国立銀行に全幅の信頼を置いていたわけではない。資産の半分程度を馴染みの長崎・丸山芸者「晴美」の名義で、神戸の国立銀行に預金していたのである。

鈴木商店は経営不振が続き、遂に倒産に追い込まれた。源兵衛の預けた資金の一部は手元に戻ったものの、大半は返ってこなかった。

この噂を長崎市民が聞きつけ、三友銀行から預金を引出す者が長蛇の列を作った。源兵衛は三友銀行を閉鎖し、多くの資産を失った。閉鎖に当たって、預金者への払い戻しは誠実に行われた。しかし長崎での被害は小さなものではなく、自殺者も出している。森家の墓で首を吊った者もいた。当時の新聞でも、このことが話題となっている。高額預金者たちからは不満・反感を持たれ、源兵衛の自宅にも嫌がらせが続いた。

源兵衛は落ち込むふうもなく、丸山芸者「晴美」名義の資金を元手として質屋を始めた。長崎では最初の質屋であった。その評判はよく、次第に規模を大きくしていった。

五十五歳を超した源兵衛は、引退を決意して、次男の友三郎に後目を継がせることとした。

友三郎は東京で代言人を目指していたが、父の厳命で帰郷せざるをえなかった。友三郎は既に東京で女性と暮らしており、その女性を同道しての帰郷であった。しかし、源兵衛は、その女性を友三郎の妻として認めず、頑強に反対した。その女性が花柳界の出身であったことも理由の一つであった。源兵衛は、友三郎の妻は長崎の商家の娘でなければならないと決めていたからである。それでも友三郎は、その女性を長崎市内に住まわせ暮らさせた。しかし東京育ちのその女性は、南国・長崎の風土が合わずに、数カ月で病死した。友三郎は、森家の墓に葬ることにした。

源兵衛にとって、友三郎の嫁とりが大きな問題となった。長崎の商家の娘を物色し始めていた。

その頃、長崎の磨屋(とぎや)町に小西屋というカステラ屋があった。小西屋は古い長崎商人で、長崎開港以来の長崎人であることを誇っていた。また、オランダ伝来のカステラということを売りにしていた。

小西屋には二人の美人娘がおり、その美貌は界隈では知られていた。長女は、伊藤博文の書生であった大阪の政治家が妻に迎えた。二女のツルは、才気煥発で勝気な女性であった。当時、長崎市内にあった女性専用の学塾で学んでいた。当時の商家の女性としては高い学歴であった。

友三郎は美貌の二女ツルを気に入り、妻に迎えたいと思っていた。友三郎は、父源兵衛の了解のもとで、友人たちと共に強引にツルを自宅に連れ帰った。所謂、「略奪婚」であったが、ツルの実家である小西屋は、娘が長崎の新興の大商人・森家の息子の妻になることをむしろ喜び、その後、正式に嫁がせた。

ツル自身も、酒も飲まない生真面目な夫を快く思い、その紳士然としたふるまいや高学歴を誇りにも思っていた。

ツルは、源兵衛夫婦・使用人たちの大所帯の中で奮闘した。商売の質屋の運営も好調で、年子で七人の子供も与えられた。それぞれの子供には乳母をつけて育てた。男子五人、女子二人の子供であったが、いずれもツルに似て賢い子供たちで、ツルは子供たちに当時の最高の学歴を持たせようと思った。とくに長男・次男は、長崎でも有名な秀才として知られていた。

ツルは料理にも才を発揮して、当時の最新の西洋料理にも挑戦した。活水女学校の二代目院長のヤング女史を度々招待して、長崎の名物料理を紹介する傍ら、ヤング女史から最新の米国料理も学んだ。ヤング女史もツルのそういう姿勢を好ましく思っていた。ヤング女史の紹介もあって基督教の長崎銀屋町教会にも度々通った。ただ、夫の言いつけもあり基督教の洗礼は受けなかった。

（四）

友三郎は、源兵衛から質屋を引き継いだ後に、長崎市議会へ市議会議員として出馬することを父から厳命された。せっかく明治法律学校を卒業しているのだから、その知識を長崎市民へ返してゆくべきだというのが源兵衛の主張であった。

もちろん、その頃の市議会議員選挙は制限選挙であり、一定の所得税を納めている者にしか選挙権も被選挙権もなかった。議員数も二十名で、選挙権を持つ長崎市民も六十名にも達しなかった。被選挙者たちの殆どは、選挙権を持つ者を買収していた。つまり、票を買うことが通例になっていた。

そして、選挙の票を具体的に売買する手先に使われたのが、任侠の道を歩む者たちであった。当時、政治家と任侠者は、選挙という関係でしっかり結ばれていたのであった。ただし、任侠者の中でも大親分という者に限られていた。

源兵衛は、友三郎の選挙には、当時の長崎の任侠の大親分の一人であった宮崎久次郎に任せることにした。宮崎は当時、親分衆の中では若手で、やり手として通っていた。いずれは長崎県随一の大親分になるだろうと噂されていた。

宮崎は友三郎の人格と学識に心酔して、友三郎の選挙だけでなく、諸事に協力を惜しまなかった。友三郎も宮崎に恩義を感じて資金的な支援をしていた。いわば、宮崎のスポンサーは友三郎であった。

この頃、長崎市内に私立女学校や中学校が設立されていった。もちろん、活水女学校や鎮西学院などの基督教系学校は明治前期に設立されていたが、基督教系以外にも次々と私立学校が設立されていった。これに対応して長崎市議会では、教育担当委員を市議会議員から選出して、私学運営への支援体制を敷いた。教育担当委員には、高学歴を持つ議員が数名選出され、友三郎は、その委員と委員長に指名された。また、友三郎は予てから女子教育の必要性を力説しており、当時設立が予定されていた女学校・玉木学園の開校に尽力した。

友三郎は、教育担当議員や本業の質屋などの仕事で多忙を極めた。日頃は酒を一切嗜むことをしなかったが、大正天皇の崩御のおりの式典で、どうしても献杯せざるをえず、一口ふくんだ。これで気分が悪くなり、早々に自宅へ戻ると、そのまま倒れるようにして、大いびきをかき寝入ってしまった。

友三郎は一晩寝入っても起きなかった。妻ツルは驚いてかかり付けの医者を呼んだが、医者は冷静に「脳溢血」と診断して、寿命が今日一日であると告げた。友三郎、五十四歳の生涯であった。

（五）

七人の子供と家業の質屋を残されたツルは、悲嘆にくれたが、気丈にも、この現実を受け止め、全てを自らで引き受けることを決意した。夫の死後二日目のことである。

源兵衛といし夫婦は、次男・友三郎の死を深く悲しんだが、気丈夫なツルの働きを蔭で見守ることにした。ツルに最大限の支援はしようと夫婦で誓った。

ツルはすぐに質屋の経営の見直しに取りかかった。まず、番頭を替えて、腰が低く頭の切れる使用人・平次を抜擢し、「次平」と呼ばせた。また、二番番頭には真面目な「平太郎」を指名した。何れも諫早町の農民の出身である。ツルは、田舎の農民の出身が真面目に働くと信じていた。女中たちも諫早町近郊の農家の娘たちを選んでいる。こうしてツルは、夫の死後一カ月にして、新しい運営体制を出発させた。

また、夫の学校の後輩で、長崎で弁護士事務所を開いていた重藤実郎を顧問として迎えた。ツルの運営する質屋は、夫の生前のように活発に運営された。

長男・米雄は長崎中学を一番で卒業して、上位の成績で佐賀高等学校へ入った。次男・次雄も一番で長崎中学校に入学した。長女・秋子は長崎県立長崎高等女学校へと進ませた。

長男の米雄には、佐賀高等学校から東京帝国大学文科国史専攻に進ませて、いずれは大学教授となることを期待していた。また次男の次雄には、長崎医科大学へ進ませて医者になることを考えていた。長女・秋子には、帝大出身の官吏の嫁にと思い、あたりを付けていた。

公私にわたり多忙の日々を送りながら、ツルの美貌は衰えることなく、夫の死後もツルに思いを寄せる長崎市内の紳士たちが少なくなかった。

こうしたツルを襲った悲劇は、子供たちの病であった。次男・次雄が肺結核となり、これが子供たちに感染した。秋子・達子の娘を除き、息子たちが感染していった。

ツルは、長崎市の山手の愛宕（あたご）町にあった広い別荘を家族の療養場所に変え、結核にかかった子供たちをここに移した。そして、ツル自らもここに暮らした。

秋子・達子の娘たちは、質屋のある長崎の銅座町の森邸に使用人たちと共に住んだ。

長男の米雄は、ツルの思惑通りに、長崎中学をトップで卒業して、佐賀高等学校文科に合格した。東京帝国大学文科への道は、手の届く所に来ていた。次雄も、長崎中学から福岡高等学校理科に合格した。

ところが、米雄も次雄も道半ばで結核に倒れた。それでも、長男・米雄は何とか佐賀高等学校は卒業した。東京帝国大学へは、体が回復してから進む予定であった。

米雄は長男であったので、森家の経済のことも考えねばならず、たまたま友人から長崎県の醤油販売権を手に入れた。森家の大部分の資金を使ったが、これによって長崎県の醤油販売の総元締めとなった。戦争が予想される時代にこの販売権を入手できたことは、その後の森家にとって大きな資産となり、これにより森家の経済は支えられていった。

次雄は、福岡高等学校から長崎医科大学へと進学した。三男・幹雄と四男・衛雄もいずれも結核に倒れたが、それぞれに回復して学校へ戻り、幹雄は長崎高等商業学校を経てミッション・スクールの英語教師となった。また、衛雄は東京の美術学校への進学を予定していたが、赤緑色弱であることが判明して、技術職である時計商を営むことになった。

ツルは、こうした中で森家の中心として君臨した。米雄の嫁には、活水女学校英語師範科卒で長崎駅長の娘・君枝を娶った。そして、二人の娘を持った。

次雄は、長崎医科大学在学中に婚約したが、婚約者が亡くなり、未婚であった。

三男・幹雄は、県立中学校や女学校の校長の娘で、県立高女の教師であった牧ひろと結婚した。二人の息子を得た。

日中戦争が長引き、太平洋戦争が始まろうとしていた。

（六）

銅座町の森の本家には、ツルを中心に長男・米雄の家族と、長崎医科大学六年生の次雄、長女の秋子、四男・

衛雄、末娘の達子が同居していた。そして質屋の跡に醤油販売業の拠点を置いていた。

源兵衛といし夫妻は銅座町の近くの古川町に家を構え、女中たちによって世話されながら平穏な暮らしを続けていたが、太平洋戦争の始まる前に亡くなった。源兵衛は享年九十、いしは八十五歳であった。

太平洋戦争が始まった頃にも、森家は長崎県内の醤油販売権によって経済的には豊かな生活を続けることができた。長男・米雄の差配によって、醤油販売業は好調であった。とくに、戦時下の物資統制令によって物資の流通は滞っていたが、醤油は生活必需品とみなされ、統制令から外されていたことが幸いした。

三男・幹雄は森家から独立して、勤務する市内のミッション・スクールの近くに家を借りて家族三人で暮らし始めた。

筆者は三男・幹雄の長男である。母・ひろが曽祖父・源兵衛のことを、禿げ頭であったが矍鑠（かくしゃく）とした老商人であったと話してくれたことを思い出す。

源兵衛によってつくられた森家は、貿易商から銀行、質屋、そして醤油販売業と姿を変えながら、生き抜いてきた。その姿を源兵衛は、ありありと見てきたのであった。

源兵衛は、若き日に上海で活躍し「木綿屋・源兵衛」といわれた時代のことを懐かしく思い出しながら、次の世代のことを夢見て旅立った。

残念ながら森家では、源兵衛以降には、国際貿易で活躍した人物は生まれていない。

（了）

# 自殖録

城戸祐介

この体験談を嘘であるとは誰も言えない。いかにして生命が生まれてくるかは、つまるところ当該者だけが知っている秘め事だからだ。それならば開示されたものの信憑性は、ただそれがなされたかどうかで定まることになる。

よるべなき独り身の男だからこそ、生まれてきたからには何かを残したいと思うものである。といっても、特段何かに長じているわけでもなし、凡庸にすら届かない低所得労働者にすぎない身。両親が遺した古めかしい邸宅に一人つましく暮らす中年男。そして、女に見向きもされぬ禿頭ときている。こんな風で、私の人生から生まれ出るものについては、何とも希望を持つことが出来ない。恐らく、私の人生は私の生命のためだけにある。継承は一度きりであり、派生するものは排泄物と、端銭の預貯金だけである。しかも受け取ってくれる者は誰もいない。君たちは怪異な虫が、その役向きを果たすと思っているんだろう？　ところが奴らにも立派な趣味があって、私の肉体に淵源するものについては寄り付きさえしないのである。嘘ではない。私は一度見たことがある。黒いハエが羽音一つ漏らさずに、戸外によそよそしく逃げ去っていったのを。

きっと奴は私の「物」がどういうものか知っていた。それが養分にならぬこと、それどころか、産卵に支障を来すことをあの特有の敏感さで察していた。私の血肉は自然の循環に与(あずか)り得ない。虫けらよりも格下だというわけだ。お父さん、お母さん。あなたたちを恨むつもりはありません。自分のことを昆虫以下だと言うのは、決して甘やかな想像力でもって感傷に耽っているからではないのです。なぜって昆虫とて、遺伝子はしっかり残して死んでいくわけですから。

　ところが人間というものは、妙なところで平等を利用する悪癖があって、ごく稀に私みたいな人間にも目を向けようとする物好きがいる。ありがた迷惑にほかならないのだが、聖者よろしくといった態の人たちが、盛んに私のような人間のことを論（あげつら）い、その物やわらかな顔で擁護しているのを見ると、最初は気色が悪いがそのうち何だかこっちもまんざらではない気分になる。そうだ俺が悪いんじゃない、とか、俺は俺なりに努力してきたんだ、とか、しまいにはこんな俺を助けてくれない社会が悪いんだ、とか、傲岸にも叫んでしまいたくなる。こういった手合いのほとんどが山師であることは自明で、彼らは何か直接的に掛け合ってくることはほぼ無いのだ。つまり、公衆の面前で弱者連中を讃美する演技こそ、当代において儲かる話は無いというわけだ。

　それだけに私は最初、国民自殖協会からの来書にうんざりした次第であった。こういった怪しげな案内は常日頃ポストでぎゅうぎゅうの状態でもあるので、その来書にも同じような胡乱（うろん）さしか感じなかった。協会の名はよくテレビの宣伝で目にするので記憶にあったが、どんな事業を行っているのかまでは知らなかった。その宣伝では、何のサービスを提供するのかも語られぬまま、ただ『あなた自身を残しましょう』という惹句を出演者の童子たちがにこやかに復唱するだけだったので、何かの宗教団体かと疑うことしばしばであった。当然、私の両手は来書を破棄することに自然と動いたが、数センチも裂くと止まってしまった。来書の宛名である私の氏名が正しく書かれていたことが気になったのだ。私は郵便物を受け取る際の氏名に関して、自分の名前の漢字を一字敢えて誤字にしておくのが常で、理由は自分の本名が露見するのが単純に不快であるからだった。よほど差し障りがあるような公共の情報登録以外は、このささやかな偽名を用いていた。ポストに入ってくる殆どの業者や団体の案内はこの偽名が宛名だったわけだが、請求の覚えのない来書において本名が記されていたのは極めて珍しいことだった。

　そういうわけで、私は協会の来書を破棄せずに、封筒から中身を取り出してみた。たった一枚の紙しか入っておらず、その紙に円（まど）かな字体が疎らに並べられ、裏面には協会の所在地を示す地図が載っていた。内容は新薬の治験者を募集しているというものであり、私がその対象者に選ばれたということであった。どういった薬効の試験なのかは明記されていなかったが、もし効能が期待通りに生ずれば現今の生活を大きく改善する結果となると書かれており、諾否について必ず電話連絡するようにとの文尾であった。

　〈必ず〉という言葉が気になった。今の御時世、何かの借財があるわけでもないのに、電話での連絡を強く要求してくる団体があるだろうか。新手の詐欺か。それともこの団体は公器で、権威を盾にしているが故にこういった姿勢なのか。確かに公益財団法人とそれらしく書いてある。だがそんな格式が全く重きをなさないのが、悪風満ちた当代なのだ。

とはいうものの、この時代に悪風が幅を利かせるのも、人の好い獲物がいるからである。〈必ず〉。こんな言葉を放たれて黙過できない純粋な人間がいるから、詐欺師たちが得をするというわけだ。その象徴の一人である私は、散々自制の言葉を繰り返した後に、結局言いようのない不安に誘引されて、電話をかけてしまったのだった。

「はい国民自殖協会です」

声からして年増のような女性であった。

「案内が来たんですが」

「お名前を」

「キドと申します」

「キド様」

「聞きたいことが……」

「いつご来所されますか」

「いやまだ……」

「勿論、治験の料金はかかりません」

「なぜ私にこのような話が」

「キド様に以前、お申し込みを頂いたはずですが」

「記憶にありません」

そうは言ったが、実は申し込んだか否か自体、分かっていなかった。生活用品をネットで頻繁に注文していたので、自分でも種々の登録や購入の履歴を全然把握できていなかった。

「それではキャンセルということですか」

「その前に新薬の効果を教えてください」

「詳しくはご来所の上でお話しいたしますが、簡単に言いますと若い体が手に入るということです。画期的な技術で、当団体のみが保有しています」

「若い体」

「そうです。若くて元気な体です」

齢四十を超え、老境に片足突っ込んだ私にとってこれ以上ない魅惑的な言葉であった。

「一度だけお伺いしてみようかな……」

「いつになさいますか」

丁度、明日は仕事が休みだった。

「明日はどうですか？」

「大丈夫です」

「時間は正午でどうでしょう？」

「構いません」

「それでは明日。よろしくお願いします」

「ご予約承りました。気をつけてお越しください」

電話を切ってからやにわに後悔するのも、また私の性格であった。そしてすぐに断りの電話を入れずに、明朝が来るまで悶々とし続けるのも同じだった。

睡眠が細断され、総身に疲れを感じながらも、私は何とか午前のうちに目覚めることが出来た。いつものように面倒であるから朝食も摂らずに、そのまま目的地へ向かった。久しぶりの私的な外出であったが、電車とバスを乗り継ぎ、昨日受領した案内を片手に、何とか協会の玄関口に立つに至った。きっかり正午に着けたことに自分でも驚いて、これはややもすれば吉兆かなどと思いつつ、建物に入った。

館内は建物の外観に比べると狭く感じられた。一人佇む受付の若い男性に名前と来意を伝えると、すぐにある部屋の前に連れて行かれた。こちらが試験場になります、と言うと彼は速やかに立ち去った。

試験場と聞いていささか戸惑ったが、まさか間髪を入れずいきなり何かを強いてくるつもりか。引き返すなら今しかない。だが部屋の扉に貼り付けられている表に私の名前がご丁寧にも記されているのを見つけると、中で待っているだろう人間が何だか有徳者のように予想されて、退避が憚られた。

臍(ほぞ)を固めて開扉すると、これまた意想外に狭い空間が眼前にあった。六畳程といったところだろうか。四隅は全て物具で占められていて、それらが一人の白衣を着た中年風の女性を囲んでいた。

「あら、あなたがキドさん？」

女性は椅子から腰を上げた。

「はい、そうです」

危険な人物ではないように見える。

「昨日電話で予約を受け付けた者です」

技術者が窓口を担当するとは巷間あまり聞かない話だったが、詮索するにあまり意味の無いことだった。

「そうですか。お話をまずは……」

「まあそこまで難しい話ではないのですが」女性は私の顔を見据えた。「先日も言ったようにあなたが若い体を手に入れられるという話よ」

「本当に若くなれるんですか？」

「あなたじゃないのよ？」

「え？」

「あなたの子供のことよ」

一体この女性は何を言っているのか。辞去したほうが良いだろうか。

「あなた未婚でしょう？」

「そうですが……」

「だから治験に申し込んだんでしょう。不妊治療のための」

はて、私はそんなにも女性的な外見だっただろうか。今日も鏡を見たが、むさくるしい脂ぎったいつもの顔だった。

「私は男ですが……」

「男も女も関係ないわよ。まさか、あなた申し込む時に、ちゃんと見てないの?」

見るも何もこの団体と何かを契約した記憶がないのだ。

「まあそれならそれでいいわ。あのね、私たちは今、とても革新的なことを行っているの。自分の肉体一つで子供を手に入れられるというサービスよ」

ますます私は訳が分からなくなった。

「やっぱり、失礼します」

「待ちなさい」

女性は私の肩に手をかけた。

「あなた、子供が欲しくないの?」

欲しいか欲しくないかと言われたら欲しいに決まっている、と言いたかったが黙っていた。

「そうでしょう。欲しいわよね」

女性は私の心中を見透かしていた。

「そしてあなた、これから子供を持つことが出来ると思う?」

私は徐(おもむろ)に首を横に振った。

「そうよね。あなたがそういう人だから候補者に選定されたのよ」

どうやら、私のうだつのあがらない素性は知られているようだった。ばつの悪さを感じ再び退室を試みたが、女性の手はそのまま私の肩にへばりついていて、しかも言い知れぬ底力を感じた。

「たった髪の毛一本でいいのよ」

「髪の毛?」

「そうよ。それで十分も経たないうちに出来るのかもしれないのよ。昔のあなたが戻るのよ」

髪の毛一本なら大したことはないではないか、と安心するのは、己の遺伝子にある程度愛着する者である。私は今朝方、鏡で例によって薄毛の進行を確認してしまったのだ。

「結構です。どうせその子も髪のことで苦しむでしょうからね」

私の皮肉に女性は相好を崩さなかった。

「あなたは皆が髪のことで一番悩んでいると思っているの?」

「そうは思いませんが」

「試験の成否は分からないわ。でも成功すれば、あなたは先駆者よ。なぜってこれで皆が幸せになるんだから。たとえば、あなたの親御さんは? あなたが赤ん坊の時、髪が薄いからってあなたのことを毛嫌いしたの?」

「いや、むしろ……」

「そして今のあなたの髪のことで親御さんは悩んでいるの?」

「もう両親は死にましたからね」

「じゃあ、尚更じゃない。あなたの子供を天国で望んでいるはずよ。今のままのあなたに育って何の問題もないのよ、あなたの子供は」

この押し問答に私は既に倦んでいたが、女性の熱意が失せるようにも思われなかったので、胸を潰しつつも、つむじを差し出した。

「簡単なことなのよ」

女性は私の掌中の珠とも言える毛髪を抜き取った。どうか一本であってくれと願うばかりだった。

「はい丁度、一本」

目を凝らしたが確かに見事に一本だった。

「それではこれで後は好き勝手にやってください。連絡しても応対できないかもしれません」

「待ちなさい、せっかちな人ね。人の話を聞いていなかったの？　すぐに終わるのよ」

女性はそう言うと、三本の指で摑んでいる私の毛髪をまじまじと見ながら、部屋の机の上に置いてあった鳶色の小瓶をもう片方の手で取った。

「じゃあ、もう始めるわよ。失敗したら御免なさいね」

女性は小瓶の口の上で、三本の指を離した。

「ちょっと失礼、目を瞑って！」

その剣幕に一驚を喫して、私は言われるがまま瞑した。物の割れる音が響いた。だが女性が何も言わなかったので、瞼を下ろしたままだった。しばらく黒闇が続き、私は不安を感じ始めた。

「よし上手くいきそうよ」

「目を開けていいですか？」

「まだよ」

「何か飛んでくるんですか」

「飛んでこないとも限らないわ。目に危険な薬品なのよ」

一体何が起きているのか皆目見当がつかなかったが、女性が何やら興奮気味の声調でぶつくさ独語しているのは察せられた。そしてその声に重なるようにして、ぬちゃぬちゃっという怪音が聞こえてきた。音は徐々に大きくなり、さながら私に接近してくるようであった。

「もう目を開けます！」

「あと十秒！」

十秒というのはどの時間よりも長い体感時間を有しているんだぞ、などという贅言を吐く余裕も無かった。少時、父親と温浴している時に強いられたあの半永遠が蘇ってくるようだった。しかしながら、やはり時間の意味は〈進行〉に限られていた。

おずおずと目を開けてみると、女性の姿は一瞬見当たらなかったが、背面に気配を感じ振り返ると、彼女は私を盾にするように隠れていた。

「何をしているんですか」

知らぬ間に、女性はゴーグルで自分の両目を保護していた。そしてある方向を指さした姿を見せていた。私は再び体を回し、その方を見下ろした。思わず仰け反った。

そこでは生まれたてほやほやの赤子が床に横たわっているのだった。糜爛（びらん）したような外皮から濛々と湯気が上がり、禿頭から逆立つ数本の毛は、私の頭髪にはない抵抗力を示唆している。仁王のような渋面を紅潮させつつ、無防備な裸体は恥ずかしげもなしに、珍無類な仰臥で彼を王者のごとく仕立て上げている。しかし、その口は閉ざされたままで、あの人獣どちらともいえない喚声は絶えている。

もしや絶息しているのか、と思った一瞬後、嬰児は口をあんぐりと開け、泣き喚き始めた。私は安心した。

「あなたの子供よ。抱いてあげなさい」

私は言われた通り、嬰児を持ち上げた。湯気が目に染み、手に粘液が絡み付いたのが不快ではあったが、すぐにその気分は晴れた。嬰児の喧しい叫びは実に愛らしいものだった。これが産み落とされたことへの怒声か。しかしこの存在には母親はいない。強いて言えば私が母親なのだ。だが本当に鵜呑みにしてよいのだろうか？

「私は目を瞑っていましたから、全てを信じるわけには……」

「猜疑心を捨てさせるにはもう十分だと思うわ。その赤ん坊の顔をもっとよく見なさい」

言われなくとも私は赤ん坊の顔を注視していた。腫れぼったい瞼の隙間から輝きが隠見しているように見えたのは、気のせいだったろうか。何かを着せてあげれば、その輝きが全て漏れ出るような気がした。記憶がそう指示した。そう、産着が必要だ。

「何か着せてあげてください」

私がそう言うと、女性は部屋の壁に付いている戸棚から大きなタオルを取り出し、抱かれている赤子に掛けた。白い羽毛と赤い肌の取り合わせを見て、私は何かを想起した。押し入れに眠っている、父が生まれたての私を撮影した写真である。その時の姿が、そっくりそのまま目の前にあった。

名状しがたい感動に心を奪われて、私は歯を食いしばった。

「彼はあなた自身なのよ」

女性は諭すように言った。

私の疑心は消え、養育への意志がたちまち確然となった。

数日後に協会を再訪すると、嬰児を家に連れて帰ることは簡単に許可された。ただ、同意書への押印は必須であった。その長文を判読する時間が惜しかったので、私は持参していた判子をすぐに押した。

「お仕事の時にはお子さんは必ず協会にお預けください。経過観察も必要ですので。それから、これを」

受付の男性は、嬰児を片手で抱いている私のもう一方の手に冊子を握らせた。

「何か困ったことがあったらこれを参考に。大体の問題は解決されます」

私は心地よく辞した。道すがら、桃色の産着を着せられた我が子に見入っていた。今では赤子の目は半分開き、白日に負けず劣らず輝いていた。私の顔面の原型がそこにはあった。父が昔、写真を撮っておいてくれて本当によかった。

帰宅すると、空腹だろうと思って、早速私は赤子にミルクを与えることにした。これまた先日購入したベビーベッドに赤子を丁重に寝かせ、台所で原料の粉末を水で程よく希釈し、哺乳瓶を白い液体で満たすと、赤子のもとへ向かった。目を落とすと、まるで自分の肉体機能を確認するように赤子が四肢を動かしていた。そのあまりの愛らしさに私は胸打たれ、くずおれそうになった。もう感じることはないと思っていた「幸福」という感情、それが心に芽生え始めていた。赤子を抱き、哺乳瓶の吸入口をその両唇につけてやった。赤子は即座に反応し、夢中で飲み始めた。乳児の時の私はこのような顔でミルクを飲んでいたのだ。しかも直に母親の乳房にかじりつくことさえ許されていた。

死んだ両親はきっとその様子を見て、私と同じ心情だったことだろう。そのような瞬間が、私のような惨めな人生を送っている男にも昔あったのだ。いや、今は過去を振り返ることはやめよう。この子供を育てることが、両親への最高の報恩なのだ。私は決して惨めな男ではない。この子は私の血を余すことなく受け継いでいるのだから。

この日の夜は中々寝付けなかった。赤子は大人しくすやすやと寝ていたので問題はなかったのだが、命名を行わねばならないことに布団に入って気付いたのだ。どういう名前にしようか。熟考したが、ふさわしいものが思い浮かばない。しかしつらつら考えてみれば、思いつかないのも当然なのである。なぜかといって、私とあの赤子との存在の差異は皆無だからだ。時間の相違を除いては。だが時間などというものは一番不人情で信用がならない。あの赤子の美妙な瞳は時間を超越して、私との同一性を誠実に証明している。他の誰でもない、私だからこそそう確言し得る。そういうわけで、名前は私と同じ「ユウスケ」となった。奇想ではない。親が子に自分と同じ名前を付けて何が悪いか。

それからして、ユウスケは疑いなく天恵となった。そろそろ自殺でもしようかと思っていたほどの無味な人生に突然与えられた、もっけの幸い。それを金でもなければ女でもない、一人の赤子が私に与えてくれた。しかも彼は私そのものなのである。他の親たちはその血の半量を、赤の他人に依存せねばなるまい。だが私の子は全て私の血で満たされている。これこそが真の継承ではないか。化学か医学か知らないが、あるいは錬金術でも黒魔術でも構わないが、この時代の技術に感謝する日が来ようとはゆめ思わなかった。

当座はせわしない日々が続いた。協会が極めて親切で協力的であったのは救いだった。出勤の途上、協会に立ち寄りユウスケを預け、退勤後に協会にまた寄ってユウスケを受け取る。片手には健啖なユウスケのために毎日予備のミルクを提げ、夕空の下、肉団子のような体つきのユウスケの触感を楽しみながら家路を楽しげに辿る。いつも独りで出来あいの惣菜を重たげに持って帰路をしおしおと歩き、時には周囲から漏れてくるカップルやら親子やらの幸せそうな声に寂しさを催したあの家路は今では見事に消えた。私が決して得ることが出来ないものを持っていた彼らが、決して得ることが出来ないものを私は手に入れた。恐らく誰もそのことを知らない。秘中の秘とは正にこのことだ。

子育てというべきか、自分育てというべきか、その営為の中にあって私は完全に人生の目的というものを気が付くと持ち得ていた。俄かには信じ難いことだった。自分の血を継受する存在がいる。彼は私の姿をそのままこの世界に残してくれる可能性を持っている。それを思えば、煩労が何だというのだろうか。世間には簡単に自分の子供を殺めたりする者たちがいる。彼らはまさか、その半量の血が他者のものだからといって子を殺めるわけではあるまい。彼らの殆どは生活に疲れて養育を放棄するついでに、子供を始末するのだ。彼らは私の姿を見れば、そのような血迷った一計をすぐさま捨てたであろう。私は夜毎四時間も眠らずに、ユウスケが夜泣きをすればあやし、時には夜半にオムツを替え、漸く眠ることが出来たすぐ後には、曙光がカーテンの下から差し込む。それでも何とか起床して、彼に朝食のミルクを飲ませる。両親が昔、随分愛でたというおちょぼ口を、ユウスケもまた具有している。抱いて優しく揺さぶってやると、その福々しい頬を膨らませて微笑む。その笑顔を見るたびに私は哀切に囚われる。幸福に耐えかねて、というような甘美な逆転ではない。やはり、両親の昔の姿が思い浮かぶのだ。父が私を写していた数々の写真。その中の一つに母の授乳中のものがあった。彼女は限りない愛情でもって、その滋養豊かな乳を私に与えたのだ。そしてそのあまりにも無防備な母と子を見守る一人の不安な父親がいたのだ。彼らがそうやって私を守ってきたから、私はこうやって生きているし、生きて来られたのだ。それなのに私はなぜ、両親にもっと孝行できなかったのだ。孫の顔一つも見せてやれなかったのだ。その激しい後悔に胸がつまり、思わずユウスケのおちょぼ口の中に涙が一滴落ちてしまう。しかしユウスケはその味覚が楽しかったらしく、満面の笑みで私を慰めてくれる。そうだ。感傷に浸るわけにはいかない。全く悪い癖だ。両親の血を引いている新しい生命がここにある。この子を育て上げることが私の使命だ。その決意でもってユウスケをおぶり、毎朝力強く遠方にある勤め先へ向かうのだった。

仕事場では極力変化を悟られないように努めた。役所の非常勤として雑用を命じられるだけの身分の者が、突然、顔に喜色を浮かべて勤務し始めるとなれば、怪しまれること必至だ。ただでさえ職場では要らぬ者扱いされ、若い女性職員などからは正しく昆虫以下の扱いを受けている身である。さりながら女性の勘というものはまことに鋭いもので、私の様子の変化を見て取ったのだろうか、私と同じ町に住んでいるという女性職員は、気味が悪そうな顔で「キドさん、何かあったんですか？」と聞いてきたのだ。そのような顔をせざるを得ないのなら、態々接触してくる必要もなかろうと苛立たしかったが、何とか平静を装い対処した。それでも彼女はまだ納得がいかない風で、何度も小首を傾げながら引き返していった。全く人の幸福というものに敏感な連中というのは、どうしてこうも鼻が利くのか。彼らはおおよそ、私のような隠密な「自生」を行うには適わない性分だろう。

とはいえ確かにその自生は、得体の知れない者を招来するには十分な魅力を隠し持っていた。そしてそれは、協会との共通認識でもあった。私は協会が使った技術がどういったものかは知らなかったが、それでもこの自生が他者に絶対に知られてはならないものであることを知得していた。それゆえにこの自生を絶対に口外してはならないという協会からの再三の注意を遵守することにおいて、実に模範的であった。日頃から寡言の男として勤め先の同僚から認知されていたに違いない私は、ますます言葉少なになっていった。何かの拍子に口を滑らせる可能性がないわけではなかった。

かかる緊張感が幸福な感情の中に入りこんできたことは良いこととも言えた。しかしこれは私に限ったことではなく、養育者ならばあり得ることだったと推す。天使のような我が子を持てば、誰しもそれに襲い掛かってくるかもしれない敵や危機を想像することは止みがたい観念だ。それは人間の動物としての本能に発しているとも言えよう。ましてや私の場合、ユウスケは人類史において例をみない形で誕生した奇跡なのである。どんな敵に狙われるか想像も出来ないほどなのだ。

その緊張感は妄想と呼ぶべきか、人間的成長と呼ぶべきか。見解は差し当たり他人に任せよう。とにもかくにも私の生活は従前から一変して、規則正しいものになっていき、養育は譬えてみれば軍務のようにきびきびとしたものになっていった。あるいはこうも言えよう。幸福感情だけでは養育という激務を維持するのは不可能だと悟ったのだと。赤ん坊というものは見目において概して麗しいものだが、その生命力は実に野性的である。欲望は完全に純粋化されており、もし赤ん坊の魂があらゆる物質を破壊しえるほどの力を持つ肉体に宿ったとしたら、たちまち彼は世界を滅亡させてしまうだろう。あの可愛い顔で無邪気に殺戮を繰り広げるだろう。それほどまでに赤子の魂というものは非人間的なのである。だから、可愛い、だけでは育てることは出来ないという道理はいずれにせよ避け得なかったわけである。

　養育の役務の中でしばしばその事実を突きつけられる羽目になった。ユウスケの泣き声がその経験に必ず付きまとった。赤子が泣くのには理由があるというのが俗説だが、とんでもなかった。どの体の部位を確認しても要因は見当たらない。私が宥めれば宥めるほど、泣き声は大きくなっていく。隣近所に声がつつぬけだと思うと、いてもたってもいられない。最初私は閉口頓首した挙句諦めて、ユウスケが泣くに任せていた。その時間は今まで体験したことのないくらいの苦行であった。虐待を行ったり、止むに止まれず子供を手にかけたりする親たちの気持ちも分からないではない、という一抹の観念すら脳中に湧いたほどだ。

　だが私には幸い優れた協力者がいた。協会に電話で相談すると、「お渡しした冊子の十三頁を読んでください」と即答された。すぐさま思い出したように冊子を取ると、『泣き声について』という項目があったので、頁を開いた。そこには、簡明にこう書かれてあった。『足裏の中心のツボを押せばすぐに泣きやみます』。ユウスケの肉厚な足を片手で持ち上げて、冊子の図示に従い食指を宛がった。するとどうだろう、ユウスケは引きつけもなしに泣き止んで、一瞬にして無機的な顔になった。その顔つきにはっきりと表れた私の面影は、私の死に顔を連想させた。本当に死んでしまったのではと案じて、体をくすぐってやってもにこりともしなかった。だが目はぱっちりと開かれ、気息はユウスケの鼻孔を膨らませていた。しばらくして、彼は入眠したのだった。

　赤子の野性が静まったのを確認して、私は漸く一息つくことが出来た。ツボの効果についてはまだ信じられぬところがあったので、ユウスケが私の懇願を聞いてくれたのだと恣意的に考えてみたりした。しかし協会が根拠のないことを言うわけはないと思い、もう一度冊子を手に取った。そう言えば、私は冊子を通読したことがなく、ずっと放置したままだった。頁をざっとめくっていったが、何やら理解しがたい言葉が散見した。たとえば『髪の毛を食べさせると消滅します』とか、『悪性腫瘍が発生した時には右手の薬指の爪を十秒間挟んだら解決します』とか。諧謔を交えて執筆しているのだろうか。まあ、母子手帳に多少の温かい笑いは必要かもしれないが。しかし、『成長速度の調整方法は現在改良中です』という最後の注釈に至っては、もはや冊子そのものの意味を不明瞭にしているように思えた。

　私は深くは考えなかった。とりあえずこの説明書は何か問題が起きた時に使えばよいのだ、と自分に言い聞かせた。

　ところがユウスケが誕生してから一カ月になる日に、私は説明書の最後の注釈について熟慮しなければならなくなった。ユウスケの成長が人並みのものではないことをやっと理解したのだ。彼は既にミルクに飽きて、それを受け付けなくなっていた。哺乳瓶を見るなり、顔を背けてしまうのだ。その代わりに私がご飯を溶かしたものをスプーンで口に持っていくと大層喜んだ。両手でスプーンそのものを口に引き入れようとする勢いだった。もしやと思って彼の口中を覗き見ると、小さな皓歯（こうし）が均等に生えていた。彼はもう咀嚼し得ていたのである。更に試しに私は自分の晩飯の弁当を少し与えてみた。するとユウスケは猛々しく口を動かし、見事に食してしまったのだった。

　衝撃は食事だけではない。翌朝ユウスケのもとに行くと、ベビーベッドの手すりに手を掛けて立っている彼の姿を見たのだった。起き抜けでまだ寝ぼけているのだろうかと目を擦って欹（そばだ）てたが、やはり彼はしっかりと立ち上がっていた。おまけに笑顔付きであったので、驚き半分、感激半分だった。あの説明書に書いてあることは本当のようだ。ユウスケは恐らくその生誕の特質上、何か異質なものを有している。肉体も普通の子供、いや普通の人間ですらないのかもしれない。いくらなんでも、この短期間で歯が生え、立ち上がるなどというのは尋常ではない。

　その日は仕事だったので、ユウスケを預けに行った折、協会に直接聞いてみた。馴染み深い受付の青年君は何を言いよどむのでもなく、「成長速度を緩めることは今の我々の技術では不完全なところがあるんです。すみません」と、あの説明書と同じ意味の言葉を屈託なく述べたのだった。私も額面通りに受け取った。

　仕事中もユウスケの成長について考えてばかりだった。親として子がすくすくと成長するのを見るのはやぶさかではないが、同時にまた乳児が幼児へ変身していくのは多少物寂しくもある。しかしその前に、私には固有の問題がある。それはユウスケが私に「近づいている」という点である。

「キドさん、最近様子がおかしいですよね」
また例の疑り深い女性職員が性懲りもなく聞いてきた。最近体調が悪いと言って追い払ったが、またぞろ彼女はいわくありげな目で疑念を置き去っていった。

半年も経つと、ユウスケは既に小学校に入学してもよいくらいになった。言葉を巧みに操り、食欲旺盛はとどまるところを知らず、私は片手間で料理を独学し、栄養豊富な物を食べさせるように留意した。体形は丸っこさから脱化し、鼻梁は直線を持ち、歯はひっきりなしに生え変わった。そして光沢を放つ針金のような頭髪は、私の羨望をしばしば掻き立てた。彼の顔は完全に童子の私の生き写しだった。私は疾うから彼の成長速度についての見通しを持たねばならず、お陰で半年間、ユウスケのための衣服を何度も購入せねばならなかった。だが、幸い協会が補助金を出してくれたので負担は少しばかり抑えられた。ではせめて新しい義務くらいは案出して果たそうと思い、私はユウスケに度々絵本を読み聞かせた。両親は生前私が本を好む子供だったと述懐したものだったが、ユウスケも同じだった。最初は私の音読に聞き入っていたが、すぐに自分の手で開いて黙読するようになった。その時の彼の嬉々とした顔を見ると、両親が本を読む小さな私の姿を頭に焼き付けていた理由が分かったような気がした。

ユウスケの存在はもはや近隣には隠しきれなくなった。これまで外出する時は、彼の全身を隠して腕に抱き入れることが出来たが、それは不可能になった。意を決してユウスケの手を引いて一度公園へ遊びに行ったら、どうやら、瞬く間にそれが区民に知れ渡ってしまったようで、中には祝意を伝えるために私の家を訪れる者も出てきた。両親が鬼籍に入ってからは訪問者など誰もいなかったので、私はしどろもどろになった。差し当たり、「妻とは別れた」などの妄想を徹頭徹尾恥ずかしげもなく放言するだけだった。この一件は近所には大事件として受け止められたようで、しかも人付き合いもなければ、人好きもしない、郷里から出たこともない、町にとっても迷惑な置き土産の中年息子に実は子供がいたというわけだから、近所の視線は私たちに釘付けになるのも仕方がなかった。

これは困却すべきことだった。所を得たような心情になれるわけがなかった。私の小さな頃から両親と交友のあった区民の中にはやはり察しの良い人がいて、「それにしても似ている」と訝しげに言うので、はらはらさせられた。即座に協会に出向いて相談した。

「それに関しては協会も今、対処策を考えているんです」

受付の青年君は言葉に似合わしくない、いつもの愛想のよい顔だった。「しかし当面は大丈夫です。あなたの年齢まで彼が追いつくにはまだ時間があります。それまでに何とかしたいとは思っています。先生も日夜、努力されていますす」

あの女性技術者のことを青年は言っていたようであった。

「分かりました。とりあえずはマスクでもさせて顔を隠させるようにします」

私にはもう一つ胸に仕舞っていた案じ事があった。

「それともう一つ、お伺いしたいことがあります」

「何でしょう？」

「学校はどうしましょうか」

「全くご心配に及びません。あの子は自然と知識を身に付けていくでしょう」

「協会が学校の役目を果たしてくれるということですか？」

「そうではありません。協会は何も教えることはありません。ただお預かりしているだけです」

「私は協会がユウスケに言葉を教えてくださっているものだと思っていました」

「それは誤解です。今彼が話している言葉は全て彼が自分で習得したものです」

「私の幼少期とはえらい違いですね」

「一般的な子供と比較すれば、そういった表現になるでしょう。しかし彼にとっては自然のことです。彼の肉体の構造を説明するのはとても長く時間がかかります。先生をお呼びしないと……」

「分かりました、もう十分です」

私はユウスケの内部構造など毫も知りたくなかった。

「少なくとも公立の学校に行かせる必要はありません。当会は国公認の教育法人資格を得ておりますので、そのまま日中、彼を預けてくだされば、あなたは教育を受けさせる義務を果たしていることになります。ご心配なさらずに」

私はとりあえず納得して、踵を返した。

明くる日から、出来る限りユウスケを帯同しないようにしたが、もはや彼は活力を持て余した少年である。読書だけでは物足りず何かと外に出たがるようになったので、休日はやむなく彼が興味を持つ場所へと連れ立つことが多くなったが、絶対にマスクだけは着けさせるようにした。彼のお気に入りの場所は昆虫や花卉の豊富な自然であったが、人目につかない環境でも、ユウスケが私の隙を見てマスクを外そうとした時には、すぐさま注意し彼を制した。

だがそのような努力が予期せぬ方向から意味をなさなくなるとは思ってもみなかった。同時に、さもありなん、といった心証でもあった。マスクは二日も経つと、明らかにユウスケの両頬を覆いきれなくなったのだ。藪から棒に骨ばった顔面はマスクを小さく見せ、とがった顎ははみ出して麗々と三角形を描いていた。急いで私は丁度いいサイズを購入しに行ったが、成人用のものが何の時弊か中々手に入らず、仕方無く協会に調達を願うと、すぐに手配してくれた。しかもご丁寧に諸種の寸法のマスクを配布してくれたのだった。受付の青年君いわく、

「これから成長の加速度が高まるかもしれませんから」とのことで、一通りのサイズを取りそろえてくれたのだっ

た。そして後日、衣服などの身の回り品に関しても、同じ形で私の家に配送すると青年君は言ってくれた。

数日後の朝早い時間に配送業者がインターホンを鳴らす音が聞こえたが、容易に戸口へ足が動かなかった。というのも今しも居室で、中学校の入学式で父に撮ってもらった写真の私と同じ顔を見たのだ。ユウスケはたった数日で数年の時間を消費したようだった。私は呆然としたが、急成長した肉体に押し広げられている寝間着に気付くと、はっとして玄関に向かい、業者から荷物を受け取った。巨大な段ボール一箱には、様々な品物が紙板で部分けされて収納されており、外套、肌着、帽子、靴、靴下、手袋……、勿論、より大きなサイズの寝間着までそろっていた。ユウスケはまだ寝たかったらしく、私が丁度よさそうな新しい寝間着を与えるとそれに着替え、寝室に戻っていった。休みの日だったので、ユウスケと虫でも取りに行くために準備していた様々な道具に横目をやった。恐らく、ユウスケはもう昆虫には興味を持つまい。確かに、中学生にもなろうかという昔の私は、もう外界より自己に興味があったのだった。

ユウスケが再び眠ったのを見計らって私は彼の寝室に入った。彼の寝息は少年の域を脱しつつあった。その額には懐かしくも赤く黄色い斑点が浮き出ていた。鼻下にはうっすらと産毛が生えていた。彼の長くなった両の手足は、ついこの間買ってあげたばかりのベッドからもう少しではみ出すくらいだった。私は床に腰を下ろすと、しばらく沈思した。これで最も美しい時代が終わり、ユウスケは今の私に至るまでの〈意識〉の暗い道を歩むことになるのだろうか……。だが、私は誘惑的な雑念を排した。まだ養育は、義務は終わっていない。やるべきことは沢山残っている。

救いだったのは、ユウスケの成長が他者を驚かせはしても自分を驚かせてはいないことだった。彼は自分の変身に何ら違和感を持っていない様子だった。いや、気付いていないと言ったほうが正確だった。昼頃に起きてから、自分の姿を洗面台の鏡で見ても特に驚く様子もなく、ませた自意識に誘われるがまま髪を自然に弄ぶのみだった。

それからは一旦、ユウスケの成長速度も鈍化したように見えた。

私の目算では、ユウスケは十三から十八歳くらいの間を漸進していた。それでも心配されたのは、近隣にこの成長の異常性を感付かれることであった。だから私は先手を打ち、前もって、区民に会うたびに自分には何人かの子供がいるとそれとなく知らせたのである。そして、離縁した妻が親権のある私から勝手に子供たちを奪っていき、彼らを取り戻すために係争しているのだと、全く自分でも呆れるくらいの空事をしゃあしゃあと述べた。更に、そのうちの二人は取り戻したので、全員の子供を迎えられる日も近いと伝えると、年老いた区民たちは思いもしなかった話に感嘆したのか、お前ならやれる、この過疎化する町に若い生命をもっと連れて来い、悪女を叩きのめせ、などと言って、私を声々に激励したのだった。

そのようなこともあって忙しい日々がしばらく続いたが、成長の過渡期において緩やかに変わっていくユウスケを近くで見ることは私を癒やしてくれた。その変化の美しさは実に興味深いものだった。未来という世界以外のものとは関係を結んでいないように思えた。死んだ両親もいつか成長する若い私を見て、頼もしく感じていたのだろうか。そして明るい未来を歩ませるために、養育の完遂を改めて決意したのだろうか。それは独りよがりな想像だったかもしれない。いずれにせよ、ユウスケの精神年齢の速度が、現実の時間と歩調を合わせてくれたほうが好都合なのは明らかだった。

ユウスケは私の朧(おぼろ)な期待に幸か不幸か反しなかった。それまでいかなる時も私からくっついて離れなかったのに、次第に私から距離をとるようになった。自分の部屋からあまり出て来なくなったし、食事も共に摂ってくれなくなった。勿論、休日に外出を誘っても度々無下に断られた。碌々(ろくろく)口も利いてくれない日すらあった。いつも何か不機嫌で、物思いに耽っているように見えた。書物だけは彼の手は放さなかった。私は追懐に助けを求めた。確かに今の彼くらいの年代の時、私は不安だった。錯雑する観念と放縦な想像力に戸惑い、なにより存在の被膜を中から新奇な欲望がつついているのを常時感じていた。そしてその欲望を制御するために、高尚な本を味解もせず渉猟したものだった。私の顔にみるみる似てきた彼の面貌を見ると、あのもどかしい時代が蘇ってくるようであった。両親もそのような私の毒気に当てられていたのだろうと思うと、若さが罪深いもののように思われ、今更ながら悔恨された。

だが両親は義務に耐えたのだから、私もそれにならうべきだった。つまり生活を無理に変える必要は無かった。過干渉こそが、大きな悪因となることを私は知っていた。彼は協会へ通うのを怠ることはなかったのだから、十分に優等生と言えた。しかも驚くことに、殆ど独習で年相応の知識を獲得していたようであった。協会に何度尋ねても、我々は彼に勉学を本格的に施したことはない、との回答だった。ともあれ、ユウスケが昔の私よりもはるかに優秀であることは疑い得なかった。

私は、ある時点からこう思い始めた。彼の優等生ぶりに比べて、私のほうはどうだろう? 親として、とかではない。存在として、である。私がユウスケにマスクを着けてほしいと思っている以上に、ユウスケは私にマスクを着けてほしいと思っているのではないのか。それゆえに彼は私に対してけんもほろろなのではないか。私よりも彼のほうが、顔の類似性について気をもんでいるのではないか。であるとしたら、最善の処置は何か。未来を持つ彼が自分を隠すことか、未来のない私が顔を隠すことか。答えはいわずもがなだ。

　かくして、ユウスケに外出する時はもうマスクを外してもいい、と伝えてみた。普段は無愛想に肯くだけの彼が、その際ばかりは跳び上がって驚き、一体どうしたのかと私に聞いてきた。ユウスケはやはり我々の顔があまりにも似すぎているのを察知していたのだろう。しかし訳合いは説明せずに、まだ何とか残っていた親の権勢でもって、彼に同意を強いた。

　それから私は、朝な夕な顔を隠すようになった。ユウスケ用に購入していたマスクを着けてみると、ぴったりであった。彼の成長を肌身で感じた。勤務時にはマスク装着の義務に喜びすら感じ、もはや顔を放棄していると言っていいくらいの徹底ぶりだった。昼食を摂る時だけはマスクを外さざるを得なかったが、その時は必ずトイレに独りいた。どうせ私の顔など誰も見たくもないのだから、皆に利益のあることだとも言えた。

　このように半ば善行に勤しむ高揚感さえ抱きつつあったのだが、期せずしてあの女性職員の指摘が入ることとなった。

「もう体調は回復したんじゃないんですか？」

また体調が悪くなったのだと返そうと思ったが、もうこれ以上関わられたくなかったので、私のような醜悪な容貌は隠したほうが職場の士気が上がることに今になって気付いた、という自虐をそのまま垂れてやった。すると彼女は、

「そんなこと言わないでください。キドさんは素敵だと思いますよ。大変でしょうけど、子育て頑張ってくださいね」と真顔で言うと、そそくさと逃げるように持ち場に戻っていった。

　面を食らったのは勿論、私への肯定的な評価のほうに関してではない。そんなものが空世辞であることを見抜けない私ではない。まさか、彼女がユウスケのことを知っていたとは。何故に？　もしかすると、どこかで休日にユウスケと一緒にいるところを見られたのか？　同じ町に住んでいるなら、あり得ないことではない。会いたくないと思っている人間ほど、ひょんなところで出くわしていたりするものだ。

　家に帰ってからも、私は深く考えを巡らせていた。その晩はユウスケには出来あいの食品で容赦してもらった。私のほうは食事も摂らず、風呂も入らずにあらゆる事態を推考していた。あの女性は私を誘拐犯だと見做さないだろうか。いや、それは妄想が過ぎる。では、万一彼女がユウスケの出生について何か感付いたとしたら？　私たちの顔が

似すぎているとしたら？　これは大変なことだ。焦燥に駆られて、私は協会に電話した。

「むしろここからが大事です。警戒要です。もしかすると最終段階に入るかもしれません」

例の青年君はいつもよりも平静なくらいだった。

「最終段階？」

「そうです。しかし今はここまでにしておきましょう。それともこれ以上聞きたいですか？　先生もお呼びしなければなりません」

青年君にそのつもりはなかったろうが、その言葉は私を押し黙らせる以外の効果を持たなかった。難解な講義を受けるのは御免だったし、怖いもの見たさを楽しむ気にもなれなかった。

しかしほどなくして、私は青年君の言葉がむしろ善意を含んでいたことを痛感させられた。そう思い至った理由は以下である。ユウスケはその前日まで変わらず少年であった。いや少年と青年の中間点にいたと言うべきだろう。そろそろ高校生あたりの年齢に至ろうかというところだった。私は朝、起きてユウスケの食事の用意をしていた。その日は特別な業務があって、いつもより早い時間の始業だった。まだ外は暁闇に満たされていた。珍しくユウスケが早く目を覚ましたようで、二階から下りてくる足音が聞こえてきた。私を呼んだ彼の声質に驚いて、私は包丁を足下に落としてしまった。幸い足は無傷だったが、心はそうではなかった。振り返ると、鏡で私を映したような男がいたのである。顔の下半分がとげとげしい無精ひげで覆われ、その中心に埋もれるおちょぼ口が、父さん、という言葉を放っていた。背丈も体形も今の私と完全に同じだった。これが最終段階か。私の膝はがくっと折れた。成長とはつまり老化である。その法則が目前に人間の形でもって精確に描かれていた。もしあの青年君からこの飛躍的な成長について詳しく教えてもらっていたら、私は先んじてあの説明書を開き、ユウスケを消滅させる方法を発動していたかもしれない。

とはいえ、鏡像は完全な鏡像ではなかった。よく見ると少しばかりユウスケの肌質は私よりも艶があった。まだ私の年齢にまで、あと一歩というところで追いついていないようだった。何よりもユウスケと私を分けていた特徴として、毛量があった。中年のユウスケはふさふさ頭で、私のような禿頭ではなかった。それは何とも言いようのない希望を私に与えてくれた。つまりユウスケは確かに一気に老化してしまったが、その代わりに真の私の姿を呈示してくれたような気がしたのだ。本当は私の髪は中年期においても残存すべきものだったはずだ。死んだ父も禿頭ではなかったのに、私だけがそうなのは本来おかしなことなのだ。よし、この際ちょうどいい。私はもういつもマスクで顔を隠しているのだ。こうなったら頭もついでに隠してやれ。つまりユウスケ、今からお前が本当のユウスケになれ。そして今から私はユウスケではない何かだ。お前が仕事に行ってこい。そしてその豊かな頭を同僚に存分に笑われてこい。笑わせておけばいい。奴らは知らない。それがユウスケの「地毛」であることを。

ユウスケはいつものように自分の老化に一毛の疑念も持ってはいなかった。かてて加えて、自分が代役を務めることについて素直に受け入れてくれた。私は仕事に関する要領を即席でユウスケに詰め込ませた。彼は私が教えた事柄を瞬時に理解したようだった。いや既に知っていたと言っていいほどだった。いつも使っている作業着を彼に着させると、その後ろ姿を見守りながら旭日の下、彼を送り出した。

ユウスケはある種の異才ではあったかもしれないが、数十分の教習で初めての仕事をこなせるとは実は想定していなかった。最悪の場合、役所から解雇されてしまう不始末につながるかもしれなかったが、それならそれで構わなかった。どの道、私はもうユウスケではない。というより、私はいつ死んでもいいのだ。彼に殺される資格すらあると言ってもいい。私が偽者なのだから。しかし、せめて彼の後々のことを考えておく必要があるだろう。私は協会に連絡した。珍しくあの女性技術者が応対した。

「今日はユウスケに代わりに働きに行ってもらいましたので、彼はそちらに行けません」

「今日あたりに彼は変身したでしょう?」

「ええ、そのようです。これが、最終段階というやつですか」

「そう。やはり、どうしてもこういった飛躍を今のところ、構造上、回避できないみたい」

「それはもういいです。聞きたいのは、仮に私が死んだ後も協会がユウスケの面倒をみてくれるかということです」

「随分気が早いのね。でも、ご心配に及びません。勿論サポートします。ただ彼があなたよりも長く生きる保証はないけど」

「やはりそうですか……」

「彼の成長速度を見たら分かるでしょう」

「継承はまだ見通しが立たないということですか」

「その継承が可能かどうか、今私たちに試されているわけ。しかし差し当たりは先のことは考えないで。しばらくユウスケ君は立派にあなたの代役を務めるでしょうから。しかしもしユウスケ君の髪の毛が抜け始めたら、当会まですぐに連絡してください」

なぜそういうことになるかは、問わなかった。とりあえず、今まで通りユウスケの髪の毛に注意していればよいということは分かった。

　それから、私は家事に専念した。昨日までは父であり母であったが、急に妻としての立場に格下げになったような気がして侘しかった。ユウスケは果たしてそれらしく立ち回れるだろうか。敢えてそのことは考えないようにした。

　夕方、いつも私が帰ってくる時間とぴったりに、ユウスケは帰宅した。私は玄関に飛んで行って、開口一番、勤務について質した。ユウスケは、何も問題はなかった、上手くやれたと思う、と返答した。本当か、と訝ったが、ユウスケが今まで私に嘘をついたことがないのを思えば、納得すべきだった。最後に「頭のことで何か言われなかったか」と聞くと、ユウスケは苦笑いで首を横に振るのみだった。

　勤務初日は大変だったろうと思い、私はいつもより豪勢な夕食を用意していた。久方ぶりにユウスケも喜んでくれ、私に感謝の言葉を向けた。ユウスケと心が通じ合ったような気がした。彼は何のよそよそしさもなく、私と食卓を共にしてくれた。恐らく彼の心は老化とともに、成熟したのだった。

　瓜二つの姿が向かい合って二体並んでいるところを他者が見れば、正に鏡の介在を疑ったかもしれない。しかし我々には何も違和感はない。目の前にいるのは、やはり私の遺伝子をそのまま受け継いだ可愛い息子である。更に彼こそが真に「ユウスケ」としてこれから生きていくべき存在だ。食卓を先に去らねばならないのは私だ。必ず継承を成し遂げてみせる。この社会が私から奪った継承権、それを取り戻してみせる。

　そうだ、もしユウスケが逆縁の苦痛を私に強いようという時には、私もまた死のう。そしてまた、近隣なり、職場なり、あるいはそれ以外の者らなりに、私とユウスケの顔が併存している光景を目撃されてしまう危局が生じた時には、自ら命を絶ち、ユウスケに全てを委譲しよう。見間違いは一度であれば、世間はほおかむりをすると信じよう。

　暫し、同じような日が巡った。私の顔は日中殆ど白い布製のマスクで覆われていた。神経質になるあまり、両眼すら隠してしまうこともあった。二人が各々外出する時、私はありとあらゆる自分の部位を分厚く隠した。もし夏季だったら熱中症になってしまいかねなかった。

　ユウスケの一足飛びの老化を見た時の絶望感、それはいつの間にか完全に消えていた。私は今、小さな彼を抱いていた時よりも幸福だった。ユウスケは頼もしかった。完全に勤勉で、容姿は中年だが髪のせいもあり若々しく、生気に満ちた顔で日常を送っていた。働き盛りの男といってよかった。自分が守らなければならないという切迫した幸福とは違い、他者を頼みに出来る幸福であった。継承の充足感が、半分顔を出していた。自分を継いで守ってくれる者がいるというのは何と素晴らしいことだろう。死んだ父もこの幸福を味わっていたのだろうか（その期待に十分に応えられたとは言えないが）。

だが高揚感は長くは続かなかった。ユウスケの容姿に変化が表れ始めた。その兆候に即座に気付いたのは当然だった。なぜかというと、毎朝寝起きの彼と会うごとに一番に視線を向けていた所に、その変化が発現したからである。ユウスケの前頭部は気が付くと後退し始めていた。いつかの懊悩が思い出された。かつて毛量が目立って前頭部から少なくなり始めた時、私は激しく動揺し、食事も手につかないほどだった。まだ両親が生きていた時だったので、何度も強迫的に二人に確認した。二人とも、気にしすぎだ、という常套句を発するばかりだった。一頃はそれに慰められ安心したが、後退の度合が更に高まると、両親の言葉も信じられなくなった。私は陰鬱になる一方だった。

流石の冷静なユウスケもこのことに関しては私同様打ちのめされているに違いないと思って、私は亡き両親とは違った慰めの言葉を考えていた。しかし彼は鏡を見ても少しも表情を変えずに、いつもと変わらぬ様子で出勤したのだった。安心したが、得心がいかなかった。彼が私そのものであったら、正にこの一点において、ひそみにならわなければならないはずなのに。

協会の女性技術者との約束を思い出した。ユウスケの髪に変化が生じたら、彼女に連絡を入れなければならない。禿頭に関する私たちの反応の差についても尋ねてみよう。

「ああキドさん、どうも。ちょっと待ってください、先生に替わります」

電話に出た青年君の穏やかな口ぶりは相変わらずだった。

「どうも。ユウスケの髪が気が付くと抜け始めていました、先生」

「やっぱり出ちゃったのね。明日彼を必ず協会に連れてきなさい」

明日、ユウスケは休みだから都合がよかった。

「大変なことになるんですか？」

「実験の総仕上げよ。あるいは総確認とでも言うべきかしら。とにかく理由は聞かないで。明日の三時あたりに」

「分かりました。必ず行きます。それと一つ伺いたいことが」

「何？」

「ユウスケは昔の私のように頭部の後退にショックを受けていないようで」

「それはそうよ。あなたの達(たっ)てのオーダーじゃないの。髪のことが一番の悩みだって言っていたじゃない。私なりにユウスケ君に同じことで悩まないようにしてあげたのよ。長い時間がかかったんだから」

とりあえず彼女は、これまた何の技術が分からないが、私の希望通りにユウスケを修正してくれていたわけだ。

「とにかく、明日よ」

彼女の念押しがあろうがなかろうが、私は言うとおりにするつもりだった。その晩、ユウスケが仕事から帰ってくるなり、私は件の予定を伝えた。ユウスケは中年になってから随分角が取れたので今回も諾々と了承してくれるものだと思っていたが、何やら約束事があったようで、ちょっと考えさせてくれと言ったきり、黙りこくった。しかし耐えかねて私が、協会がどうしてもと言っているから頼むと言うと、不承不承のようだったが肯いてくれた。

約束の日、くれぐれも時間に遅れぬよう、ともどもに早く起きて準備をし、家を出た。ユウスケはまだ不満が残っていたらしく、道中、眉根を寄せたままだった。

私たちが到着するや、受付の青年君は似気(にげ)なく大慌てで案内した。今まで通ったことのない通路を歩かされ、続いて、日の差さない薄暗い階段を私たちは下っていき、最下階に辿りついてから更に暗い通路へ入っていくと、青年君は分厚そうな鉄扉の前で止まった。

「こちらが第二試験室です。中で先生がお待ちです」

青年君は両手で鉄扉の取っ手を持ち、重たげに開いた。中からどぎつい光が漏れ出て、思わず私は目陰を差した。鉄扉に相応しい広やかな空間が待っているかと思ったが、さにあらず、やはり六畳程の一室があるばかりだった。勿論あの女性技術者もそこにいた。

「ああ、やっと来たわね。御免なさいね、いつもの場所じゃなくて。ここじゃなきゃ、出来ないことがあってね。ユウスケ君、元気にしてた？　ユウスケさんと言ったほうがよかったかしら」

ユウスケは肯きもしなかったが、少しばかり不機嫌の色が落ちたように見えた。

部屋は私から見て左半分が図書館、右半分が実験室といったところだった。ガラス張りの書架には派手やかな装丁の書物が隙間なく詰まっていた。一方、右手には長い鉄製の机がぴったりに配置され、その上に用途が想像し得ない器具が並び、中でも机の中央に置いてあった黒塗りの箱のような物体は一際目立っていた。

「さあもうそろそろ、時間ね」

そう言うと、女性は机の引き出しから注射器を取り出した。

「ユウスケ君、ちょっと血を採らせてもらうわよ」

女性はユウスケを椅子に座らせると、有無を言わさず手早く注射針を彼の左腕に刺し、血を抜き取った。

彼女が何をしたいのか全く予測できなかったが、見ているよりほかになかった。

「いくわよ」

彼女はそう呟くと、ユウスケの赤黒い血液で満ちた注射器の針を、机の上にある黒く四角い物体へ持っていった。

その側面にまさか嵌入部があるとは思わず、針が折れる不快音を予感して私は耳を一瞬塞いだ。女性が注射器を手から離すと、それは四角い物体に刺さったままに、内部のユウスケの血液を減らしていった。血液が全て無くなるまであっという間だった。

「さあ、来るわよ」

一体何が来るんだ。まさかまた新しいユウスケが生まれるのか。彼の兄弟が。それなら願ったりかなったりだ。

ユウスケの方に目をやると、不安そうな表情で四角い物体に見入っていた。

「出たわ」

今度は目を閉じろとか彼女が言わなかったので、心の準備をしていた私は虚を突かれた気分だったが、周囲に何の変化も無かったことのほうが意外だった。

「何が出たんですか」

「時間よ」

「時間？」

「よく見てちょうだい」

女性は四角い物体を指さしていた。その前面には、上半分に「41：00」と赤い数字が映っていて、下半分に同じく赤い秒数字が進行していた。

「やっぱり私の予想通りの成長速度だったわ。殆どぴったりよ。ごめんなさいユウスケ君、急なことで。本当はもっとあなたを若いままに留めておきたかったけど。でもまだチャンスはあるわ」

ユウスケは女性の言葉に当惑して、首を左右に小忙しく回していた。私はユウスケを落ち着かせようと、彼の両肩に手を置いたが、その時、図らずも彼の後頭部を見てしまったのだった。

さながら時間の速度が緩やかになったように、彼の頭から一本一本と髪が抜けていったのである。まるで鳥の飛び立つ際の羽毛のように、髪は次々と宙を舞っていった。

ユウスケは狼狽した様子で私を見ながら、父さん、父さん、と言っていた。大丈夫だ、何も心配いらない、注射と同じだ、と私は宥めたが、彼は今にも泣き出しそうであった。

物体にあらわれている赤色の時間は、私たちの不安をよそに無慈悲に進んでいった。その動きに合わせるようにして、ユウスケは次第に禿頭になっていった。ユウスケが漸く私の時点にたどり着こうとしていることが分かった。その顔の皺も増えていき、肌質が今の私と同じように薄汚れたものになっていった。

「あと一分」

ユウスケはたまらず椅子から立ち上がって、私に抱きついた。彼は私の胸に顔をうずめて、泣きじゃくっていた。

私も彼を強く抱いたが、その頭部だけは見もらすことは出来なかった。これが今の私の頭髪の状態ということか。その観念は明らかに現況にそぐわなかった。

「来るわよ。目を閉じて」

言われなくとも目を閉じるつもりだった。

私はユウスケの名を叫んだ。

暗闇の中でユウスケの肉感がなくなったことにすぐに気付いた。しかし恐ろしくて目を開けることが出来なかった。

「ああ、やっぱり駄目だった」彼女の嘆きが聞こえた。

「まだ目を開けないで。目を傷めたくなければね」

私は暗闇の中で敢えて何も考えないようにした。しかし、それでも時は進んだ。

「じゃあ、目を開けていいわよ」

そう言われたが、中々目を開けられなかった。瞼を捲ったのは自身の勇気ではなく、私の肩を叩いた女性の気遣いだった。

やはり、と言ってよかったろう。ユウスケは目の前にいなかった。部屋に隈なく視線を巡らせたがいなかった。外に出ていったわけもなかった。足下を見ると湯気を放つ、落ちたカツラのようにうずたかく積もったユウスケの髪があった。

「何と言ったらいいか」女性は知らぬ間にかつてのごとくゴーグルをかけていた。「やはりあなたの現在年齢を彼は乗り越えられなかったわ。私の力不足が明らかになったわけ」

女性はゴーグルを外した。そしてユウスケの「遺体」を見下ろしながら、

「ごめんなさいね、ユウスケ君」と言った。

彼女の目は赤くなっていたが、どうやら湯気が目に染みたからではないようだった。

私は彼女の顔を見て胸が詰まった。

「謝らないでください」私は目頭を押さえた。「今まで素晴らしい時間でした。こうなることは何となく予想できていました。最後にユウスケを安心させることが出来なかったのは、私の親としての不甲斐なさ故です。協会にはとても感謝しています」

女性は床面の髪の塊に手を合わせた。気が付くと部屋の中に入って来ていた受付の青年君は、涙を垂らしながら、口惜しそうな顔で同じく手を合わせた。

私は彼らが菩提を弔う姿を見ているだけで、十分に溜飲が下がった。


新しい生活はやはりいつか体験した味気ない生活だった。協会は私がもし希望するのであれば、準備のために相当の時間がかかりはするが、もう一度治験を受けてもらう用意は出来ていると言った。私は断った。自分の子供が消える

苦しみを再び体験するかもしれないのなら、独りでいるほうが良かった。勿論、協会の善意を疑っているわけではなかった。

だが世の中には、善意というものに難癖をつける連中がいる。どこで嗅ぎ付けたのか知らぬが、休日に突然、刑事のような風采の男が私の家を訪れ、黒い手帳を見せ、協会の実態について聞かせてもらいたいと言ってきたのだ。私は何のことか分からないと終始した。すると男は、あの協会は極めて社会にとって危険な存在である可能性があります。もしあなたが社会正義に理解のある人であれば、ぜひ情報提供をお願いします。あなた自身にとっても、それが好ましいことですから、などと言い捨てた。

私は居室で先に逝ってしまったユウスケの形見を見ながら、公権力の言う正義について考えていた。この国家が『ユウスケ』のような人間に対してどれだけ正義であっただろうか。度し難いほどの不器用さ故に、悪徳をひたぶるに謳歌する犯罪者の楽園とも言えるこの社会から、端無くもはみ出してしまった者に対してである。もし古代であれば彼は、その寛容さでもって真っ当な人間であると見做され、最低限の名誉を与えられて死ぬことが出来たに違いない。たとえ彼が脆弱な半人間であったとしても、その無害さ故にである。しかし今はそうではない。寡黙さは不気味さと受け止められ、魂の純粋さは人間的経験の少なさと愚弄され、容姿の不完全さは人間存在を放棄していると誤解され、独身であることや異性と無縁であることは性犯罪をおかすよりも罪深いこととされ、孤独と道徳を結びつけようとすることは過激な行動の先触れだとされ、非正規の職業に就いていることは眼球を一つ自分で抉るに等しい行為と見做される。ただ規則を律儀に守って機械のようにしか生きられない実直さからは、生きる権利などは剝奪されてしかるべきだと言わんばかりに。

このような悪意が社会に満ちることにより、彼のような人々は継承への希望を投げ捨て、ひっそりと自滅し、この時代から退場してきたわけだ。そしてそれらの現象を公権力はひたすらに促進してきたはずだ。ならば、そのような存在が言う正義とは何か。異性なしで子供を作ることが悪なのか。それは悪だろう。なぜなら、公権力はいかにして真面目な国民に子供を作らせないかということに腐心してきたではないか。そうやって彼らを死滅に追いやり、自分たち機構と、国民でない者たちだけが生残する悪策に興じてきたではないか。公権力が我々国民にとっての最大の危険でなければ、一体何なのだ。協会の出現理由がその国家の失態を回復するためというもの以外、何に見出されるというのだ?

私は協会に電話し、奇態な男の来宅について教えた。

「そうですか。何か脅迫めいたことを言われませんでしたか？」

青年君の語気をいつもより厳しく感じた。

「言われたような気もします」

私は自分のことよりも協会のことを案じていた。

「彼らに何か漏らしたかと聞かないんですか？」

青年君は少しの間、黙った。

「これはあなたにだけにお伝えしますが」青年君は咳払いを挟んだ。「協会は近いうちに一時解散することになりました。急な話で申し訳ありませんが、やむを得ざる処置です」

「あなたたちの事業もこれで終わりなのですか。私と同じような人間を救うことが出来るかもしれないというのに」

「いいえ、私たちはまだ諦めていません。あなたのように私たちの存在を必要とする人が多くいることを知っています。協会はいつか必ず再興します。そして今度は私たちの技術を完全なものにしたいという展望を持っています。あなたの協力には本当に感謝してもしきれません。勿論、〈ユウスケ君〉に対しても、です」

私のほうこそ、その言葉に感謝すべきだった。ユウスケよ、お前の命は決して無駄ではなかったのだぞ。

「キドさん、また治験が再開されたらご協力願えますか、再度の勝手なお願いとなりますが」

「すみません。即答は出来ません。息子を失い、自分自身を失ったような身です。しばらくはまた元の自分に戻ろうと思っています。一時、ユウスケとの思い出に浸らせてください」

「不躾でしたね。失礼しました。でももし気が変わったら、ご連絡してください」

新しい連絡先はどのようになるのか、と聞こうとした矢先、電話が途絶えた。

しかし、もうこれでよかったわけだった。もし協会のことが頭の片隅に残ってしまったら、死んだ子供のことを忘れて、協会の展望にまた夢を託すかもしれなかった。それはユウスケに対する背信を意味した。

かくして、子供のいない生活、つまり継承が完全に断ち切られた生活に戻ってから救いとなったのは、ユウスケの供養を毎晩行うことだった。通夜も葬式も行えなかっただけに、慰霊だけは毎日必ず欠かすことが無いようにした。ユウスケの写真は、彼の生前、そう多くは撮影してあげられなかった。しかしそれを残念に思う必要はなかった。ユウスケを思い出すためには、父が私を写した写真を押し入れから引っ張り出せばよかったのである。ということで、私は「二人のユウスケ」の写真を硝子製の写真立てに入れて並べ、その前に供物を置いたのだった。奇しくも父が撮った写真と私のものは似ていて、両方、幼年のユウスケが庭の前でおどけた表情で写っているものだった。

　近所には妻がまたもや連れ去っていったと嘘を言った。すると、袂を連ねて、区民たちが私に哀憫を伝えに来た。児童相談所がどうとか、辣腕弁護士がどうとか、懇切に教えてくれる者もあった。どうやら、彼ら高齢者たちにとってもユウスケは一粒の希望のようでもあった。それだけに、私は疾(やま)しさを胸に覚えた。

　職場でマスクをする必要もなくなった。ユウスケの役目は再び私が演じることになったわけだが、それが重責のように感じられた。かつてユウスケを初めて職場に送り出した時、彼もこのような緊張を感じていたのだろうか。しかし、恐らく私はユウスケほどには上手く対処できなかった。仕事は変わらず雑用だったが、久しぶりともあって、何かと失敗をしてしまった。書類を書き損じたり、役所が所管する施設の点検個所を忘れていたり、備蓄品の廃棄を余分に行ってしまったり。しかし本来なら、激しい叱責を食らうはずが、正規職員の人間たちは私に対して、何かあったのか、体調が悪いのか、などと心配するそぶりを見せてきた。私のことを害虫扱いしていたお局たちも同じ態度だった。薄気味悪かった。もしやユウスケは私のように『ユウスケ』を演じていなかったのではないかと疑ったりもしたが、私の性格と彼の性格がそう大きく違うはずもなく、恐らくカツラを付け続けることに耐えきれなくなった男への同情であろうと自得した。

　だがあの若い女性職員だけは違った。彼女は私のところにやってきて説教を始めた。

「こんなことは困ります。しっかり仕事してください。もう体調はよくなったんでしょう」

「すみません」

「あれ。今日は違うんですね」

違うとは？

「私はいつもこうですが」

「皆、キドさんは人が変わったって言っていますよ」

「そうですか？」

「若々しくなったし、溌剌としているって」

確かにあの時の「ユウスケ」は私よりも幾分か若かった。そして彼には豊かな毛髪があった。どうせ、この女も急に髪がなくなった私のことをからかいたいんだろう。何なら、本当にカツラを付けてやろうか。

「でも私はどこかおかしいなと思っていたんです。いつものキドさんじゃないなと」

やはりこの女の嗅覚は鋭い。あのままユウスケが生きていたら、いつかはこの女にばれてしまったかもしれない。

「何か別人みたいで。怖くていつもみたいに近寄れなかったんです」

　その態度を貫いてくれれば幸いなのに。

「でも話してみて、やっぱりキドさんだなと思いました。安心しました」

女性はにっこりと笑った。彼女が見せたことのない表情だったので、私はまごついた。

「でも仕事はちゃんとしてくださいね。また来ます」

そう言うと女性は軽快な足取りでその場を後にした。その背中を目で追っている時、無性に腹が立っていた。私が仕事に適応できるかどうか悩んでいるその姿が、あのような女にとっては面白くて仕方がないのだろう。それに、私は見落とさなかったぞ。あの女は私の頭部を一瞥した。

こういうこともあってか、中々仕事に順応できない日が続いた。自分でも驚いていた。たったの三カ月だけ仕事から離れただけなのに。私もユウスケと同じくらいの速度で年をとったのではないかと思えた。もう惰性すら長く持続しないような予感を持った。

職場の私に対する見方は忽ち悪化し、いつの間にか、仕事をユウスケに委任する前よりも評価は下がっていた。お局たちは堰を切ったように私の陰言で職場を満たし、いよいよ部課長までもが、私の解雇を真剣に検討し始めたようだった。あるいは次の雇用契約満了時には、という具合に。

私もそれでいいと思った。ここらが限界だろうと感じたのだ。仕事のことではない。人生そのもののことだ。ユウスケは消えた。私のたった一つの希望だった。彼だけが私を継いでくれる存在だった。だがもう彼はいない。だから私は生きていても仕方がない。私の余生は何ものをも残さない。それなのに、何故私は生きなければならない？　自分の生命だけを維持するために、この忌まわしい社会で労働し生活の糧を得なければならない？　それに何の意味があるのだ。

その日は前日にしたためた退職届を提出する予定だった。朝、一番乗りで出勤したつもりだったが、先客がいた。あの女性職員である。彼女は私の姿を認めるやいなや、駆け寄ってきた。

「キドさん」

もうこの小娘を相手にする必要もなかろうと思い、私はそのまま素通りしようとした。

「待ってください、キドさん」

「何ですか」

思わず立ち止まってしまった。

「キドさん、最近どうしたんですか。ミスばかりで」

「どうしたって、元々そういう人間ですよ」

「そんな、ちゃんと今までされていたじゃないですか」

それは別のユウスケなのだよ、と言いたいところだった。

「何かあったんですか？　子供さんのことですか」

それは聞いてくれるなと言いたかったが、何とかこらえた。

「違いますよ。どうせ今日辞めるつもりだったから、仕事がいいかげんになったんでしょうね。申し訳なかったと思いますが」

「辞めるんですか？」

「ええ。今までお世話になりました」

私は一礼して、去ろうとした。

「待って」

また立ち止まってしまったのは私の気弱さ故か。

「生活はどうするんですか？」

君には関係ないだろう。

「ご心配には及びません。仕事はいくらでもありますから。私はあなたたちと違って非正規の身分ですしね」

この面当てはいつか言ってやりたいと思っていた言葉だった。

「子供さんはどうするんですか？」

「息子は事情があって今後は私の家にはいません」

彼女は何か言いたげな顔だった。

「もう行ってもいいですか？」

「家族が離れ離れになるなんて悲しいことですよ」

その言葉は流石に私を感情的にさせた。

「そんなことは分かっていますよ。でも人には色々事情があるんですよ。あなたも私のように子供を持てば分かりますよ」

「私だって子供はいます。一人で育てています」

初耳だが、どうでもよいことだった。

「子供なしの人生なんて考えられません。私はどんなことがあっても、頑張って自分の手で育てるつもりです」

彼女の言葉はもはや挑発以外の意味を持たなかった。

「あなたの子供と私の子供では違うんだ。子供を持ちたくても持てない、育てたくとも育てられない人間だっているんだよ」

私は直後に自分の発言を後悔し、足早に立ち去った。今度は彼女も引き止めなかった。

自分のロッカーから荷物を引き出しながら、一体彼女は何が言いたかったのかと勘繰っていた。しかしその勘繰り自体が不快に思えてきた。全く要らぬ本音を言わせおって。親しくもない他人のことに対して、よくもあそこまで言えるものだ。自分は子育てをしているが、あなたは諦めた。だから、あなたは私に謝らなければならない、とでも言いたかったのか。何という理不尽さだ。人を馬鹿にするのにも程がある。まあいい。もうあの顔を見るのも今日で最後だ。

　そして、退職届はすんなりと受理された。予想通りだった。上司の年老いた課長は待ちあぐねたと言わんばかりの顔で速やかに私の書類を受け取った。健闘を祈る、という虚辞を彼は述べただけだった。

それから退所するまで、私にかけられたのはその言葉だけだった。面白いもので例の陰言も聞こえてこなかった。ようやっと辞めたかという安心感がその沈黙を構成していると思ったら間違いだ。確実に彼らは、私の身の上を同情しているような雰囲気を醸していたのだ。先日まで私のことを悪しざまに言っていたのに、あのお局たちは、キドさんもこれから大変かもしれないね、というような顔で私をちらりと見てきたのである。なぜ筋を通さない。お前が辞めてせいせいすると、はっきり言わない。今まで私によって受けた不快感と損害を回復するための行動に出ない？それが全く不愉快だった。最後の最後まで、この人間たちは私に対して不実であった。

役所の出口をまたぐ時も、何の感慨も生じなかった。非正規職員として勤めた期間は十数年にも及んだが、今まで何の意味もなかったのだと認識した。時間の無駄だったのだ。ユウスケと過ごした一年に比べるべくもなかった。赤い夕空が何とも虚無的に見えた。

そのまま家に帰るつもりだったが、帰途に見たことのある人物と出くわした。またまたあの女性職員である。誰かを待っている様子だった。まずい、と思って私は引き返した。するとあの女性は慌てて私を追ってきた。中年になって脚力が衰えたとはいえ、女性を振り切るのは容易いことだった。「謝りたくて」という、後方から聞こえた彼女の言葉に、私は胡散臭さ以外のものは感じなかった。

家に帰ってからは、何も深く考えなかった。ユウスケと、幼い私の写真をずっと見比べていた。二人とも実に可愛らしい。ふっくらした輪郭に、つるつるした肌。くりくりした瞳に、天使のような笑顔。だが、それは束の間のものだ。成長はあっという間に訪れ、幻想は終わる。ユウスケは悲惨な死に方をしたし、私もそうなるだろう。それでいい。私たちは一心同体なのだ。全く同じ遺伝子を持つ者だったのだ。ユウスケだけがあのような死に方をして、私だけが幸福になっていいわけがない。

その日は何も食べず、風呂も入らずに、二人の写真の前で眠ってしまった。そのまま死んでしまったら、どれだけ幸福だっただろう。

破滅的な日々は足踏みすることなく来た。私が失職したことは直ぐに近隣に知れわたり、誰も寄り付かなくなったが、元の環境が戻ったにすぎなかった。昼間から買い物に行くのはもう慣れたものだったが、家に帰ってから通帳の残高を必ず見なければならないのは心地が悪かった。収入が途絶えてからは貯金を取り崩しつつ生活せざるを得なかったので、倹約は絶対だった。だが、それでも残高の著減を抑えることは不可能だった。ユウスケが働いてくれた短い期間の給料をこのようにして巻き込むのは誠に残念だった。

この危機の中にあってなぜ自殺しないのかには、明瞭な理由があった。ユウスケが自殺で生を終えなかったからである。ユウスケの死に方は自然死だったのだ。だから私も出来るだけ自然に近い死を選ぶのである。

だがもう一つ理由らしきものがあった。生きている限りは継承の機会が訪れてくれるのではないか、という漠とした根拠のない期待が疼いたのだ。私の生命が存在するかぎり、この生命はまだ何かに派生する可能性を持っている、このような思考の癖が、協会との出会いによって、私の脳内に根を張ってしまっていたわけだ。可能性を放棄するよりは、まだ可能性に託したほうがいい。もしかしたら、誰かが私の遺伝子を引き受けてくれるかもしれない。

だがいよいよ窮乏は迫り、妄想を抱くことすら出来ないほどに、心身は衰えていった。一年程で貯金はほとんど無くなり、最後の食料が冷蔵庫に残った。町役場に扶助を申請しようかという女々しい考えが頭に浮かんだが、公共組織にそのようなみっともない姿を晒す恥辱を受け入れることなどもはや無理だった。

食料の減り方は、預金の減り方よりも激しかった。私はある日の夜中、突然空腹に襲われ、少しずつ食べていく予定だった、ジャーを満たしていた米飯に塩を振りかけ、それを一気に平らげてしまった。塩も穀物もそれで最後だったた。最後の食料はこのように滑稽な形で尽きてしまったのだ。

朝起きた時の胃の凭れた感もまた、この世で最後となる贅沢だった。それは直ぐに消えて、飢餓の道が始まった。以降は水だけでしのいだ。次第に体は動かなくなり、家事や入浴はままならず、トイレに行くための体力をいかに温存するかが勝負となった。私の死体を発見する者に糞尿の臭気を味わわせたくなかった。

布団で一日中寝て、行動は最小限の生理欲求に抑える。それだけで何日かが過ぎた。時間の経過は正確に把握できなかったが、まだ蛇口を捻れば水は滴ったし、トイレの便器にも流れた。とはいえ頭がずっとぼけていたので、それが幻覚でないという証左は無かった。一つ呼吸を行うごとに体の大きな力が抜け出、視界がぼやけたり聴覚が鈍ったりした。唾をひっきりなしに飲んでは、それが喉の奥から逆流してくる感覚に自然と身を委ねた。

そしてある時、奇妙な音を聞いた。梵鐘を叩く音が私の寝室に響いてきたような気がしたのだ。これはもしやお迎えの合図かと思い、何とか立ち上がって、ふらふらしながらやみくもに歩いた。

目の前にはどうやら扉らしきものがあった。それは光を潜らせて、向こう側を神々しく見せていた。私は開扉した。

「キドさん」

その声は明らかに生きた人間のもので、がっくりしながらも私は目を凝らした。

「誰ですか」

「すみません、突然お邪魔して」

あの前の勤め先の女性職員だった。

「何の用ですか？」

「一体どうしたんですか。大丈夫ですか」

私は女性の隣に小さい子供が立っているのを見た。

「そのちっちゃいのは誰ですか？」

私は耐えきれずに床に座り込んだ。

「すごい痩せてますよ。何かあったんですか？」

女性はどうやら狼狽えているようだった。

「大丈夫ですよ。そんなことはどうでもいいんです。それよりそのちっちゃいのは？」

「私の子供です」

「ああ、いつか言っていた。私の子供と会わせたかったなあ。でも私の子供は私に似すぎていましたから。それは憐れなもんでしたよ」

何だか自分が酔漢のように思えてきた。目にも涙が溜まっていた。

「会わせるために来たんですよ。約束してくれたじゃないですか。いつか一緒に遊ばせようって。次は約束は守るからって」女性は私に寄って来て、しゃがんだ。「これを飲んでください」

彼女は水筒らしきものを差し出した。

「あまり私に近寄らないほうがいいですよ。風呂に入ってないですからね。飲み物のことより、いつ私が自分の子供を会わせるような約束をしましたかね」

頭脳が上手く働かない中でも、その約束をした覚えだけはないとはっきり言えた。まさかユウスケが？

「飲んでください。救急車も呼びます」

「もういいんですよ。その飲み物は子供さんにあげてください。喉が渇いていそうな顔をしているじゃないですか。私のほうは霊柩車を待っているんです」

私は女性が差し出していた物を手ではたいた。物はどこかに飛んでいって、破裂音が響いた。子供が泣き始めた。

「どうしてそんなことするんですか、キドさん」

女性もまた泣いているようだった。

「子供が泣いたから怒っているんですか？」

「子供が泣いて苦しくないんですか」

「また説教ですか」

「そんなだから、子供さんがいなくなってしまうんですよ」

女性は立ち上がって私を見下ろした。外から照り込む日光を背で受けた、その立ち姿が気に入らなかったので、私もむきになって、よろけながらも立ち上がった。そして、私は彼女と私の立場の違いを示す言葉でもって、彼女を追い返そうと決意した。そうすれば彼女も納得するだろう。死んだユウスケの正体を知れば、私の苦しみを理解するだろう。

　顔をはっきり見て言ってやろうと思って彼女に近寄った時、私は外に見えるポストから何かがはみ出ているのに気付いた。見覚えのある色の封筒であった。裸足のまま彼女を通りすぎて、ポストまで歩き、その封筒を引っこ抜いた。

『国民自殖協会』

　私は大童で封筒を破り、中に入っていた一枚の書類を取り出した。

『お世話になっております、キド様。その後、いかがお過ごしでしょうか。まことに唐突ですが、当会が再開いたしましたこと、ここにご連絡いたします。そしてついに技術は完成いたしました。〈ユウスケ君〉から〈ユウスケ君〉を作ることも可能です。もし、よろしければ、ご連絡ください』

　私は感極まり、雄叫びを上げた。上げ続けた。そして声が尽きると、自分の口元から泡が零れているのを感じながらも、勢いよく振り返った。女性と子供は私の姿を見て驚愕を通り越し、もはや怖気立っているようだった。

　私は女性の目を見据え、言った。

「いいですか。私の子供は何度でも蘇る。あなたのものと違ってだ。あなたのものは本当の子供ではない。私のものこそ本当の子供なんだ。私が欲しいのはその子供ではない。私の子供だ。完全な私の子供だ。そう、私自身だ。それだけがこの国に残された子供たちなんだ」

　私は息を大きく吸いこんだ。

「さあ、だからあなたたちはここから去るんだ！」

　二人は悲鳴を上げながら、道路へ飛び出していった。

　私は朦朧とした意識の中で、封筒だけは落とさないよう片手にしっかり持ちつつ、家の中へ戻っていった。

　居間を通り抜ける途中、卓上にあった電話を手に取って、脱衣所の鏡台へ向かった。外光が遮断された暗い脱衣所の電灯を点けると、眼前に浮かび上がった、死んだユウスケの寝間着に包まれた幽鬼のような男の顔を凝視した。髭は粘っこく、目の隈は墨のよう、頬骨はあと少しで皮膚を突き破ろうかというところだった。

　私は頭部に視線を移動させた。

　よし、まだ髪は僅かだが残っている。ユウスケをまた作ることが出来る。継承の可能性は残っている。

　封筒の新しい連絡先を見ながら、電話のボタンを押していった。その画面に並んでいく数字が目に赤く映えたことは、私にはどうしても錯覚に思えないのだった。


（了）

# 平成のお役所事情

木島丈雄

　机上のカッターマットの上に、金額だけを印字した白い紙を置く。その上に業者の見積書を、白い紙に印字した数字と見積書の金額の数字の位置がすこしのずれもないように重ねる。白い紙は業者の見積書と同じ紙質のものを選んでいる。数字も見積書のフォントと同じものだ。そうしておいて、業者の見積書の金額欄に物差しを当て、カッターの古い刃を折って新しくした刃先を当てる。慎重に二枚の紙の金額欄を切り取る。どうやらうまくいった。見積書の金額欄が切り取られ、切り取られた穴とまったく同じ形の数字の紙片ができた。

　見積書を裏返し、穴が開いた金額欄に、その数字の紙片をはめる。見積書の裏側から製図用の薄くて耐久性があるスコッチテープを当て、慎重に貼り付ける。スコッチテープは貼ってしまうと紙になじんで貼ったことがわからない。見積書を表に返して金額欄を消しゴムで押さえると、カッターの切断面が紙になじんで、金額が入れ替わった見積書が出来上がった。

俺は偽造見積書の出来栄えに満足した。

「見積書、一丁上がりー」

「つまんないこと喜んでるんじゃないよ」

隣の席の大野さんが言った。

「お前なあ、公文書偽造って罪が重いんだぞ」

「でも、これはあくまで資料っていうことで」

俺は緊張を強いられた作業が無事終了した余韻にまだ浸っていたかった。

時は平成のはじめ、当時の俺が作っていたのは予算要求の資料である。うちの課は課員それぞれが個別の事業を担当していて、このときは来年度の予算要求のための資料を作っていた。その年の四月に地方の出先機関から本庁に転任してきて三カ月余り。俺も本庁独特の仕事に慣れてきた。

「俺だってこんな変な作業やりたくはないですよ。でも物価上昇率に見合っただけ単価を上げていかないと……」

当時は令和の今と違って毎年物価が確実に上昇していた。

「予算を余計に取るためには見積書の偽造もありなんじゃ」

「そんなこと、俺は知らん。そんなやり方教えたのは俺じゃないからな」

大野さんはそう言いながら、缶ビールの栓を抜いた。プシュッという音とともに泡が噴き出すのをあわてて口元に持って行った。

「まあいい。日野君も飲まんね」

この頃、すくなくとも我が庁においては、五時過ぎたら酒を飲みながら仕事をするのが当たり前だった。毎晩、泊りがけで仕事をしても追っつかないくらい仕事が多かったので、飲まにゃやってられないという雰囲気だった。

当時の本庁で思い出すのは、酒にまつわる出来事が多い。

課長クラスはさすがに行儀よく八時くらいには退庁するが、班長級は仕事の矢面に立たされ日頃のストレスも並大抵じゃないので、毎晩酒を飲みながら仕事をして、身体を壊す人も多かった。ちなみに、ストレスという言葉もうつという言葉もまだ一般的ではなかった。今ではストレスでうつになりそう、で許してもらえるが、当時はそんな便利な言葉がなかったので、ひたすらアルコールに救いを求めたものだった。

大野さんにならって俺も冷蔵庫からビールを持ってきた。

冷蔵庫に飲んだビールの本数を表す表が貼ってあって、毎月末に飲んだビールの本数に従って代金を徴収する。ビールが減ったら補充しておかなければならない。ビールやつまみの補充は俺たち若手の仕事だった。

「どうや、すこしは慣れたや」

大野さんは若手のうちではあるが先輩格で、俺は同じ九州出身であることもあって、なにかあれば大野さんに相談していた。

「こんなとこ、慣れたら終わりじゃないですか?」

俺は思っていることをそのまま言った。

俺をだまして本庁に異動させた地方の出先機関の総務課長を、俺はまだ恨んでいた。

「今だって、なんでこんなことやってるんだって思いました」

「あんたの業務は物品の購入だから予算も少ないし、何百ページもある資料をいちいちめくるやつもいない。去年とまったく同じペーパーで金額だけすこし上げてれば誰も文句は言わん。ありがたいと思うんやな」

「でも、十万以上する備品の見積が、十万三百三十円って何ですか。三百三十円って、ふつうは切り捨てるでしょう」

俺はたったいま偽造した見積書の不可解な点について大野さんに尋ねた。

「それはやなあ、いちばん最初に予算が通ったときの計算式をそのまま使ってるんだろ？　計算式でも語句でも、一言一句変わればその変わったことに対して説明しないといけない。それと、計算は小数点以下何桁って、端数の処理も決まっていて変えられないんや。現実に理論を合わせるんじゃなくて、現実を理論に合わせる。それが予算要求の世界なんや」

「でも、予算要求の担当者も担当課長も、大蔵省の担当者も変な見積書だって思わないんですかねえ」

「思わん。そんな細かいこと言い出したら、時間がいくらあっても足らん」

「そんなものですかねえ」

「日野君、これからどんなことがあるかわかっとる？　二年間とにかく無事過ごして、栄転で田舎に帰らんといかんのだろう？」


当時、人事異動の最短のサイクルが二年間で、本庁で二年間勤務したら本庁勤務の実績として認められて、その後の昇給やあらゆることに有利に働くと人事から言われていた。だから、俺はなんとしても本庁で二年間がんばらないといけないのだ。


異動の内示があって、本庁に申し受けに来たときのことを思い出す。俺の前任者の川又さんは大変なありさまだった。俺が差し出した手土産を手に取る余裕もない。自分の机の横にパイプ椅子を持ってきて俺を座らせ、それっきりだった。

パソコンの画面を睨んでいる。その形相がものすごかった。まるでそこに幽霊でも映っているみたいな表情なのだ。年度末で寒い時期なのに、額に汗をにじませていた。心の迷いがそのまま指先に現れているような、迷いに迷ったタッチでキーを打っていた。

その間もひっきりなしに机上の電話が鳴り響き、そのたびに短いやりとりを交わしてまた画面に向かう。

「えっ？」

何件目かの電話で、受話器を取った川又さんが一瞬返事につまった。その顔からみるみる血の気が引いていく。

「その件は……」

電話口から漏れる相手の声は切羽詰まっているふうだった。

「わかりました。すこし待ってください!」

相手がまだわめき続けているふうなのに川又さんは怒ったような口調で言い、電話を切ってしまった。

その後も同じような電話が続き、川又さんは不機嫌そうな対応をくり返した。

そしてまた何件目かの電話が鳴ったとき、川又さんが初めて俺の顔をまともに見た。

「ねえ、君、電話、出てくれない?」

俺はあっけにとられた。

「俺がですか?」

「たのむよ。俺の後任者ですって言って、要件を聞いといてくれない?」

「いやですよ。まだ何もわからないし……」

川又さんは困ったような表情をして、受話器をすこし持ち上げると、そのまま下ろした。下ろす音が周りに聞こえないようにゆっくりと。

そうして、ようやく文書を打ち終わったようだった。一時間は経っていた。

「やれやれ。電話がうるさいのなんのって……」

川又さんは、まいったよと言いたげな表情で俺を見た。

「ようやく、年度末予算の執行案がまとまった。班長に決裁を貰いに行く」

俺はついて行くことにした。川又さんがどんな難題を抱えているかわからない。すこしでも知っておかないと川又さんがいなくなってからが困る。

いまは建て替わって近代的なビルになっているが、当時の本庁は建物が古くて狭くて、まるで飯場みたいな雰囲気だった。

俺は川又さんに付いて、窓際の班長の机に向かった。課長だけ別室で、数人いる班長は皆、窓を背にした机の配置だった。

「おう、もう仕事をやらされてるのか」

さっき内示を貰った挨拶をしたばかりの荒武班長が朗らかな口調で言った。

荒武班長はきれいな標準語で話した。若々しくて元気があって、俺が勤務している地方の出先機関の管理者にはいないタイプだった。のみならず、職務の級もたぶん俺の上司の所長より上に違いないのだ。俺は緊張しないわけにはいかなかった。

川又さんは、班長と違って元気いっぱいというわけではなかった。

「ご指導よろしくお願いします」

陰にこもった口調で書類をはさんだバインダーを班長の机に差し出した。ライオンの檻に素手で肉を差し入れるような動きだった。

「おい、川又君。希望通りこの本庁を出ていけるんだから、もっと明るくしないと」

班長が笑いながら言ったが、川又さんはにこりともしない。

書類を受け取って眺めるうち、班長の表情も暗く曇ってきた。

「うーん、川又さんよ。あんた、結局俺がこの二年間言ってきたことが、全然わかってなかった、ということだな」

「……」

「あんたまで困った顔をせんでいい」

川又さんの顔を見上げて、班長がぴしゃりと言った。

怒るべきところですぐに怒る。レスポンスが非常に速い。打てば響く。こんなタイプの上司は、俺が勤務していた地方の郡部には全然いない。

川又さんの身体が縮まったように感じられた。俺も自分が責められているように冷や汗がにじんできた。

そのまま俺も班長のご指導を聞くことになった。

「なにも難しいことを言っているんじゃないんだ」

そんなことを班長は繰り返し言っていた。内容はよくわからなかったが、川又さんがなにか弁解じみたことを言った。

「それは、川又君の理論だよね」

班長が言った。川又さんは反論しなかった。

「川又理論は、かなり異端だよ」

班長は書類を川又さんに返した。ハンコを押してくれなかった。

川又さんの机に戻った。

「飯でも食いに行こうか」

川又さんがポツリと言い、俺と川又さんは事務室を出た。午後五時すこし前だった。

「どうせ俺は今日は徹夜だ。あんたもつきあうかい？」

つきあいたくなかったが、つきあわないわけにいかないような気がした。

庁内の食堂に入った。社員食堂みたいなたたずまいだが、本庁職員の数が多いので規模が大きかった。

川又さんは小さなざるに乗ったざるそばを取った。あまり食欲がないみたいだ。俺もそうだった。

「なんか、大変ですねえ」

川又さんが沈み込んだきり浮かび上がってこないので、俺も言いようがなかった。

「まあな」

投げやりな口調だった。

「この本庁ってところは、まったく頭にくる」

「俺、心配ですよ。こんなところでやっていけるか」

それは俺の本心だった。本庁への異動の調整があったとき断らなかったことを心から後悔していた。いまから異動を取り消せないか。たとえば、急病になるとかして。そこまで考えた。

おそらく俺も思いつめた表情をしていたのだろう。

「そんなに心配することはない」

川又さんが言った。

「ここはキャリア以外の一般係員は使い捨ての消耗品みたいなもんだ。真剣にやる必要はない。必要なのは要領だけだ。あとは、時間が解決する。あと何日って毎日数えることだ」

「しかし、二年間は長いですよ」

「そうだなあ」

川又さんがすこし笑った。

「あと七百三十日なんて考えたら逆に嫌になるよな。その場合は、三日たった、もう一週間たった、もう一カ月たった、って過ぎた日を数えるんだな」

あんまりあてにできないアドバイスだと思った。

「なにか他にアドバイスありませんか？」

わらにもすがる思いで聞いてみた。

川又さんはすこし考えた。

「これは俺からのありがたい遺言だと思ってくれ。なにか困ったことが起こったとき、全部俺のせいにしていい。川又さんからこうしろと教わりましたって。それしか俺にできることはない」

そう言うと、いきなり川又さんが笑い出した。

かなりの大声で、近くにいた人がみんな振り向いた。

「いったい、どうしたんですか？」

「それがさあ、今の今になって、やっと俺に実感がわいてきたんだあ。あんたが来てくれたおかげでさあ」

笑いをこらえるのがやっとで、ようやく息をついていた。

「俺はもうこんな思いをしなくっていいんだあ。二年間、気が休まる時がなかったよ。でもあと一週間たらずで、俺はこの地獄のような本庁から逃げ出せるんだあ！」

川又さんの顔は上気していた。

「思えば、二年間の刑期は長かったぜ。でもようやく釈放される。自由の身になれるんだあ！

今、はじめて一週間先が見えたんだ。長い長いトンネルだったなあ。数日先のことなんか考える余裕がなかったもんなあ！　明日のことはおろか、一時間先のことで追いまくられて、それより先のことなんか考えられなかったもんなあ！」

事務室に戻った。

川又さんが、パソコンを相手に格闘をはじめた。俺は黙ってそれを見ているしかなかった。十時過ぎまでそうしていたが、何も教えてもらえそうになかったので俺はホテルに戻った――。

そうだ、俺はあの日、何も申し送りしてもらえないまま川又さんのポストに着任したんだった。

お役所で新しいポストに着いたとき必要なのは推理力だ。そのことを思い知った。前任者が残した書類や資料から、前任者が何をやろうとしていたかを推理するのだ。まるで警察の鑑識の仕事だ。

予算要求資料の作成も、俺は川又さんが作った去年の書類を注意深く検証したのだ。そうして見積書改ざんの痕跡を発見し、その方法を体得したのだった。

ビールのつまみはピーナッツだ。食器棚の下の段に乾きもののつまみが入れてある。これらを補充するのも、若手の仕事である。

八時過ぎだが、誰も帰宅していない。だが、そろそろしまいをつけようとして缶ビールを傾けている者も多い。

「おい、はやく片付けろ」

大野さんが小声で言ったと思ったら、いつもは別室にいる予算担当者が来ていた。

「机の上！」

俺の机の上は、見積書改ざんの跡がありありだった。

予算要求資料の作成時期で、各事業担当に作業を依頼している関係上、予算担当者はこの時期ほとんど事務室に泊まり込んでいた。各事業担当が提出した資料にダメ出しし、やり直しを指示するのも彼らだ。

業者の見積書を改ざんしているところなんか見られたら何を言われるかわからない。俺はとっさに机の上のカッターマットを裏返して、書類の切れ端などを隠した。

予算担当者は別の担当者に資料を示して作り直しの話をしたあと、俺の机に近づいてきた。

「日野さん、大変なとこに来たって思ってるでしょ」

予算担当は若い。ほとんど俺と同じくらいだ。本庁の担当者は、俺は例外だと思うが、おおむね将来の伸びしろが期待される者が抜擢されるので一般的に若い。それなりの年齢になったら地方出先機関の上級管理者のポストに補職される。

「まだ訳がわからんです」

まったくその通りだった。本庁のやり方は長年のやり方が踏襲されているので、新入りには何が何だかわからないことが多い。

予算担当者は、俺の机の上の資料改ざんの痕跡には気づかなかったようだ。

「とりあえずは川又さんがやっていた通りにやってもらっていいけど、来年からは日野さんなりの理論を打ち立ててくださいね。お願いしますよ」

本庁職員はとにかく真面目だ。俺は優等生しかいない名門校にあまり程度のよくない学校から転校してきた転校生みたいな気分を味わっていた。


若手は優等生的でも、ずっと上の審議官とか参事官とかいう連中の行状にはあきれ返るものが多かった。その多くが酒にまつわるものだった。様々なストレスにさらされ、本庁で毎晩酒を飲みながら長年仕事をしているものだから、人間が壊れてしまうのだ。

ある日、予算担当補佐官の手伝いをするように言われた。予算担当補佐官は俺たち各事業担当者に予算要求資料の作成・手直しを指示する予算担当者の上司だ。俺は緊張して補佐官の机の前に立った。

「日野です」

「ああ、君ねえ。君、包丁使ったことある？」

「は？」

俺は何が何だかわからなかった。

「今日は参事官がうちの課に来るの」

「さんじかんですか？」

「参事官ってわからないの？　学校の三時間目じゃないよ。もっとも、参事官室に入ったら三時間は出て来れないから、三時間って呼ばれてもいるんだけどさあ」

立ち上がって何やら身支度をしている。

「買い出しに行くよ」

「買い出しですか？」

予算担当補佐官は本間さんという名前だった。予算業務で俺たち各事業担当が接するのはもっぱら予算担当者だから、その上の補佐官がどんな仕事をしているのか知らなかった。

本間さんと私は昼下がりの官庁街に出た。

「ここらはスーパーマーケットがないから不便なんだわ」

俺は本間さんについて行った。本間さんは裏路地に入りずんずん進んで行く。

行きついたのは、どこにでもあるようなスーパーマーケットだった。

「表通りにあるような食材屋は気取ったものしか置いてねえんだ。高い輸入食材なんか使えねえよ」

本間さんは補佐官という職名を持っているだけに俺なん

かよりはずっと年上だった。

「かごを持って俺の後をついてきてくれ」

俺が持ったかごに本間さんは、豆腐、椎茸、白菜、人参、玉子、春菊、牛肉なんかを入れた。

「今日はすき焼きですね」

何が何だかわからないまま俺は本間さんに言った。

「そうなんだわ。参事官は肉が好きなんだ。でも刺身も好きみたいで、手間がかかるったらない」

「俺、何が何だかよく飲み込めていないんですが」

俺は思い切って聞いてみた。

「今夜、参事官が我が課に来るんだよ。それで、課を上げて接待するんだ」

「でも、どうして外の料亭に行かないんですか？　その方が料理も美味しいでしょうに」

本間さんはすこし考えた。

「そうさなあ。外でやると、金がかかるわなあ。それに内輪の話も大っぴらにできないしなあ」

「でも、俺たちの手間はたまらないですよ」

「下の者の手間なんか、上は考えんさ」

スーパーで食材を買い込むと、本間さんはさらに下町の方へと歩いて行った。行きついたのは小さな魚屋だった。

「ここは生きのいい魚を仕入れてるんで、近所の寿司屋も買いに来る」

本間さんはそこで鯛を一匹丸ごと買い込んだ。

本庁への帰り、俺は街を歩いている間じゅう、レジ袋からはみ出した菜っ葉が気になってしかたがなかった。まるで主婦の夕食の買い物みたいじゃないか。

事務室に戻ると本間さんは更衣ロッカーへ向かった。その時分の本庁にはロッカー室なんかなかったから、各自のロッカーは廊下に並べられていた。本間さんは背広を脱いでロッカーにしまった。そして、ワイシャツを腕まくりし、気合を入れるように和手ぬぐいを頭に巻いた。

「よっ、料理人！」

通りがかった誰かが本間さんに声をかけた。

本間さんはさらにロッカーから布の袋を取り出した。

「あんたも背広を脱いで、給湯室に来てくれんね」

給湯室は大型で旧式の湯沸かし器が設置されていて、茶碗が洗える程度の流ししかない。本庁では庶務担当の女性職員は部長以上のところにしか配置されていないから、来客へのお茶出しなどはすべて若手の男性職員がやっていた。そういうわけで、俺にとっては給湯室は毎日茶碗を洗いに来るなじみの場所だった。

「これ持って来て」

本間さんはエレベータホールに立てかけてある折り畳み

式の机を俺に示した。

「ここに机を立てて」

机を拡げると狭苦しい給湯室がさらに狭くなった。

本間さんは持ってきた袋の中身を机の上に並べた。包丁はプロの板前が使うような年季が入ったもの。まな板は木製で分厚く長く、菜箸は細くて長かった。

「さてと……、まずは鯛を持ってきな」

俺は鯛を差し出した。

「あんた、魚をさばいたことあるかい」

「ありません……」

「そうかい。こうやるんだ。よく見とけよ」

鱗はがしを使って鯛の鱗を剥がしはじめた。それから、鯛を手拭いで丁寧に拭うと、がっしりした手で鯛を摑んだ。そのまま包丁を腹に入れ、流しで水を流しながら内臓をきれいに抜き取った。

「残飯の水切り袋があるだろう、はらわたを受けてくれ」

俺は鯛の内臓を手のひらで引き寄せて袋に入れた。

「下手くそな手つきだなあ。それに、手を洗ったか？料理人は清潔にしてないといけないんだぞ」

俺は料理人じゃないと言いたかったが、怒られると嫌なので言わなかった。

「三枚おろしは、こうやる」

鯛を三枚におろす技はたしかに見事だった。

「あんた、官房庶務室に行って、器を借りて来てくれ。本間さんからって言えばわかる」

庶務室から大皿を借り受けて給湯室に戻ったら、まな板の上に三枚におろされた鯛が載せられていた。

本間さんは一枚一枚、丁寧な包丁さばきで鯛の身を切り取って皿の上に並べていった。テレビで見たことがある名人料理人の所作そのものだった。

「上手ですねえ」

「これくらいやらんと本庁はつとまらん」

本庁に来るのに板前修業が必要なんて聞いていなかった。

見事なお造りが出来上がった。

「壊さないように課長室に運んでくれ」

「課長室ですか？」

五時の終業時間のすこし前だった。

「課長には言ってある、と言うか、課長に頼まれたんでな」

そのあとはすき焼きの準備をやった。本間さんの指図通りの大きさに肉と野菜を切り、大皿に盛りつけた。調理は課長室でカセットコンロを使って本間さんがやる、ということだった。

五時過ぎてすぐに参事官がやってきた。というか、やってきたらしい。俺は顔も見れなかった。

俺たち係員はいつも通り残業しながら、課長室で宴会が盛り上がっている声を聞いていた。

「本間さんって、どういう人なんですか？」

俺は大野さんに聞いた。

「ああ、本間さんね。あの人ほど要領のいい人はいないよ」

大野さんは話し始めた。

本間さんは昔、会計検査の担当だった。そして、出先機関や地方組織が検査を受けるとき、本庁の担当者として全国各地の検査に同行した。昔の会計検査官は今みたいに厳格でなく、というか、あからさまに接待漬けだったので、本間さんも会計の検査受け業務のかたわら会計検査官の接待についても地方幹部の相談を受け、自分も会計検査官とともに接待を受けるうちに地方の名産品や珍品珍味について人並み以上に目利きになり、舌も肥えていった。そういった背景があって、同時に自分ももともと料理が好きだったということもあって、そこらの板前じゃかなわないほどの腕をふるうようになったのだという。

「それで予算担当補佐官まで上り詰めたんだ。今日の宴会も、本間さんが課長を焚きつけて参事官を呼んだのかもしれんよ」

大野さんの口調は憎々しげだった。


十時前くらいに本間さんが俺たちの部屋に顔を出した。

「あらまあ、みんないるねえ。遅くまでお疲れさん」

顔を赤くして、そうとう酔っぱらっているようすだった。

「みんないるねえ、じゃねえよ」

本間さんが出て行くなり皆が言いあった。

「課長班長がみんな残ってるんだ。帰るわけにいくかい」

「課長室の後片付け、大変かもよ」

「終電、間に合わないな。家に電話しとくか」

仕事が遅くなった場合、上層の幹部にはタクシー券が支給される。俺はタクシー券というものを拝んだこともなかった。


「これはもめるでー」

大野さんが言った。

「そんな嬉しそうな顔しないでくださいよ」

本年度の事業の担当者が決められたのだ。事業の担当者決定というのはそれぞれの担当にとっては死活問題に等しいものだから、担当者間の話し合いなんかでは決められない。建前上は、各担当とも自分が受け持っている事業を推し進めたい、発展させたいと思っているから、みんな自分の予算が増えるよう、積極的に手を上げる。俺は手を上げるふりはしているが、自分の仕事が増えるのは嫌なので、俺の事業の予算なんか削られたらいいと思っている。

それなのに、写真電送装置なんて訳がわからない装置が俺の担当事業として、新たに追加されたのだ。

「川又さん、なんでこんなの予算要求したんですかね」

「たぶん通るわけないと思ってたんだろう。自分でも訳がわかってなかったもんな」

大野さんはおかしそうに笑った。

「他の予算要求じゃ、ことごとくへまして予算削られたのに、新規事業のこれだけは通っちゃったんだよな」

「なんでなんだよー」

俺は頭を抱え込んだ。

「それだけじゃない」

大野さんが言った。

「この事業は、地雷があっちこっちに埋まってるぜ。踏まないで渡っていくのは至難の業だなあ」

「えっ、どういうことですか?」

社会全体からの厳しい糾弾によって今はまったくすたれてしまったが、当時盛んだったことといえば、セクハラ、パワハラ、公共の場での喫煙などがあげられるが、業者による接待もその最たるものだった。

業者からの接待受けは、なかば公然だった。業者も官もそれぞれの立場で国を良くしていくんだ、という気概から、仲間意識で慣れ合っていた。それは今にして思えばあきらかに間違った認識で、欺瞞に過ぎなかったが。

数日後、俺は隣の班の能登班長に連れられてスナックに行った。

「日野ちゃん、本庁は慣れたかい」

能登班長は俺のことを日野ちゃんと呼ぶ。うちの荒武班長でさえ日野君と呼ぶのに。

俺は能登班長が苦手だ。稟議書に能登班長の合議も必要なのでハンコを貰いに行くと、決まって俺の顔を下から見上げて、「日野ちゃん、大丈夫かい」と、さも馬鹿にしたような口調で言うのだ。

能登班長は小太りの童顔で、マンガみたいな顔をしている。声も子供みたいに高くて猫なで声だが、そこが逆に不気味で恐ろしい。

「うちの班長の能登さんは大物やでー」

能登班長の班の小島が冗談めかして言ったことがある。

「電話で相手から、能登さんってどんな字書くんですか、って聞かれてた。それで答えて、能登班長の能登です、ってよ。まいったねえ」

本当は能登半島の能登って言いたかったんだろうが、言い間違えたのだ。

「そうしたら相手が鼻白んで、それはご無礼いたしましたって謝ったらしい。恐れ入りました、みたいな感じだったらしいよ」

俺が苦手に思う理由がもう一つある。

俺が川又さんに申し受けに来たとき、能登班長は俺がそのあと東京タワーに見物に行ったと思い込んでいるらしいのだ。そう小島から聞いた。

ちなみに小島は俺より五つも年下だった。そのことは後から聞いた。本庁に勤務中はずっと俺のことを馬鹿にした態度をとっていた。日野ちゃんとは言わなかったが（俺のことをちゃん付けで呼ぶのは、大野さんと能登班長だけだ）、俺はずっと小島は年上か少なくとも同い年と思っていた。たしかに本庁勤務が長くて俺よりいろんなことを知っているから、俺はずっと下手に出て「小島さん」と、さんづけで呼び、気を使っていたのだ。

能登班長は本庁を出てすぐに裏道に入り、ずんずん進んで行く。着いたのは、普通に歩いていたら気づかないような、ひっそりたたずむスナックだった。

普通は居酒屋で一杯やってスナックというのが普通だから、俺は面食らった。

「ママ、焼きそば」

スナックに入るなり、能登班長が言った。

他に客はいなかった。店内は薄暗かった。床に赤いじゅうたんが敷いてあった。

「日野ちゃんも同じでいいだろう？」

能登班長が言った。

「もちろんいいですが……」

俺は不思議に思った。カウンターの向こう側には酒の瓶しか置いてなくて、料理ができそうな雰囲気じゃなかったからだ。

「この店は出前を取ってくれるんだよ。どうせここに来るのに、他の店回るの面倒だろう」

俺は納得した。

ビールを飲んでいるうち、出前の焼きそばが届いた。そばを食っていると、客が入ってきた。

「能登班長」

「おう、来たかい」

客と能登班長は顔見知りみたいだった。

「紹介するよ。日野君だ」

それが、俺と森田との初顔合わせだった。

「○×電機の森田です」

森田は能登班長に似て小太りで、顔が吹き出物に悩まされた跡みたいな、あばた面だった。

「日野さんはご出身はどちらで」

「九州ですが」

「あれまあ、偶然ですなあ。わしは別府ですよ。鉄輪温泉って知ってますでしょう。あそこのそばで」

俺と森田はそれから九州の話題で盛り上がった。

「ときに」

能登班長が口をはさんだ。

森田とだけ打ち解けて話していたのが気に障ったのかと、俺はどぎまぎした。

俺たちは話をやめて能登班長に向き合った。

「日野ちゃんが今度担当になった写真電送装置なんだが、○×電機も作ってるんだ」

森田が立ち上がって俺に頭を下げた。

「あらためまして、よろしくお願いいたします」

声は小さいが、力を込めた口調だった。

「そういうわけで、日野ちゃん、よろしく頼むよ」

仕事の話はそれで終わりだった。

焼酎のお湯割りを何杯か飲んで、能登班長が何曲か歌った。

俺もだんだん酔っぱらってきた。

すっかりいい気分になった。勘定は全部森田が支払った。

「これ使ってください」

店を出ると森田が能登班長と俺にカードを差し出した。

「何ですか、これ」

「あれ、日野ちゃん、タクシー券知らないの？」

能登班長があきれたような顔で俺を見た。

タクシー券を使ったのは初めてだった。首都高速を通って帰った。タクシーは官舎の階段の下まで送り届けてくれた。信じられないくらい快適だった。

「どうだった？」

翌日、大野さんが俺に尋ねた。

「焼きそば食べて、焼酎飲んで、歌うたって帰りました」

「あーあ、やられちゃったね」

「どういうことですか？」

嫌な予感を感じて俺は大野さんに問いかけた。

「勘定は○×電機持ちだろ？」

「でも、焼きそばと焼酎何杯かだけですよ」

「今のうちはな」

大野さんの言い方が気になった。

「教えてやるよ」

大野さんが言った。

「○×電機はうちのOBがいっぱい入ってる。当然、能登班長もOBの息がかかってる。写真電送装置はどうしても○×電機に落とさないと面倒なことになるぜ」

それがどういうことか、俺にはよくわからなかった。

写真電送装置の調達の時期が迫ってきた。調達するには、仕様書を作らなければならない。仕様書というのは、買いたい物の性能が書いてあって、その性能を満たす物を複数の会社が入札して、いちばん安い価格をつけた業者が落札する。

市販品の場合、性能を記載した仕様書を作る代わりに市販品のカタログを集めて、希望する性能を満たす品目の品番だけを書いて、それらの品目のうちでいちばん安い品目を調達する。

その要求性能を満たす品目を選定するのが俺の主な仕事になる。

一言で言うと簡単みたいだが、写真電送装置は市販品とは言っても放送局が使うような高機能で技術の進歩が著しい品物だから、それぞれの業者の品目の性能を見極めるだけでも高度の専門知識が必要になる。俺がそんな知識を持っているわけがない。

俺は写真電送の技術を持っているあらゆるメーカーの研究所や製造工場を訪ねては、写真電送技術を勉強していった。
○×電機にも行った。
「写真電送の勉強をさせてよ」

「いいですけど、もっと楽しいところ行きましょうよ」

その頃には森田と俺はずいぶん気安い間柄になっていた。

「日野さんを連れていくと私も接待費で落とせるんで助かるんですよ」

工場研修はそこそこにして新宿に繰り出した。歌舞伎町のランジェリーパブが俺たちの行きつけになっていた。

「いいのかな、こんなことしてて」

俺は不安になって言った。

「大丈夫です。おたくの課長は我が社の息がかかってますから」

ようするに、うちの課長は定年後に○×電機の顧問だかなにかのポストが約束されているらしいのだ。

「大船に乗った気でいいですよ」

「写真電送装置はどうなってる」

そんなある日、荒武班長が俺に言った。厳しい口調だった。

「業者を回って、検討してます」

「中間報告を聞こうか」

冷や汗がじわじわと額ににじんできた。

「予算は？」

「五百万です」

「それは今年のだろ？　最終的には何機整備するの？　全国に整備するのに何年かかるの？」

言葉は優しいが、質問は厳しい。荒武班長は堅物で知られていた。いわば名物班長だった。ちなみに能登班長も名物班長と言われており、昔は名物課長とか名物班長とか、名物がいっぱいいいた。

「今後の予算の査定次第ですが、今年は首都と北海道に、次年度以降順次下ろしていって、最終的には主な出先機関全部に整備したいので、十五機くらいになるでしょうか」

「予備部品も含めて、総額一億円にはなる事業だよねえ」

「そうですねえ……」

「写真電送なんて、今は出始めでたいして注目もされていないけど、この分野はどんどん伸びていくよ」

「はあ、そんなものでしょうか……」

「担当者の日野君がそんなこと言っててどうするの」

俺は取り調べ室で尋問を受けている容疑者みたいな気分になってきた。

「写真電送ってどんな原理でやるの？」

「映像を電気信号に変えて、電話回線で送ります」

こんなこと知ってるだろうに、といぶかしい思いで俺は答えた。

「それは、どれくらいのスピードで？　映像って画素数で表わせられるよね。一万画素を何分で送れるの？　電話回線の太さは関係するの？」

答えられなかった。

「どれくらいの速さが要求されているの？　出先機関のニーズを把握しているのかい？」

「はあ……」

「毎日会社に出かけているけど、いったい何を検討しているんだい！」

荒武班長の語気が荒くなった。俺は肝を冷やした。

その日から、俺は真面目に写真電送について勉強し始めた。技術の概要は業者の営業を通じて知っていたが、その程度の知識ではあの荒武班長は納得させられない。

荒武班長は自分が納得しなければ仕様書にハンコを押さないだろう。仕様書にハンコを貰えないと、課長に決裁を貰えない。仕様書ができないと調達ができない。自分の受け持ちの予算が消化できない。仕事が終わらない。そうなるとどういう目に合うのか、わからない。たぶん、年度末に様々な部署からどうなってるって問い合わせが殺到して、ずいぶん辛い目に合わされるのだろう。考えただけで身が縮む気がする。

課長は〇×電機の製品が仕様書に入っていさえすればオーケーなのだ。荒武班長だけが俺の仕事の障害だ。荒武班長が不定期に異動になるか、さもなければ病気で入院でもしないか、そんな不穏なことまで考えた。

いざ最先端技術の勉強をするとなると、○×電機の森田はあてにならない。

そんなときにあてにできたのが、S電機の石井さんだ。

「S電機の石井です」

事務室に俺を訪ねて来て頭を下げる姿は折り目正しく、真面目な印象だった。

庁舎裏門に停車させたタクシーの中で待っていて、事務所にはほとんど顔を出さない森田とは大違いだった。

石井さんは俺と同じくらいか、もっと若く見えた。痩せ型で端正な顔立ちだが、若禿なのか髪の毛がずいぶん薄かった。何もかも森田と対照的だった。

営業マンだが理工系大学を卒業しているとかで、石井さんは写真電送理論に精通していた。最終学歴は自動車学校という森田とはここでも違っていた。

じつは俺も大学工学部出身なのだが、どこの大学かなんてことは話題にしない。言ったってわからないだろう。それくらい名の通っていない大学なのだ。

石井さんに連れられて、S電機の映像機器の工場を研修した。S電機の技術は映像分野で世界中に名が通っていた。工場の技術者にも話を聞いたのだが、みんな自信を持っていて生き生きしていた。

しかしS電機には我が庁の退職者は一人もいなかった。我が庁のみならず、官庁のOBを受け入れるなんていうような営業をやっていないのだ。

覚えが悪かった俺も生産ラインをじかに見て、さらにはS電機の研究所で研究者の声を聞くうち、だんだん写真電送理論がわかってきた。

出先機関へも行って写真電送装置の要求性能について話を聞いた。これまで使ってきた経験からS電機の製品が信頼できるという話だった。

出先機関の出張所長以下が俺に対して歓迎の宴を催してくれた。森田の接待とは較べものにならなかったが、みんな俺に気を使っていた。

予算を持っているからみんな言うことを聞く。下手に出る。業者も同じ庁内の者も。予算の力はものすごいと思った。

ふたたび荒武班長の前に立った。

「お時間はよろしいでしょうか」

昔のお役所の上役というものはとにかく威張っていた。椅子を後ろ向きにして足を窓枠に投げ出し、文庫本を読んでいるなんて奴がざらにいた。自分はそんなふうで、てんでなっていないくせに、部下の仕事にはやたら厳しいのだ。

余談になるが、遊びでも部下を鍛え上げる。昔は麻雀のつきあいが、勤め人の間では人間関係を維持するうえで必須のような時期があった。部下に翌朝までの難題を与えておいて、麻雀に誘う。終電くらいまでつきあわせて自分は帰る。部下は泊りがけで仕事しないといけなくなる。そうしておいて、翌日の指導は容赦がないのだ。みんな通ってきた道だからと、まわりも黙認する。そんなふうにしていじめられて育ってきたものだから、性格もねじ曲がって、部下をいじめる上司になる。

本庁の転入者紹介行事では転入者の自己紹介がふるっている。

「私は身体も小さいですが、気も小さいので、みなさんいじめないようにお願いします」だとか、「私は褒められて育つタイプですのでよろしくお願いします」だとか、みんないじめられないように必死なのだ。

なんだい、と言いたそうな顔で荒武班長が俺の顔を見上げた。端正だが神経質そうな顔をしている。きれいな標準語を話す。それだけで俺は気圧されてしまう。九州弁を話さないやつは大っ嫌いだ。

「写真電送装置の中間報告をしたいのですが……」

「聞こうか」

あごで示され、俺は班長の机に差し込まれているパイプ椅子を引き出して座った。

「失礼します」

失礼いたしますと言うと怒る上司がいる。「いた」と「ござ」は履かせんでいいと言われる。不必要な謙譲語や丁寧語は不要というわけだ。そうかと思えば、説明の際に書類を指さすと、「俺が見ている書類を指さすとは何事か」と怒られる。しかたなく、ホテルのボーイみたいに手を広げて書類の上にうやうやしく差し出して必要な個所を示すしかなくなる。あるいは、書類に赤線を引くと、「けばけばしい」と機嫌が悪くなる。しかたなしにパステルカラーの蛍光ペンでメルヘンチックに色どりする。

荒武班長はそんな訳がわからないことを言うタイプではないが、部下が持ってくる仕事に真剣に向き合うから、間違った説明をしようものなら腹を切れと言われそうな威圧感がある。

俺はこれまでの検討の経過からまとめた書類を班長の前に広げた。

お役所勤めの下っ端の間で当時言われていたことがある。良き上司とは、どのタイプか？　頭がよく、やる気がある。馬鹿だがやる気がある。頭がよく、やる気がない。馬鹿でやる気がない。

最も始末が悪いのが、馬鹿でやる気があるタイプだ。馬鹿だから無駄なことを部下にやらせる。からまわりして周囲に軋轢を生じ、部下を辛い目に合わせる。

最も楽なのが、馬鹿でやる気がないタイプだ。馬鹿だから御しやすい。仕事を一生懸命やっているふうをよそおい、いい加減なところで満足させる。

本庁には馬鹿はいない。そのうえ幹部はみんな剃刀のように切れ味が鋭いので、細心の注意が必要だ。

望ましいのは、頭がいいがやる気がないタイプだ。このタイプの上司は、部下に無駄なことをやらせない。上級幹部の前で、部下が仕事をよくやっているようにうまくアピールしてくれる。こんな上司の元にいると、部下はのびのびと能力を発揮して、仕事も楽しい。ようするに要領がいいのだ。本庁にはこのタイプの幹部が多い。能登班長などは明らかにこのタイプだ。周囲に目配りし、時には恐ろし気な雰囲気も醸しながら、上手に自分の班員を守っている。

それでは、最も御しがたい、悲嘆にくれて身の不運を嘆くしかなくなる、そんな上司はどのタイプか？　頭がよく、やる気がある。荒武班長がまさしくそのタイプだ。

やる気があるということは、いい加減なところで妥協しない。誰が見ていなくても、できる限り自分ができる仕事をよくしよう、問題を解決しようとする。

頭がいいから、問題点を見抜く。部下の仕事のアラがすぐ目につく。物事の本質を見抜く能力があるから、部下の仕事を深く掘り下げる。出来上がりの要求性能が限りなく高い。そこまで部下が行きつくのは容易ではない。

荒武班長への説明では、まず目的が正しくないといけない。そして努力の道筋がその目的に向けてまっすぐに伸びていないといけない。

目的は、写真電送装置の現時点における最も高性能の製品を選定すること。もちろんコストパフォーマンスがよくなければならないから、価格も重要な要素となる。しかし、さらに重要なことは製品の様々な諸元だ。どの性能が使用者にとってより重要で、どの性能はある程度は妥協できるのか、見極めないといけない。つまり写真電送装置が使用される下部組織において、その使用環境、要求される性能を完璧に班長に説明できないといけないのだ。

川又さんが荒武班長の前で、額に冷や汗をにじませながら説明していた姿を思い出す。荒武班長の前では、油を搾り取られる四六のガマになった気がする。

仕事の上でまったく妥協しないという、どうしようもない点を除けば、荒武班長にはいくつかの美点もある。まずは、威圧的な態度をまったく見せないこと。小柄な体型で痩せ型だから威圧感を醸し出したくても出せないのかもしれない。能登班長はとっちゃん坊やみたいな体型だが、前のめりになって相手を見据えるときの威圧感はすごい。

もう一つの美点は、ペーパーに赤字で明確に手直ししてくれることだ。俺のレベルに合わせてくれているのかもしれないが、指示がいちいち具体的、明確で疑問をはさむ余地がない。

荒武班長は、俺がその時点でやってきた検討の経過に目を通し、検討が必要な事項、そのためのアプローチを具体的に赤字で報告書に書き込んでくれた。

とにかく、この赤字の指示に従って、業者の担当者を呼び出して話を聞き、出先機関の担当者とも打ち合わせをしなければならない。

その日から、荒武班長に赤字を入れられた報告書を進むべき海路を示した海図と思い、その赤字の指示に回答を与えるべく、俺は石井さんに様々な質問をし、納得いかなければ工場まで現物を確認に行き、出先機関にも石井さんを連れて行って担当者と意見交換をしたりした。

しかし、それらをクリアーして報告しても、さらに要求が待っていた。荒武班長はどこまでも掘り下げていくのだ。

ついに俺は音を上げた。

「どうしたらいいか、教えてくださいよお」

疲れ果てて缶ビールを三本空けた後だった。俺は大野さんに愚痴を言った。

「うちの班長は、どこまでいっても終わりがない。蟻地獄にはまったみたいなんですよお」

大野さんは苦笑いして言った。

「荒武班長にもどうしようもないことはある。それは時間や。時間が解決してくれる」

いよいよ仕様書ができていなければならない時期が迫ってきたのだ。契約、業者の納期を考慮すると、年度末までに納入できるためには、もう時期がないのだ。

「仕様書の案にご指導をお願いします」

緊張のあまり、喉がからからになっている。べつに悪いことをしてるわけじゃない。なんで俺がこんなに班長を恐れないといけないんだ。苦々しい気持ちさえ込み上げてきた。

「まあ座れ」

荒武班長が言い、俺は班長の机をはさんで班長と差し向かいで座った。

班長は仕様書案を指でなぞって読んでいる。細くて長くて上品な指だ。この指が俺を追い詰める。班長は真剣に一文字一文字を目で追っている。

仕様書はそんなに分量があるわけではない。すべての性能をもれなく書き込まなくてはならない性能仕様書と異なり、市販品を調達する仕様書は市販品の品番が書いてあるだけだ。

しかし、そこに記されている品番の品目に関しては、担当者はすべてを掌握していて、どんな質問にでも答えられなくてはならない。

ひざの上では抱え込めないくらいの関係書類を、俺は椅子の脇の床に置いた。

「使用者のニーズはわかっているね」

言葉は優しいが、あいまいなことを言って逃げるスキはない。

「はい。出張所の担当者に直接問い合わせました」

「そのニーズを、ここに記した品番の品々は満足させられるのだな?」

出先機関の担当者と石井さんから教えられた通り、俺はそれぞれの品番の性能を数字で答えた。

「しかし、これまで各社を回ってそれぞれの製品を吟味した君の報告では、真に要求性能を満たす製品はS電機だけだったのでは?」

「いいえ、たしかに信頼性はS電機が優れていますが、他社の製品も性能を上げておりまして……」

俺はあいまいに答えた。

つい先日、森田から電話があったことを思い出していた。

『日野さん、最近つきあいが悪いじゃないですか』

他社の製品の検討に時間を取られて森田とのつきあいがこのところご無沙汰だった。

『歌舞伎町のミカちゃんがさみしがってますよ』

『わかってるよ』

『日野さん、仕様書の方は大丈夫なんでしょうねえ』

『わかってる。S電機製品に並列して、○×電機の品番もちゃんと入れとくよ。仕様書に一つの製品だけしか規定していないのは問題だからね』

荒武班長はこめかみを指で摘んで揉んでいる。難しいことを考えている証拠だ。

荒武班長だって課長に○×電機の息がかかっていることくらいわかっている。そのことを見越して、俺がいい加減な仕様書案を持ってきたこともお見通しだ。

そのうえで、物品の調達から維持管理までつかさどる班長として、あくまで製品の性能を第一優先とすべきか、あるいは庁と業界との関係をある程度考慮するか、俺の考えも及ばない範囲まで考えているに違いない。

「私は、あくまで性能を第一優先にすべきだと思うがどうだ?」

「おっしゃる通りです」

「じゃあ、S電機以外の製品はどうなんだ? カタログにはS電機と同等の数字を並べているかもしれないが、実際のところはどうなんだ？　性能試験に立ち会ったのか？」

「いえ、時間がなくて、そこまではできませんでした」

俺は正直に答えるしかなかった。

「実際には各社とも製品開発がそこまで行きついていないんじゃないのか？」

「そうかもしれません」

「じゃあ、この仕様書を認めるわけにはいかんよね」

「しかし、もう時間が……」

「じゃあ、このままの仕様書でいいというのか？　いい加減な品目を摑まされて困るのは誰だ？」

「全国の出先機関です……」

ぐうの音も出ないくらい追い込まれた。

正直なところ、もうどうなってもいい、という気分になっていた。

荒武班長はその場で、俺の仕様書案のS電機以外の製品に赤で削除を表す二重線を引いた。そして赤線の上に自分の印鑑を押した。

あくまで製品の性能を優先するということを、書類上に班長の意志として示してくれたことはありがたかった。

課長のところに行くには恐ろしい仕様書になったが、とりあえず荒武班長のハンコがもらえたのはよかった。俺は廊下トンビのスタンプラリーに出発した。

仕様書の決裁は課長だが、そこに行きつくまでに、まだいくつもの関門がある。

装備課では、S電機製品を使えば出先機関の業務内容が飛躍的に向上することを担当班長に説明した。会計課では製品の耐用年数と今後の調達予定、市販品の動向などについて説明した。

美味しいことだけ言って、新規装備品を導入しないと時代に取り残されるような気にさせる。

装備正面でも会計正面でも、それぞれの思惑があって、これまでの問題が解決されると思っている。だが、新規の装備品の導入によってそれらの問題点が全部解決されるわけがない。担当者だからわかる。あのとき嘘を言ったな、と後で問い詰められたら、ぐうの音も出ない。しかし、聞かれないかぎり、解決されない問題については言わない。杓子定規に、聞かれたことにだけ建前の回答をし、よけいなこと、まして本音は一切言わない。本庁勤めで俺が体得した決裁受けのコツだ。

課長室は俺たち下っ端にとっては恐ろしい場所だった。個室を持てるのは課長以上だ。古ぼけた建物とはいえ東京のど真ん中の官庁街に、十人くらいは座れるソファーセットを備えた個室をあてがわれているというだけで、恐れ入った存在には違いない。

課長のランクは、俺がいた田舎の県に行けば文句なく局長以上のポストとなる。ようするに上級甲種に合格したキャリアなのであって、上級キャリアが何を考えているか、なんてことは俺たち下っ端にはわからない。

わからないだけに不気味だ。何を質問されるかわからない。能登班長はその点、課長に決裁を貰いに行く部下に前もって模擬試験みたいに想定される質問を与えて準備させたりなんかしている。荒武班長はそんなことはしない。自分があらゆる面からチェックしてハンコを押したのだから、誰に何を聞かれても答えられないわけがない、という立場だ。

とにかく、俺の仕様書案は○×電機が入っていなくて、おそらく課長の意に沿わないものだが、荒武班長がそのように修正したことがはっきりわかるのだから、まさか俺だけに噛みつくことはないだろう。そう自分に言い聞かせて、俺は猛獣の檻に入る気分で課長室に入った。

「写真電送装置の仕様書案であります。ご指導をお願いいたします」

まるで時代劇で大名に奏上する家来みたいだなと思いながら、俺は仕様書案をはさんだバインダーを課長の机の上に置いた。

課長は何も言わずに、仕様書案を見つめている。

重苦しい時間が過ぎていく。その一秒一秒が俺に重くのしかかる。

「これは品目仕様書だよね」

課長が口を開いた。

「そうです」

それしか言えない。

「なんで、S電機の製品しか規定していないの?」

予想していた質問だ。

「検討の結果、S電機の製品だけが要求性能を満たしていたもので、S電機の製品だけを規定することと致しました」

課長は何も言わずに、ふたたび仕様書案に目を落とした。

「荒武が他社の製品を排除しているよね」

荒武班長の赤字添削を気にしている。

「一社の製品しか規定していないんじゃ、品目仕様書の意味がないんじゃないか?」

正論である。要求性能を満たす製品が複数あるからこそ、製造業者間での競争をうながして競争入札をさせるのが市販品仕様書の意義である。

「この仕様書じゃ競争にならないじゃないか」

課長の口調は不快感をあらわにしていた
荒武班長はなんてことしてくれたんだ。課長が機嫌悪くなっちゃったじゃないか。俺は心の中で荒武班長を恨んだ。

「とにかく」

重苦しい沈黙の後で、課長が決断を下した。

「この仕様書に決裁を下すわけにいかん。この仕様書じゃS電機しか入札できない。自由な競争ができない」

まさしくその通り。俺が荒武班長に言ったとおりだ。

しかし課長の判断は俺の予想を大きく外れたものだった。

「一社の製品しか規定していないんじゃ品目仕様書の意味がない。必要な性能を明記した性能仕様書に作り変えるべきなんじゃないか？」

それは、俺にとってまさに青天の霹靂というか、これまでの俺の働きをすべて無に帰す決断だった。

これで話は終わったという感じで、課長は俺の顔を見上げた。仕様書案にハンコを押す様子はまったくない。

課長はバインダーを持ち上げて、呆然と立ち尽くす俺に差し出した。

「考え直せ」

引き下がるしかなかった。

すぐに荒武班長に報告した。


「課長の決裁が下りませんでした」

「なんで？」

俺が悪いみたいな口調だった。

「一社しか入れられない仕様書じゃ競争入札ができないと言われました。一社の製品しか指定していないんじゃ、性能仕様書に作り変えて、性能で各社の競争をうながせと言われました」

荒武班長には別段驚いた様子はなかった。

「そりゃあもっともだ。すぐに性能仕様書に切り替えるんだな」

とうとう、これまでのいい加減な生き方のつけが回ってきた。俺は追い込まれている。

誰か俺を助けてくれる奴はいないか。俺は心の中でうめいた。

「大変なことになっちゃいましたよ」

俺は大野さんに打ち明けた。

「今から性能仕様書を一から起案するなんて無理ですよお。今週中には調達局に調達要求を出さないといけないんですよお」

大野さんは黙って聞いていた。

「だから、この件はもめるでーって言ったんだよ。思い知っただろう？」

笑っている。

「笑ってないで、なにか言ってくださいよお」

「まずは、俺にビールを持って来んか」

もったいぶった物腰で大野さんが言った。

プルトップを引っ張って泡が噴き出る缶にあわてて口を持っていった。

うまそうにぐびぐび最初の一口を飲み干してから大野さんが言った。

「こんなとき、誰がいちばん頼りになると思う?」

「わかりません」

俺はそれしか言えなかった。皆目見当がつかない。

「それはだなあ」

大野さんはまだもったいぶっている。

「教えてやろう。それは業者だよ。業者、業者ってふだんは馬鹿にしたような言い方をしているが、俺たち官側の人間は実際に物を作ってる業者のおかげで仕事ができてるんだよ」

俺は胸のつかえがとれた気がした。

「森田でしょうか」

「とんでもない。あいつは官側に取り入って仕事してる奴じゃないか。そうじゃなくって、製品の側に立って、製品のことをいちばんわかってる奴は誰だ?」

「石井さんだ!」

俺は石井さんに電話した。

石井さんが電話に出てくれた。ずいぶん遅いがまだ残業中だった。助かった。

「石井さん!」

石井さんに俺は手を合わせて拝みたい気分だった。

「夜分に電話してごめんなさい。じつは困っているんだ」

俺が話すとりとめがない話を石井さんは聞いてくれた。

「わかりました。今からそちらに伺います」

夜遅くにも拘らず、石井さんは来てくれた。

「私が仕様書案を口で言いますから、日野さんはパソコンに入力してください」

石井さんが技術用語で読み上げる語句を、俺は意味もわからずパソコンに打ち続けた。

大野さんも帰り、事務所に残っているのは俺と石井さんだけになった。

「夜は長い。これでもやってよ」

俺は缶ビールを石井さんに手渡した。

「ありがとうございます。官側に接待されるのって私くらいかなあ」

「こんなの接待に入らないよ。この仕事が終わったら、俺は石井さんにごちそうします。自腹で」

一睡もしないで、俺と石井さんは作業を続けた。どうやら、仕様書がそれらしい形を表してきた。夜が白々と明けてきた。

「一服しませんか」

俺は庁舎屋上の自動販売機コーナーへ石井さんを誘った。

「缶コーヒーしかないけど、いい？」

二人でベンチに腰掛けて缶コーヒーを飲んだ。

「朝日がまぶしい」

石井さんが目をこすりながら言った。

石井さんのおかげで俺は窮地を切り抜けることができた。純粋に性能だけを記述した仕様書は、業者が特定できないだけに課長も文句のつけようがなかった。

調達局に調達要求書を提出したのだが、嫌がらせがひどかった。俺の調達要求書を受け付けるのは市販品のカタログ買いを担当する課が予定されていたため、性能仕様書での調達要求に面食らったらしい。

市販品の定価を値切るノウハウしかなかった原価計算の担当者が積み上げの原価計算を強いられ、毎日のように俺を呼び出した。

俺はまた石井さんに助けを求めた。石井さんを伴って調達局に日参した。あってはならないことだが、調達局の原価計算係も石井さんに製品の細部設計を尋ねて原価計算に反映するしかなかった。

そして入札の日を迎えた。

森田は仕様書の決裁にさぐりを入れてきた日以来、まったく連絡をしてこない。

不気味だった。

入札日は予定表に載っているのでわかるが、調達局の係員がその結果をすぐに教えてくれることはない。調達要求を受け取った以上は俺たちの仕事で、お前たちの知ったことじゃねえ、言葉は悪いがまさにそういう感じなのだ。だいたい俺たち調達要求する側と、要求を受ける調達局とは仲が悪い。俺たちが調達要求書を持っていくと、担当の係員は露骨に嫌な顔をする。まるで疫病神が来たみたいな態度なのだ。

そんなわけで気が進まなかったが、課長や班長に入札結果を聞かれたとき、担当者である俺が知りませんじゃ具合が悪いから、調達局契約課に電話を入れたのだった。

「はい契約課」

名を名乗らない。昔の官庁職員はとにかく愛想が悪かった。

「本日入札されたと思うんですが、写真電送装置はどこが落札したでしょうか」

受話器を置いた気配がした。何も言わない。舌打ちする音が聞こえたような気がした。同じ庁内の俺に対しての対応がこれなのだから、業者なんかどんな対応を受けているかわからない。はらわたが煮えたぎるような思いをしている業者も多いはずだ。

「おたくは？」

ずいぶん待たされた挙句の返事がこれだ。

「調達要求を提出した担当です」

ふたたび待たされた。

「○×電機です」

「えっ？」

聞き間違いだと思った。

「すいません、もう一回おっしゃってください」

「○×電機です」

訳がわからない。○×電機に仕様書の要求性能を満足する製品はないはずだ。

すぐに石井さんに電話した。まだ社に戻っていなかった。当時は携帯電話なんて便利な物はなかった。

間もなく石井さんから電話があった。

「外の公衆電話から電話してるんです。日野さん、入札の結果を聞かれましたか？」

「驚いたよ。S電機は落札できなかったの？」

「○×電機が落としたんです。申し訳ありません……」

石井さんも気落ちしているふうだった。

「○×電機は誰が来ていた？」

「森田さんです。なんだか恐い顔してました」

森田に電話した。やはり社外に出ているということで、コールバックを言づけたのだが、森田から電話があったのはずいぶん経ってからだった。

「森田さん、どういうことだよ」

声を荒らげたくなるのを押さえるのがやっとだった。

「そんな恐い声出さないでくださいよ」

「どういうことなんですか？」

同じことを言った。力がこもりすぎて歯ぎしりするような口調になった。

「私としても大変だったんですよ。課長さんを立て、日野さんも立て、我が社は大損ですよ」

「どういうこと？」

三度同じことを聞いた。

「森田さんとこはS電機みたいな製品もってないでしょ。おたくの会社が業界で『真似した電機』って言われてるの知ってる？　いい加減なものを作って問題起こしたら承知しないからね」

「それはしません。だから皆さんの立場を尊重して、我が社だけが儲けなしなんです。それどころか、大変な出費なんで……」

「だからどういうこと？」

うんざりしてきた。

「わかるように説明してくれませんか」

「わかりました、わかりました。つまり、我が社がS電機から写真電送装置を購入する。そしておたくに納入するわけです。○×電機に落札させるというおたくの課長さんの要望は実現できるし、性能に妥協は許さないというおたくの班長さんの要望もかなえられるでしょう？」

「恐れ入ったなあ……」

俺は感心した。

「そこまでやる？」

俺はまだ半信半疑だった。

「でも、S電機が○×電機に売らないんじゃ……」

「そこは会社と会社ですからなんとかなります。困ったときは助け合う。会社どうしの関係はそんなもんです」

営業的に見たら○×電機の方が上手だったのかも知れない。写真電送装置を落札したという実績がどうしても欲しかったのだろう。そこまでメンツを張る理由が俺にはわからない。業界には業界の事情があるのだろう。

石井さんにしてみれば、徹夜で俺に協力した努力を森田にもっていかれた格好になったわけで、気分的には煮え切らなかったかもしれない。しかし、最終的には写真電送装置の販売実績は確実に上げたのだし、今後も他社から製品開発で追いつかれなければ、我が庁の調達に関しては独占状態を続けられるので、それなりの成果は上げたわけだ。

今回の件で官庁対業者、業者対業者の厳しい関係性の一端を思い知らされた。俺は森田との馴れ合い関係を改めることにした。

森田の方も俺に連絡をよこさなくなった。


俺の本庁の任期も一年を切った。本庁が性に合ってずっと居続ける大野さんみたいな人もいるが、俺は最短の勤務ノルマである二年での転出を希望した。

本庁に居続ければ最短の期間で昇進できるし、上級幹部との関係もできて将来的には上級幹部ポストで地方に戻れる。

しかし、大野さんは別だが、本庁に長くいる奴にろくな奴はいない。ノンキャリアはみんな要領だけよくなって、横目で相手の様子を窺い合っている。

最後の年、とんでもない仕事が俺に降りかかってきた。

荒武班長が俺を呼んだ。

「日野君、年度末までにこれを調達してくれ」

荒武班長はパンフレットみたいなものを俺に手渡した。

「市販品の調達だから、うちの班でやってくれってよ」

なんだか投げやりな口調だった。

荒武班長から渡された冊子を手に取って眺めた。輸入品だということと、書いてあるのが英語だということだけはわかる。

「特殊なカメラなんだ。映像関係ということと、市販品ということで、君に担当してもらいたい」

「予算はいくらなんですか？　納期は？」

安請け合いしたら大変な目にあう。できないと思ったら、私にはできませんと言ってしまうに限る。

「納期は年度末。まだ半年ある。予算は一億確保してあるそうだ」

「一億？」

俺は驚いた。降ってわいたような話で一億。悪い予感がする。俺は胃がキュッと縮んで下腹が苦しくなった。

「トイレに行っていいですか？」

「話が終わってからだ」

荒武班長はにべもない。

「担当してくれるよね」

急速に込み上げてきた便意に堪えかねて、俺は思わず頭を縦に振ってしまった。


「大野さん、俺貧乏くじばかり引いているような気がするんだけど」

その夜、例によって缶ビールで一息つきながら、俺は大野さんに昼間のことを話した。

「輸入品で、一億？　俺も経験したことがないからわからないよ」

突き放したような口調だった。

翌日から、英語のパンフレットと格闘した。

「だめだ。専門の技術用語ばかりで、全然わからない」

俺は頭を抱え込んだ。

「そんなときのために、業者がいるんじゃないか」

「だって、製造会社は外国なんですよ」

「取り扱い商社があるだろう」

パンフレットの末尾に、輸入商社として大手の商社の名前が記された紙片が貼り付けてあった。

すぐに電話した。担当をつかまえるまでにずいぶんたらいまわしされたが、ようやく担当部署をつきとめた。

「私はおたくが扱っている特殊カメラの調達担当者の日野と言います。仕様書を作らないといけないので、この製品に詳しい人をよこしてくれませんか」

翌日には商社の担当者が俺を訪ねてきた。

「白旗と申します。よろしくお願いいたします」

名前が縁起でもないと思ったが、白旗さんは若い女性だった。のみならず、大変な美人だった。

「どうぞ、座ってください」

むさくるしい事務所の中で白旗さんは光り輝いて見えた。今となっては信じられない昔話だが、その当時はなかば公然とまかり通っていたことがある。たとえば、煙草の煙がもうもうと煙る事務室だとか、きわどいヌードカレンダーなど。

俺は森田から貰った外国製の卓上ヌードカレンダーを素早く伏せた。

「何もわからなくて困っちゃって」

俺は正直に打ち明けた。

「私もなんです」

あけすけにそんなこと言われても困ると思った。

「でも、日本語に翻訳するのはなんでもありませんわ」

とりあえず、パンフレットを翻訳してもらうことにした。翌日には、パンフレットをきれいに日本語で浄書したペーパーを手渡された。

「それじゃあ、これが我が庁で使っている仕様書の定型なんですけど、パンフレットの記載内容をこの様式に展開してもらえませんか」

その翌日には定型の形式に整えられた仕様書を持ってきた。

「おたく、仕事が早いねえ」

俺は感心した。

「でも、たったこれだけなんですか」

パンフレットはそれなりの分量があったのに、仕様書は紙切れ一枚だけなのだ。

「製造会社の品番が記載されていますから、大丈夫ですわ」

「でも……」

写真電送装置の一件で品目指定の仕様書でひどい目にあっているから、俺は不安でしかたなかった。予定価格一億円の代物なんだから、もっと重々しいなにかが必要なんじゃないかと思った。

一枚っきりの紙きれで、製造会社の品番しか記されていない。

「この、factory new ってなんですか?」

どの仕様書にもうたってある決まり文句を除けば、今回の仕様書で他と違う点はこの factory new という単語だけなのだ。

「ああ、これですか。工場直送の新製品ってことですわ。これがうたってないと、中古品でも可っていうことになります」

そんなことも知らないのか、という口調だった。

「ふーん、そうなんだ」

もっと話していたかったが、いかんせん仕様書があっけなさ過ぎて、これ以上この仕様書で話を盛り上げるのは無理だった。

「白旗さんは英文科？」

思い切って聞いてみた。

「いえ、外国育ちなんです。日本語で言えば、帰国子女、ですかねえ」

「そうですか。仕事も一段落ついたし、お茶でもどうですか。庁内の喫茶店だから、しゃれっ気はありませんが」

「あの、じつは次の仕事があるので、私、社に戻らないと」

白旗さんは帰ってしまった。

大野さんがぺろりと舌を出して、白旗さんを見送る俺を見ていた。

「残念だったねえ。もっと話していたかったよねえ」

「いらん世話ですよ」

これからが大変だと思った。白旗さんに逃げられた以上、俺はこのペラペラの仕様書一枚で一人、調達要求までこぎつけなければならないのだ。

白旗さんが残してくれたパンフレットの和訳は、日本語にはなっていてもなお難解な専門用語ばかりで、俺には皆目理解できなかった。

それでも、唯一の助けはこの和訳しかない。それを小脇に抱えて、俺は廊下トンビのスタンプラリーに旅立ったのだ。

荒武班長はあっさり印鑑を押してくれた。どうせ何を聞いてもわからんだろうと思ったのか？

他の課の合議も、すんなりといった。何も聞かれなかった。回り始めて一時間で課長のところまで進んだ。

課長室に行くと、課長は出かけるところだった。

「何か？」

課長が俺に聞いた。この前のことがあるから、俺は思わず緊張した。

「いえ、お忙しいようですので出直します」

「何を持ってきたんだい？」

言葉は優しいが口調はきつい。

「特殊カメラの仕様書です」

課長は立ち止まった。

「ああ、あれか。ちょっと見せなさい」

課長は課長室に戻って、立ったまま仕様書を眺めた。そのまま、何も言わずに印鑑を押してくれた。

「ご苦労さん」

仕様書をはさんだバインダーを押し頂いて、俺は立ち尽くしていた。

何が起こったのかわからない。

「これはどうしたことでしょう。品目仕様書は競争できないといけないから一品目だけなら性能仕様書にしろと、写真電送装置のときは課長からやかましく言われたんですよ」

俺は大野さんに事の次第を話した。

とにかく、調達要求書を調達局に提出した。嫌がらせじみた様々な問い合わせを覚悟していたのだが、電話は一度も鳴らなかった。俺は拍子抜けした。

「これは、最初から調達することが決められてたんだよ。よほど上の方で誰かと誰かが話し合っていたに違いない」

「密約ですか？」

「そんなこと知るかよ。とにかく、今は事なきを得たみたいだけど、何年かして問題が起こったら国会に証人喚問で呼ばれるかもしれない。心しとけよ」

「そんな、脅かさないでくださいよ」

なにはともあれ、悪夢のような俺の二年間は終わった。模範囚ではなかったが、二年の刑期を無事つとめ終えたのだ。

九州に戻ってからも、俺はたびたび本庁勤務の夢を見てうなされた。

（了）

# 黒い街 白い街

高瀬博文

仕事にはなんの不自由もなかった。活版所ごとに、とうぜん活字棚やケースの配列がちがうし、活字の量も異なる。名刺程度の棚があるだけの活版所があったり、大きなひと部屋を活字棚で占有している活版所もある。ここは工場の半分が活字棚だった。

また、小さなことだが、「あいうえお……」、「いろはにほへと……」で、ひらがなやカタカナの順番がちがう場合があった。もちろんルビも同じである。銀二は「いろはにほへと……」で学校で習ったから、「あいうえお……」が苦手であった。いちいち、「あいうえお、かきくけこ……」と口ずさんだ。

漢字ケースのなかは、偏とか旁(つくり)、冠などで分類している、が、その並びもまた活版所ごとに異なるのである。銀二は、たいていは二日目から調子が出てくる。まず使用後の活字を正確に返版すること、そして必要な字を拾うこと。二つめはその速さである。慣れると手が勝手に動くのだ。まるでマンガのロボットのようであるが、できれば背が高いほうがよい。いちいち高い棚のため椅子に乗る必要がないからである。ただし足もとまで活字棚があるから腰痛もちになるひともいた。

文選工が遅れると、場合によっては植字工が作業待ちになるし、そうなれば輪転機工も困るのだ。文選工をページ物が増える時期のため、もうひとり増やしておくわけにはいかない。それが、銀二のような渡りの文選工の旅ガラスのような気ままさになるのだが、仕事も半端者が多かった。

銀二はここへ来るのは三度目だから、昼前から調子が出てきた。銀二が来てよろこんだのは、文選工の安田だ。本雇を希望する文選工だと、安田は自分の仕事をとられる可能性があるが、銀二の性格ではたいていページ物がなくなるころ暇を申し出るのである。渡りの文選工のなかには、やれ植字もできます、などと居座るひともいた。これでは店主も嫌がった。たいていが組版が遅すぎたのである。

ページ物は役所や会社の広報とか、さまざまな冊子などが春先に発注されるのであるが、季節にかかわりなく活版所がちょうどページ物を抱えている場合には短期雇ってもらえるのである。だから幾軒もの活版所を探さなければならない。

正午きっかりに、花代が活版所へ出前の焼きそばやチャンポン、焼き飯をもってきた。まだ幼かった子が、ちゃきちゃきおねえちゃんになって、あいかわらず威勢がいい。製本工の木下がみんなのぶんを立て替えて、もたもた財布から出していると、

「おいさん、後でもらうから。あたしゃ、いそがしか。あとあと」

と出ていこうとした。

「なんちかんち、せからしかおねえちゃんたい」と木下がやっと小銭を渡した。

花代は、事務所に店主の要汰に活字の号数などを聴きに来た銀二を見つけて、

「こりゃたまげた。今度、銀二さん、映画に連れて行ってくれんね」

と女らしく言った。みんなは〝おねえちゃん〟とよんでいるらしいが、まだ十九くらいなのだ。

「わかった、花代ちゃん。日本映画かい、洋画かい」と銀二がにやにやしながら言った。

「この前、そう言って連れて行きゃしないじゃなかか」

要汰をはじめ職工たちはふたりを囃した。あのころ、花代が中学を卒業したくらいだったろう。映画など連れて行けば坑夫の親父からぶん殴られたにちがいない。

「さあ、つぎは支所たい。急がんと。そんじゃね、銀二さん」

けたたましく玄関の開き戸を花代がぱたん！と閉めた。とくべつ花代が荒っぽい性格ではない。父兄なぞが地底で働いている家族は、めめしくてはやってゆけないのだ。いつ事故に遭うかもしれない。そして気風のよさは江戸っ子以上であろうか。

いまでこそ坑夫も刺青をする者はほとんどいないが、要汰の話では、子どものころ、坑夫といえば夏など上半身裸体を見せびらかし肩で風を切り、三度のめしより喧嘩と博打好きであったそうだ。理屈を嫌い、竹を割ったような性

格。そうして宵越しの金をもつことを恥とすることを川筋気質というらしい。川筋とは遠賀川・彦山川流域の筑豊地方を指す。だから、「なんちかんち言いなんな。理屈やなかたい」というセリフをよく聞くのである。田川市の炭坑街で育った花代は川筋おねえちゃんといったところか……。

昼食がすむと、全員製本台で花札を引いた。銀二も二回だけくわわり、二十分ほど工場にある長椅子に横になって、はした金をかけた。要汰はよく負けたが、それはサービス精神からではなく弱かったからだが、みんなは店主がかっかするのでおもしろいらしい。負けがこむと、えい！とばかり要汰が札を製本台の上の薄い座布団へたたきつけた。いちばん強い安田がにやにや笑う。どうも角打ち代をこれで稼いでいるようだ。きょうは二合呑める、などと言わないが、それはもう顔に出ている。この角打ち屋は博多のほうにはなく、北九州市がはじまりらしかった。

午後から銀二は少しつかれたのか、腰がだるくなったり、足が痛くなったりした。これは日にち薬だろう。昨日まで施療院のベッドに十日あまり寝ていたのだ。体力の回復には数日かかるかもしれない。しかし、土方仕事なら数時間でへたり込んだだろう。その点、活版所は気をつかうが、あまり体力はいらない。ちなみにこのような小さなところでは、職工はたいてい二つくらい仕事をこなせた。たとえば製本工が植字ができたり、輪転機工が解版ができたりした。

活版所の残業は工程ごとであった。きょうは植字工の高村が少し残るそうだ。裏口の鍵を近くの町に住む要汰から受け取り、銀二は作業着から少々おしゃれな服装に着替えた。ハンチングをかぶり、チェックのジャケットに、下に新調のチョッキ姿である。おまけにネッカチーフをまいていた。

そして銀二は買い物に出かけた。とちゅうまで炭労支部へ寄るという安田と話した。真正面の丘に立坑（たてこう）のやぐらと高い高い赤煉瓦の煙突が二本見える。その煙は蒸気機関車どころではない。立坑の動力の蒸気タービンの十二基に石炭を燃やしているのである。田川には立坑が多い。立坑とは数百メートルの垂直の坑口であり、石炭、資材、人員の搬出入をするための通路であり通気もかねる。ゆえに煤と炭塵で街も空も黒ずんでいた。むろん傾斜坑道、水平坑道にも蒸気動力が要る。が、炭坑は暫時モーターに移行中だった。石炭は自社でよいが、モーターは電気代が高いのが難点であったようだ。

「安田さんも炭坑だったですね」

と銀二が言った。

「わしは力がないけに、佐賀の小作の次男やったし、おもにこまか炭鉱に七カ所行ったけど十二年で逃げたとたい。島原から長崎、この筑豊と渡ってきたけんど、大手のヤマはどうにか暮らせるが、中小のヤマは坑夫の待遇がひどか」と安田が話しはじめた。「そういうヤマがぎょうさんあった。賃金の未払いが半年くらいも続き、ケツワリするにも汽車賃もなか。家族も腹が減って三日くらい寝るしかない。すると労務主任が米をやるちゅうてくる。それをもらうと、地底に行かなならん。ただ働きのようなもんたい」

「それじゃ、タコ部屋ですね」

「そんとおり。ところが今度は丸二日も昇降させん。掘れ掘れちゅうて。そうして頭にきて鉱長に談判へ行くと、肩入れ金を返せと。屁理屈やないか」

安田の話は続いた。

「圧制ヤマとかよばれとる小ヤマのキリハは這うような高さしかなく、まさに老坑夫の吹き溜まりで、明治・大正時代の納屋制度のようたい。ところが国は採算の悪いヤマを買い上げ廃鉱にする、スクラップ・アンド・ビルドちゅう政策で、よけい廃人のようになる。刺青者や老坑夫はどこも雇わんし、生活保護になっても、そうは問屋が卸さん。土方や焼酎呑みよるところを福祉事務所が見つけて、スズメの涙のような支給金が打ち切りたい」

銀二は坑夫にも運不運があると思った。不運にも小ヤマを生涯転々とわたる坑夫たち。彼らの家族は倒壊するような炭住の四畳半くらいに入れられる。そして拘束とリンチが当たり前だったのだ。安田の話では、それが民主主義になった現在も陰で続いているようだった。ただ、さすがに表立っての暴力はないらしいが……。筑豊は人間スクラップの産地ではないか。

「小ヤマはプロレタリアより下の階級たい。さて、ガリ版切りの手伝いじゃやけに」と安田は無表情に言い残し、アカハタの立つ路地に入った。

銀二は伊田駅のほうへ向かった。真正面にたくさんのボタ山の上に、セメント採石場の香春岳の一の岳が見えた。その背後、二の岳、三の岳と続く。この山々はやはり見た目より急峻である。平地から生えた筍のような、また、ちょっとおむすびのような山であろうか。空は煤煙でくすんでいるのだが、遠くに見える香春町の屋根はことちがって黒くなく、うっすら白い。石灰岩の飛散により霜が降ったようである。

腹がぐうと鳴った。米は要汰の奥さんが明日安く分けてくれるそうだ。むろん後払いである。いつも朝めし抜きの二食である。戦後のバラック造りが並ぶような通りで、トンチャンと豆腐、韮などを買った。帰りは用事があって寄り道をして炭住街の迷路のような路を抜けることにした。

長屋が規則的に並んでいるようだが、建て増しだから、あんがい不規則に並び、いつだっか、どこかの図書館で見た屯田兵舎がこのような造作であった。

しかし、ここは大手のヤマで、戸数の規模がちがうだろう。共同便所や共同の洗い場などが何十カ所もあり、坑夫はたいてい子だくさんで、路地は子どもたちの喧騒であふれていた。三交代だから父兄が昼間寝ている場合があり、やんちゃ坊主の多くは家に入れてもらえないこともあるのだ。炭鉱浴場も大きい、映画館くらいの外観である。

婦人たちが外で野菜を洗ったり、七輪で芋などを煮炊きしたり、また世間話に興じたり、その周りをボロ着の子どもたちが、男女にわかれて、ビー玉あそびや、縄跳び、幼い子たちは鬼ごっこをしたりして嬌声をあげていた。ヤマの荒っぽい男の子たちは服がどろんこだった。この人口密度の濃さが銀二に安らぎをあたえた。ここには家族があり、助けあいがあり、平等があるのだ。

ぼこぼこになった汚れたヘルメット、全身に炭塵がこびりつき、とくに顔は真っ黒で、目だけ白い、そういう父親が帰ると、子どもたちは跳ねるようによろこんだ。

ときにはさきに家に寄って炭鉱浴場へ行く。浴場には浴槽が二つにわかれて、まず、炭塵を落とす浴槽に入るのだった。また、街中には小ぶりな一般の銭湯がある。

銀二はそれこそ井戸端会議の婦人たちにつかまってしまった。

「あんた、よか男ばいね」と年増女が言った。

「どうもエンテリくさいけ、事務方かい」と少し若い女が言った。

「ぼくは……急ぎますので」と言いかけて、「しがない活版職工ですよ」と言って、その場を離れようとした。が、思い出したように、「下田時司さんの家をさがしているのですが、なにぶん四年前に来たきりで、どの家も同じなので」

「下田さんなら通りがちゃうばい、ねえ、みんな」とさっきの年増が言った。

「この路地の五つヤマから遠いき」

屋根の上にボタ山が二つ見えた。それが高くなって通りがわからなくなったのだった。

大手のヤマの場合、坑口の近くの捨て場にトロッコやベルトコンベヤーで運ばれるのだ。ある程度の高さになると、それ以上捨てられないし、効率が悪いので横にまたボタ山ができる。だから、坑口、洗炭工場、検炭場、検身所、揚上場、安全灯室、汽缶場、ポンプ座、繰込場、火薬庫、貯炭場、扇風機室、作業場、炭鉱事務所、炭住や購買部店などの周囲を囲むようにボタが捨てられる。それと多くは川べりである。洗炭に大量の水が必要だし、ポンプで坑内の湧水を排水しなければならない。

「あんた、たんと女を泣かせたとやなかか」と年増女に言われて銀二はぺろりと舌を出し、図書館の裏道に出て活版所へ向かった。

　とちゅう、十数人の洗炭帰りの女たちと会った。なんでも洗炭はものすごく低賃金だと、この前、花代が言ったことを思い出した。おもに子どもに手のかからなくなった中年と若い独身である。花代も食堂が休みの日に行くらしい。

「七つ八つからカンテラさげて、坑内さがりは親のばち」

と最後尾の老婦人が節をつけ、くりかえし歌っていた。いまは女や子どもの坑内労働は禁止されている。七つ八つというのは、母親が仕事中に坑内で赤ん坊に授乳するため子守りとして上の子を一緒に連れていくのであるが、それがおわる年ごろには後山（あとやま）をするのである。そのため、ほとんど小学校にも行けず、ろくに読み書きができないのだった。それがどんなに恐ろしいことか。駅名さえ読めないし、ほかの職に移ることもままならないのだ。

　また、要汰の話だが、老坑夫から順に筑豊を追われていた。中小のヤマが相次いで閉山し、老坑夫は職を求め日本各地に流れて行ったのだ。しかし、人里離れた廃鉱に、行くあてもなく住む老坑夫とその家族たちもいた。廃鉱には栄養失調の長欠児童がいるようである……と。

　活版所に帰ると、ちょうど高村がマフラーをまいて出て来るところだった。四角い升の角を呑む手つきをして帰っていった。銀二は作業着に着替え、裏の勝手口にまわり七輪を出して、路地で新聞紙と細い割り木を入れて、ストーブ用の豆炭で火をおこし、鍋に水とトンチャンと野菜を入れた。

　できあがり製本台で食っていると、裏口をたたく音がした。童話ならタヌキの子かなにかあらわれるところだが、

「はよ、開けんね！」

と、どうも花代の声である。

開けると、花代がずんずん入ってきて、

「煙が見えたけん、ほら、チャンポン玉あまったき、食べなせ」

　それを置くと、話もせずさっさと帰っていった。やはり、あれで照れているようだ。気風のよさは照れかくしだな、と自惚れ銀二はモツ汁に玉を入れ、また七輪にかけた。

　花代は大柄で大根足、器量はそれでもよいほうであろう。銀二はここを去る前にどこかに連れていこうと思った。ハイキングでもいい。そうすれば花代のよい思い出になるだろう。そのときはここの営業のオート三輪車を借りてもい

いし、汽車で山のほうへ行ってもよいだろう。

工場の二階へ上がる階段の左が六畳の和室、右が広い紙置き場である。ここには布団はふだん置いていない。奥さんが自宅のを貸してくれるのである。銀二はタオルと石鹸、カミソリをもって銭湯へ出た。なにより風呂が好きであった。

帰って冷めないうちに布団に入ると、この街へ来るときに汽車の網棚に忘れられていた雑誌を開いた。婦人向けのもので、新しいパーマネントとか、農村の女性おめかし、もんぺからスラックスへとか、スカートの丈が膝下何センチまでゆるされるとか、毛糸の編み方、どこそこの宮さまのご近況など、それらをあんがい熱心に読みふけったのだった。

かれこれ十日後、銀二は昼を食べてから図書館へ行った。まとまった金もないしラジオもない。その無聊を、好きな童話を読んでつぶすしかない。玄関を入ると、予想に反し見なれない学校の若い女センセイのような受付係りがいた。ここの市民か、職場があれば三冊まで貸し出してくれる。

銀二は美人と話すことが苦手であったので、黙って本を差し出した。『風の又三郎』と『ニルス・ホルゲルソンのふしぎな旅』である。『風の又三郎』は、故郷長野の小学校分教場が作中と同じ谷川の岸にあったので、何度読んでもなつかしかった。そしてもう一冊は、小人になってガチョウにのって雁たちとスウェーデンを旅する物語である……。

帰ると奥さんがまだ昼休みなしで仕事をしていた。なんでも来週、税務署が来るらしい。伝票と帳簿をつきあわせたり、売掛金を計算したり、ソロバン片手に声もかけられないふんいきである。しかし、銀二を見ると、

「税務署がこんなこまかところに来るなんて、もっと行く大きな会社があるとやろに、銀二さん」

と話しかけてきた。ここは丁合などの製本、食事、花札、このような帳簿づけなどはこの大きな製本台でするのである。なにせ、長さ二間、幅一間半もあった。反対側では花札ができなかった木下が大きなあくびをして糊をねりはじめた。

「はぁ」としか銀二は答えようがなかった。

「三年か四年に一度、脱税がないか調べに来るわけじゃ。こんなところに来て千円でも会計処理のまちがいがあると、追徴するんだ。そのために署員ひとりが三日間来るけんの。署員の日当も出やせん」と要汰が説明した。

「それが法律ってわけで」と木下が言った。

「木賃宿には保健所と警察が来ます」と銀二が話した。

「警察は来よりますばい。年二回、刑事さんが……」

と木下が神妙に言った。それはどこの活版所でも同じであった。暴力団の年賀状、暑中見舞いには、ずらりと組長はじめ組員の名が並んでいた。構成員を調べに来るのである。店主のなかには出し渋る者がいて、刑事が菓子折りくらい持参する場合もある。

銀二は隣室の工場に入ると、直ぐ仕事にかかり、ちょうど安田と並んで活字を拾った。同じケースの活字になってもタイミングをずらして文選するのである。その交互の手の交代が妙に合うので、安田が苦笑しながら、

「昨日、ねえちゃんの親父に会うてからくさ。働きに出るようばい」と世間話のように言った。

「花代ちゃんが」

「そうや。角打ち屋で、親父がそう言うた。遠くへ働きに出れば、まず筑豊じゃ帰ってこん」

「花代ちゃんも親元を離れるようですね」

「まぁ、ねえちゃんが自分で言うまで知らん顔しちょくか」

「それがよかです」と、つい銀二は炭坑言葉で返事をした。筑豊各地で方言が異なったが、炭坑言葉はそのチャンポンなのである。ともかく少し自身が動揺しているようだ。

「それがよかなぁ」

と安田がケースの裏へ回った。輪転機が動いているので、だれにも聞こえないだろう。安田は銀二にだけ言うつもりのようだった。

銀二を入れて職工が六人しかいないので、仕事のほうは年度はじめでだんだんいそがしくなって、来週から全員残業になりそうだった。注文数が日増しに増えてゆく。外回りもする奥さんもよほどの用事がない限り休めないだろう。活版所ほど月額の売り上げ変動の大きい商売はない、とは要汰の口癖だった。春さきがページもののシーズンだが、しかし、以前来た時より仕事量がずっと減ったようだった。

その日、陽がとっぷり暮れて、銀二は食後ゆっくり童話を読んでから炭住の友人を訪ねに出た。明るい月がボタ山から昇っていた。己の影があんがいくっきり泥濘に落ち、それがどこまでも付いてくる。炭住街のひと影は便所に用足しに出た者くらいである。

やせた犬がさまよっていた。のら犬にしてはおとなしく吠えもしない。捨てられたのだろうか。人口過密な炭住では吠えるので犬は飼わないが、よく病気になった犬猫が捨てられていたのだった。犬殺しに捕獲される運命しかない。みすぼらしい、その老犬が、銀二のあとを付いてきた。しかし、間もなくすがたを消した。そうやってだれか餌をくれる人間にまつわりついているにちがいない。ふと、同業

の渡りの老文選工の行く末を連想したのだった。あのひとたちはどこへ行くのだろうか。

いくつもの路地を曲がり、かまぼこ板に「下田」と、あんがいきれいな文字で書かれた表札の前で足をとめた。炭住は職員と労働者とで間取りや設備、造作がちがった。ここはおもに坑夫の炭住街である。

玄関戸のある土間に流しの狭い台所があり、他は四畳半と六畳であるが、ところによっては三畳の板の間があった。そういう炭住街が各坑口ごとに建ち並ぶ、五、六軒続きの長屋である。また、小さな裏庭のある炭住もあった。大きなところだと、なかなか炭住街を抜けるのに時間がかかるほど、ちょっとした町くらいのひとびとが住んでいた。

銀二が夜分に訪れた理由は、下田が紙芝居屋であるから、おそい夕餉の時間をさけたのである。四年前、要汰のところの仕事が減って暇をもらうと、ちょっと居候のように、また弟子のように居ついたのであった。

画を版元から借りる紙芝居屋がほとんどであるが、下田は自ら創作画を描いていた。坑夫を引退と同時に長男を雇ってもらい、いわば商売がえをしたのであった。

「センセイおりますか！　銀二ですが」

奥さんが出てきた。下田は奥の部屋で画を描いていた。あのころ四十半ばであったが、いまは頭がかなり白くなっていた。センセイはようするに道楽に手を出したのである。

奥さんと子ども四人で、上の姉たちが嫁ぎ、あのころ次男坊が中学生であった。その次男のほうは大阪で旋盤工をしていると話した。長男は二番方で深夜から朝の帰宅だという。

奥さんが「成金饅頭」という大きく、アンがたくさん入った饅頭とサイダーを出してくれた。炭坑のひとは金はないが、たいてい気前がいい。

「なぁ、銀二、あんたわしの弟子になるには絵があんまり下手くそやった。二、三ストーリーを描いてくれたが、あれはまだ使っとる。ほかは長すぎる。新聞の四こまマンガのようなストーリーを描くつもりでないとつまらん。あの丘の活版所やろ。また、暇もろうたらどこへ行くんや」と絵筆をとめずに下田が言った。

「西へ行こうと思っています」

「そして暑うなったら、北海道かい」

「まさか。西といってせいぜい長崎くらいかな」

「長崎まで紙芝居見せながら行ってみたいが……、被爆地の様子も見てみたか」

「それは為になるでしょが、しかし、道中、田舎は渋いですから」

「どこも子どもにこづかいやらんとやろ。かまわん、あんたが徒歩で、わしがサイクリングちゅうのはどうやろうか。あんた、いろいろ泊まるところも道知っているのやろし」

下田があんがい乗り気である。

「帰りは自転車、鉄道便で運んでもろて、わしも汽車や」

「つゆ前しばらく天気がいいですから」

「そうやな、つゆが明けたら、暑なるき、そうしてんか」

「どうせ長崎くらいまで行きますが、しかし、ぼくはとちゅう汽車でどこかの市や町へ行き、仕事をさがしに街中を歩くわけで。ここを出たら飯塚から博多とか。むろん金がないときは徒歩旅行ですが」

「そりゃ、ざんねんやな。いつか紙芝居の旅をやるで、なぁ母ちゃん」

「あんたには頼っとらせん。勝手にしたらよか。銀二さんを困らせちゃ、いけんばい。あたしと倅ばっかり仕事させてくさ」

夫婦の雲行きがあやしくなったので、暇をつげると、夜道をあの犬がいないか、そんなことを気にしながら歩いた。月夜だから遠回りし彦山川の土手に出てみた。

黒い川には釣り人がいた。少年が母親に食べさせると、支流の川の流れ込みで大ナマズをねらって竿を伸ばしていた。

「ナマズか、釣れるかな」

「朝までねばるけん」

と少年が言った。母親が病気かなにかだろうか、聞くことはしなかった。

岸を離れると、銀二は放浪について考えた。人間は齢をとると、旅にあこがれをいだくようだ。銀二には、その理由はわからないが、たぶん定住者の気持ちであり、下田とは齢も離れていたからであろう。だいいち下田はM炭鉱に三十年ばかり働き、事故に遭わず運のよい坑夫だった。たいていの坑夫は塵肺(じんぱい)や一酸化炭素中毒、手足の欠損などの傷病人になるのである。家計はともかく、安定した暮らしといえた。

一方で、この地を訪れる旅人たちのなかには、定住にあこがれる人も多くいるだろう。それは雲水、虚無僧といった僧たちさえ同じであろう。どこかの寺の住職でなくとも堂守りでもよかった。口には出さないが、なりたいはずである。旅芸人はひとり玄関先で獅子舞などをして喜捨をもらう。しかし、常設の劇場の一座でも入りたいだろう。研ぎ師や旅商人は店をもちたい。そういうひとはあとを絶たない。しかし銀二は、さすらうほうが愉しかった。

そして二度と自分は紙芝居画を描くことはないだろう。銀二は、おい、もう一回やってみるかい、という言葉を期待した。が、絵というものは天性だろう。自分には、それで食べてゆくとか、稼げるとか、そういう思いがないのである。おもしろければやるし、仕事だって気が向かなければ、旅立つ。そうしてこれまで、つぎの仕事があんがいに容易に見つかったのだ。それはあちらこちらに友だちがいたからである。要汰もそのひとりであった。

ただ、今年は春先ついに仕事にあぶれて、おまけに腹痛で竹杖をつき汽車に乗り、関門海峡を越えたときは痛くて本当に死ぬかと思った。食当たりの菌やウイルスにもいろいろあるらしく、売れ残りの弁当を食ったのが原因であろう。八幡の施療院で回復すると、まっさきに浮かんだのは筑豊のひとたちのことであった。直情的で、本音と建前がないのである、身なりを気にしない。

退院した日、折尾から汽車に乗って中間市を過ぎ、遠賀川・彦山川の川沿いを走ると直方市から田川市だが、大きなふろしきを抱えた行商人が多い。また駅に停まるたびに乗客が家にいるような普段着になった。男は野良仕事の帰りといったふうである。祝言でもないかぎり、よそ行き姿がない。会話も声が大きい。おじさんが一升瓶をかかえて、くだをまく。婦人が大きな乳を出して赤ん坊に授乳する。男たちが口喧嘩をする。それがはげしいのである。が、しかしふつうの会話らしいのである。まるで田畑や路傍のような光景だが、ちがうところは車内だから焼酎とニンニクの臭いがこもっていた。

銀二が通路のドアによりかかり、ハンチングを指で回してからくさ、あんしは」と、おばさんたちの聞こえよがしの会話が聞こえてきた。まさにここの住人からすれば日本をささえているという自負などないだろうが、戦前から産業の根本をささえてきたのは産炭地であるはずだった。しかし、貧し気な服装や暗い街並みは石炭の恩恵を受けてはいないのである。そして常に煤煙の黒い空——。

そんなことを考えながら銀二は歩いた。外灯で見える炭住の山桜は三分咲きといったところ。桜の花は炭住街によく似合う気がした。

活版所に着くころ、夜勤の三番方の坑夫たちに入坑の合図の午後十時のサイレンが鳴った。あののら犬に会わずに帰ったことにほっとしながら、鼻水が止まらず冷えきった体を縮こませて部屋へ急いだ。

四月の末になった。筑豊の南町にサーカスが来て、銀二と花代は休日、ふたり昼前に汽車に乗った。要汰が「行ってこい」と前売り券をくれたのであった。

伊田駅から下りの汽車に乗ると、花代がおおぶりなハンカチから、竹の皮につつんだおにぎりを出した。焦げたような塩くじらが添えてあっておいしかった。

　車窓の近景にはまるで戦後のバラックのような家もあった。その一方、農家だろう、立派な庭のある、造りのよい家が田畑のなかに見えた。それは戦前からの麦わらの家も多い。

　そして、一見のどかな農村の風景のなかでも、田畑や家屋の陥没・傾斜、鉱毒水の噴出などの鉱害がはなはだしくなっていた。稲作は大きな打撃をうけていた。地下はモグラの穴のように筑豊全体を空洞にしていたのである。大手の炭鉱は耕作不能の田畑の買い取りをはじめていた。鉱害はエンドレスに被害が続くであろう。とにかく他所とちがって筑豊は、街や田畑の下に江戸期から掘った古洞や坑道があるのだ。最盛期には二百五十以上の炭鉱があったのだった。まさに陥没地帯である。

　いくつかの駅に停まるたびに、だんだんと山が迫って田畑が増えた。筑豊はどの駅もといっていいくらい、たくさんの引き込み線に石炭積み出し設備と貯炭場があり、石炭貨車があふれていた。また、セメント運搬の貨車もあった。

　ここはサンゴなどの生物や海水中の石灰分が沈殿した、香春岳や船尾山、関の山のような石灰岩の山が一部あるが、大地が隆起後は大森林地帯になり、それが堆積と埋没をくりかえし地熱や地圧がかかり化学変化した化石が黒ダイヤである。田川も大幅な減産だろうが、そのぶんセメント産業があるだけマシであろうか。

　窓際に腰かけた花代はあっけらかんと、外の景色ばかり見ているようであった。日ごろに似合わないと思ったが、銀二が横顔を見ると、あきらかに緊張気味である。うぶな年齢でもないだろうに、と銀二は少し苦笑した。ああ見えてあんがいおぼこむすめだろうか。汽車に乗るときは、はしゃいでいたが、どうも男とふたりで出かけたことがはじめてのようではないか。

「花代ちゃん。サーカスがちょっと恐いのかい。どの芸もドキドキするばかりだろうし。空中ブランコとか、ナイフ投げもきっとあるよ。しかし、子どもじゃなし、うわさだけど……」

「そうじゃないと。銀二さんは活版所から、またどこかへ行くのやろ」

「ぼくは短期工だ。花代ちゃん、わかっているだろう」

「ええ、あたしのとうちゃんは職工とか気にしないけんど、定職がなかと……」

「ぼくは工場に住み込みか、木賃宿か、暖かい季節は駅の待合室の長椅子にだって寝るんだ。花代ちゃんは堅気のひとと付き合うべきさ」

「だったらなぜ、あたしをさそうと。要汰さんから入場券もらったから」

「映画の代わりだな。その日その日が愉しいって、あんがいよいことじゃないかな」

「そうね。さきのこと考えてくよくよするなんて、あたしらしくないとやろか。渡りもんじゃしかたなかばい。しかし、あたしのとうちゃんも昔は渡りもんばってん」

「そうだよ。ぼくは放浪者だな」

「いままで黙っていたけど、ねえちゃんが西陣にいると。機織りしないかってさそわれているとばい。五月の川渡り神幸祭に帰るから、一緒に京都へ行くんよ」

「機織りか、花代ちゃんは料理がうまいから、きっと上手くゆくよ。手に職を付けたほうがいい」

「そうして銀二さんのようになると……」

「活版所はちょっとした街にもあるけど、西陣織はあそこだけだろ」

「京都に西陣という地名がないんよ」

「そうなんだ」

まさに借りてきた猫のような花代であったが、本音しかしゃべらないところが川筋むすめらしい。

サーカスのある南町の人口は一時は二万七千人を超えたが、今度は急激な減少に転じた、と隣のひとが話していた。六十年配の老人たちであった。

「おやじさんたちの家族も炭坑ですか」

と銀二がたずねた。

「わしらは農家だけんど、倅がの、炭坑で働いとる。こんひとのところもそうやが」と、もうひとりの老人を見て、「事務方じゃ。わしんとこは坑夫じゃけん、あまり枕を高うして寝られん」と言った。なんでも南町に有名な骨接ぎ医院があり、そこの特製膏薬を買いに行くところであった。銀二は町のことをいろいろたずねた。

降りた西南駅の裏はボタ山だった。駅で方角をたずねる必要がなかった。わずかだが、ひとびとのながれが踏切を渡って、映画館前の街中を東へ向かっていた。会話でわかったのは、炭鉱購買部店横の広い炭住建設予定地だったが、その必要がなくなり空き地になったらしい。

彦山川の横にあまり大きくもないテントが張られて、ひとびとが入場待ちしていた。公演は午前と午後の二回であった。

南町には、いまは大資本の足尾銅山開発で有名なF鉱業と、いくつかの中小のヤマがあるそうである。また中小ヤマの炭住は数棟、あるいは十数棟ずつ山付きに散在するらしいが、タヌキ掘りに近いような原始的なヤマから閉山したようだった。

「さあいらっしゃい、いらっしゃい。あと一時間後、午後の部の開演でございます。前売り券をお持ちでない方はお早めにお願いいたします。お席もあまり残ってはおりません。日本一のサーカスショー！」

とスピーカーが雑音まじりに鳴った。どうせ大きくもないテントだし、客入りも知れているだろう。サーカス小屋のまわりには、入れない子どもだろう、大勢がテントをながめたり、関東のメンコに似た「写真ぱん」という四角い、マンガがプリントされた紙を重ねて、メンコのように順に一枚を持ちカードをひっくり返していた。

早く着きすぎたので、ふたりは橋の上に立って景色をながめた。まさに小春日和であった。空高く雲雀が鳴いていた。銀二は筑豊は三度目だが、いつもこの鳥が鳴く季節であった。冬は暖かい瀬戸内の小都市を転々としていたからである。しかも、筑豊はここ三年、閉山と人員整理とストライキの嵐であったから近畿を回っていたのだった。

ここは川下の田川の方角だけがひらけて三方が山で、田畑や炭住や民家の先にいくつものボタ山や煙突が見えた。川の両岸にレンゲ畑と谷間を埋め尽くすように炭住街がひろがり、紅い花が黒いボタ山とよい塩梅であった。花代には京都で一生すごしても郷愁をさそう景色であり続けるはずである。

銀二にとってのそれは長野の山々であった。銀二たちは長野とも信州ともよばず、「信濃の国」と大人たちからならった、あれら高い山々アルプスの稜線、あるいは御嶽や乗鞍などの独立峰、松本平から見る美ヶ原や霧ケ峰のなだらかな稜線——。それらと同じように花代もこの景色を忘れないだろう。しかし、京都に行き、月日がすぎたり、縁づいたりすると銀二のことはほとんど思い出さないであろう。月日とはそういうものだ。浮き草のように、この橋の下、洗炭で黒ずんだ川のように、記憶が流されるにちがいない。

「どのボタ山が一番大きいかな」

と銀二が言うと、花代は川下右にある丘の上のボタ山を指呼した。やはり時間待ちをしていた老婦人が、

「あれは三坑ですけんの。なんせボタの捨て場がなく丘の上じゃから、高く見えるとばい」

と教えてくれた。三坑とは坑口の番号のことだろう。雑木山に捨てることが非効率に思えた。それだけ高い場所まで運ぶ手間がかかるだろう。捨て場がなければしかたないわけだろう。

「ぼくはボタ山に登ったことがないよ」

「真新しいボタ山だったら靴やズボンのすそが真っ黒になるわよ。おめかしして登ったらすぐ洗濯ちゃ」と花代が

笑った。

テント小屋に行くと、やはり入れない子どもたちであふれていた。きょうだいが多く、券を買ってもらえるはずがないのだ。子どもらはテントの下にもぐりたいのであろうか。山高帽のサーカスのやせた男が追い払っていたが、幾人かがもぐり兼ねないふんいきであった。

サーカスはお決まりの内容とは、とうていお世辞にも言えない。やせたピエロはどうも子どもらを追い払っていた男か、双子の兄弟のように思えた。ピエロが口上を述べた。そうしてとんぼ返りをくりかえしたが、会場がせまいせいか、わざとか、客席に落ちた。どどっと笑いがきた。

はじめは三頭の馬の曲乗りがあった。つぎにやせた熊がいくつかの椅子に順にすわって、その熊が手をたたいた。拍手を強要しているらしい。九州は熊がいないので、観客は大きな犬でも見ているかのようである。その調教師はピエロである。火を吹く男が数人、そのなかにもピエロがいた。たいへんいそがしそうである。そのつぎはやせた女が板壁の前に立ち足をひろげ、両手を水平に伸ばした。ほかの女が出てきて、その女に目かくしをした。シナ服の男が、六、七回ナイフを投げた。観客の悲鳴と称賛の拍手。銀二にはナイフが刺さる位置が女のかなり遠くに思えた。

つぎの演目はまったく高くもない空中ブランコであった。今度もピエロが股引のようなタイツ姿で空を飛び、なんだか年増の太った女がふたり、ブランコに逆さまになったピエロが両手で空を飛ぶ女を摑む、そのような単調なくりかえしであった。つぎの演目がオートバイの曲乗りで、鋼鉄の球の籠のなかをぐるぐる疾走し、これは迫力があったが、排気ガスがいっぱいに漂って臭かった。

つぎの演目を待っていると、しばらく休憩のような時間がながれて、化粧が汗ではげかかったピエロが十名ばかり、団員をうしろに並べ帽子を取ってしきりとおじぎをした。すると大勢のひとたちがお札や小銭を帽子に入れた。それであまりにも短い時間のサーカスが終了した。が、その観客のはしゃぎようは爆竹が鳴るようであった。やんや、やんやの喝采であった。大サーカスなどとは天地の差だが、お愛嬌だろう。

花代は上気し、丸い目をますます丸くして銀二に引かれて外へ出た。さっそく子どもたちがサーカスごっこしていた。まだ陽は西空のかなり上にあり、銀二は小腹がすいた。

このさきの南駅裏の一坑という炭住街を抜け、レンガ造りの高架橋の下をくぐると、二丁ばかりの商店街であった。ここは東から農家、西から炭坑のひとが買い物に来るらしく、ちょうどその時間帯のようで、田舎の商店街のにぎわいはひとしおであった。手伝いの買い物籠をかかえた子どもが幾人もいた。

ふたりはいろいろな店をのぞいて彦山川の支流の橋まで歩いた。商店街はそこでおわっていた。猿田彦の石碑と神社の鳥居が見えた。猿田彦大神は旅の神様でもあり、銀二は柏手を打った。

「なにか食べようと思うけど、きっと食堂は駅のほうだな」と銀二が言うと、花代がその小川の川下を指さした。川の棒杭の上に小屋が建てられて、「お好み焼き」と看板が出ていた。入り口の、のれんのあるほうだけが路であった。入ると、子どもが三人なめるように食べており、鉄板の前におかみさんがひとり、あいそもなく立っていた。注文すると、おかみさんが小麦粉のといたものをわずかに鉄板にひろげ、なかに多くもないもやしを入れた。ひっくり返し、そこにソースをかけ、わずかな青海苔をふった。それで出来上がりであった。小腹もおさまらない。またひとつ、またひとつと、四枚食べてようやく田川までもちそうであった。子ども相手の駄菓子屋的お好み焼き(?)店だった。会計はおそろしく安かった。ふたりで七枚食べ、たばこの「ゴールデンバット」が一箱買えるくらいの額であった。

出ると、どこもまだ子どもたちで町があふれていた。ふたりはいそいそと南駅へ向かった。とちゅうに坂があって、

「紙芝居が来とる!」

「御旅所ぞ!」

と坂を数人の小学生が走って登っていた。

「どんな紙芝居かな」

「すぐそこやろ。行ったらよかね」

坂を登ると、拍子木をたたく音が聞こえてきた。そこは小学校の前の丘の上に建つ御旅所の広場で、一本の巨木の楠の枝でおおわれていた。十五人くらいの子どもたちが黒い自転車荷台の舞台の前に集まっていた。銀二は紙芝居屋を見ておどろいた。

「はい、これからはじまるばい。おっ、大人も来よった。隅におけんばい」と笑った。

下田時司であった。しかも紙芝居は『カラスに乗った次郎』という銀二の原作だった。これは『ニルス・ホルゲルソンのふしぎな旅』のいわば盗作まがいの作であった。

「みんな飴を買わんでも見てよか。しかし、おいさんは遠くから来たけにスルメ飴はなかばい。さて、はじまり、はじまり。むかし山の町にいたずらばかりする次郎がいました。その日は朝からとうちゃんもかあちゃんも出かけて、次郎はどんないたずらをしょうかと考えていました」

画を繰りながら名調子がはじまり、子どもたちはもう目が点になり、耳を傾けていた。

ふつう紙芝居は短い。「この続きは明日ここでするき、来

てな」と言うのであるが、画を三回入れ替えておわりまでした。そしてニッケ味のねり飴を買った子どもは半分くらいだった。銀二たちも買った。半分に短くした割りばしの先で飴をねると白濁した。

子どもたちが楠の根方に登って遊びはじめた。花代が楠の太い幹を見に行ったので、銀二は下田に声をかけた。

「センセイ、ここまで十五キロくらいあるでしょ」

「その発音が変じゃ。シェンシェイじゃろが」

下田は例の長崎行きのとちゅうであると話した。

「駅裏の一坑に仲間がいての、そこに泊まって冷水峠へ向かうのや。あすは山田市までじゃが」

どうも旧長崎街道を行くようだ。銀二は博多から唐津、佐賀の予定であった。

「石炭や木材のトラックが多いから気をつけて」

「そう多かな。しかし、思うたことはやってみるもんや。いい気色たい。ところであん子を嫁にもろち、落ち着かんな」

「まさか」

「そうそう、活版所に安田がおるやろ。筑豊炭労専従の書記になりたいそうや。とうとう掘進夫(くっしんふ)になれん男やったが、アゴたんやき似合うとる。どうや銀二、本雇になったらよかな」

「それはまだ安田さんの希望でしょう」

と銀二が言ったが、活版所に来た日に安田の機嫌がよかったのは後釜にするつもりだったのだろうか。

「まあ、いずれの話たい。活版所は福岡にも、たんとあるやろが」

花代と一緒だから挨拶をして銀二たちは駅へ向かった。これは町立病院や鉱業付属病院などがあるからだそうだ。金具店、練炭豆炭の販売店もあった。しかし、筑豊全体にいえることだが、とにかく飲み屋とパチンコ店が多い。この町にもパチンコ店が三軒あるそうだった。

駅前にもけっこう大きな飲み屋兼食堂が三軒あり、ふたりは顔を見合わせ笑ってしまった。天丼でも、巻き寿司でも麺類でも食べられたのである。その一軒は鯉料理店だった。しかも看板には「ヤマメあります」とも書かれていた。そうだろう、秋には上流は紅葉がうつくしい渓谷である。

「でもね。花代ちゃん、ああいうお店はいいんだ。その土地の味や個性がわかるし。どこでも食べられる料理ではつまらない」

「長野はどうやったと」

「温泉町だから温泉卵が名物くらいか。それと串団子くらいだな。きょうのあのお好み焼きやニッケ味飴なんて、子どもになったみたいだ。子どもと動物が自然だからね」

南駅の時刻表を見ると、だいたい一、二時間に一本くらいであった。この駅から路線が二方向にわかれていた。ここが始発の香春方面は乗りかえがあった。早く出る香春方面行に乗車した。

彦山川に沿う路線から遠く霞んでいた香春岳が迫ってきた。山の虫歯のようだと言ったら、花代が笑った。銀二の欠点が、前歯の真ん中の下の一本が欠けていることだった。大阪の道頓堀でチンピラと喧嘩して折れたものだ。やがて家並みが白くなった。

乗りかえ駅は伊田と香春の中間くらい。眼前にそそり立つような香春岳一の岳の見える駅で降りると、汽車を待たずに、ひと通りのない里道のような路を歩くことにした。通りに出れば路線バスがあるそうだ。街に着いたら口直しにチャンポンでも食べよう。

とちゅう、高いボタ山が道横にすそをたらしていた。土留の黒い石垣が一メートルの高さくらい、その上に灌木が茂っていた。

「花代ちゃん、ぼく登ってみるよ」

「あんなに汚れると言ったやろうに。作業服と地下足袋ばきでないといけんよ」

銀二はコールテンのズボンのすそをまくった。

「よか、わたしも付き合っちゃる」

西陽がまだ盆地に赤々と残照を残し、少し風が出てきていた。灌木の茂みを抜けると、腐葉土からボタに変わった。登りはじめてわかったことは、このボタ山がかなり新しいことであった。朝鮮戦争のころか、そんな時代に思えた。

表面もやはり滑ったが、その下のボタもしまっていなかった。しかし、表面の浮いた砂状のボタに気を付ければよいのだが、距離で四十メートルほど登って花代を見ようと下を向くと、これは相当まずいと思えた。転んだら真下まで落下するしかないのである。摑む草木ひとつなく、高度感もあるが、傾斜が並ではなかったし、退院以来運動らしいことしていなかったのだった。すでに自慢の茶の革靴は粉炭が付着し、つま先が真っ黒であった。そしてなにより銀二の三分の二ほど登った、慣れているはずの花代が転倒しかねない、ぶきような姿に見えた。まったく運動神経がないらしい。上まではあと三十メートルはありそうだった。だいいち、しゃれ者の銀二は身なりをとても気にするタチである。

「降りよう、これはダメだ。靴はひとつしかない」

「それ、見たことかいね」

銀二はこのどさくさまぎれがよいと思った。そして彼が言った。

「仕事が少ないから、ぼくは二、三日後に西に向かって旅立つだろうな」

「そんならあたしを放って行くと」

「それはもう言っただろう。ぼくは渡り者だよ」

「それなら、あたし京都に行くけど、銀二さんが京都に来てくれんと」

しかし、立ち寄るわけにはいかない。銀二のような、いわば遊び人が、花代の住み込みの老舗織物店へ行けば、どんな噂が立つかもしれないのだ。

「ん。きっと立ち寄るよ」

と銀二は言うしかなかった。

花代は赤いズックばきで、これも汚れているにちがいない。ふたりは期せずして一瞬、西に沈みゆく太陽を見た。ずるずると半分滑りるように下ると、花代はかがんで灌木に摑まり、銀二は灌木の藪にどどっと突っ込んで止まった。ふたりは笑いが止まらなかった。

路に下り、靴とズックを脱いで底を打ち合わせると、あんがい簡単に粉炭が落ちた。雨や露のあとだったら、やはりこびり付いたにちがいなかった。靴下のふたりは大きな声で自分たちの姿をまた、笑い合った。


（了）

原稿募集

## コラム，近況報告 原稿をお送りください

❈コラム　ほっと一息，ブレークタイムのページです。

内容は自由。ペンネーム可。

400字くらい。


❈近況報告　ご自身の近況をお知らせください。

同人のみなさまと誌上親睦をいたしましょう。

200字くらい。

▷原稿送り先

Eメール：2kyubundojinkai@gmail.com
〒818-0035　筑紫野市美しが丘3－1－10－601　目野方
木島丈雄宛

※締切……春号は11月20日です。

# 思い出はコーヒーの味

小野　悟

一生も終焉段階になると、全てが思い出になり、遂には思い出しかないこととなる。思い出は成長するし、人をも成長させる。化石となっている思い出を手に取ってみると、ほろ苦いコーヒーの香りがする……。あの世への入り口で、その化石を中にして、この世のしがらみから離れ、死者、思い出の人たちと話ができる。一生の最後の楽しい時となるだろう。

三月、彼岸を過ぎて、やや暖かくなったと感じる。季節が巡ってきて、命あるものが動き始める。庭先の雑草はそれぞれ陽の光を楽しんでいる。珊瑚樹の若い葉っぱが午後の日差しを受けてキラキラと輝いているが、虫に食われて孔がある。虫たちも繁殖を急がなければならないようだ。

一方、これとは裏腹に、世相の方は依然寒さから抜け出せず、曇った天気が続いていて、一向に晴れる気配はない……。時代が老いているように感じるのは、多くの課題を抱えた上に、少子高齢化が進んでいるからか？　或いは、自身が老いたからか？　しかし、この世に老いないものなどあろうか？　永遠なるものがあろうか？（春の暖かさを与えてくれる、あの太陽にしても、日々膨大なエネルギーを消散しつつ、老いているに違いない）

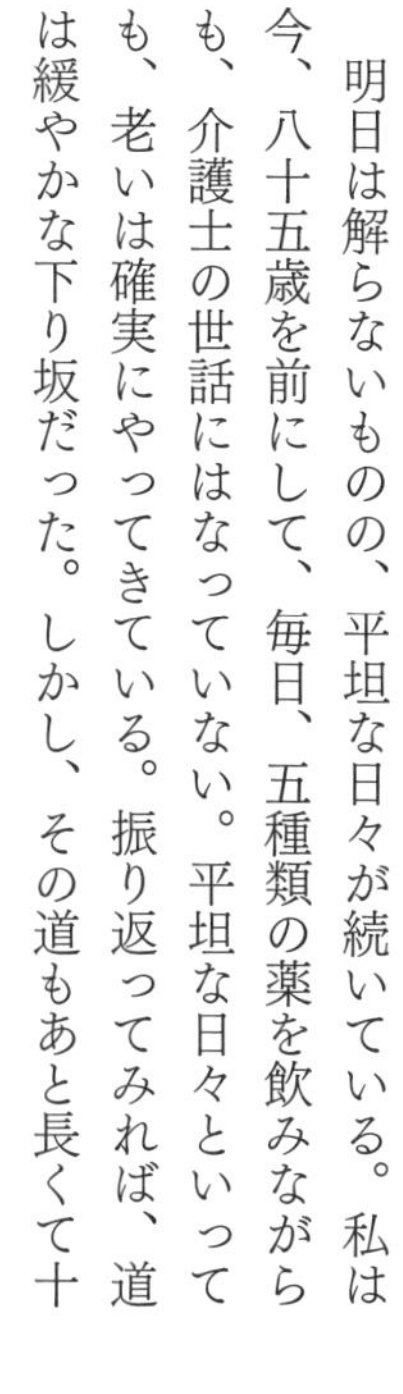

明日は解らないものの、平坦な日々が続いている。私は今、八十五歳を前にして、毎日、五種類の薬を飲みながらも、介護士の世話にはなっていない。平坦な日々といっても、老いは確実にやってきている。振り返ってみれば、道は緩やかな下り坂だった。しかし、その道もあと長くて十

年で終わる。だが、それがどんな道になるか解らない。曲がりくねっているか？　断崖があるか？　平坦な何もない寂しい道か？　そして、どんな所に出るのか？

車の免許は返上した。連れ合いは車の免許は持っていないので、不便この上ない。この小さな地方都市では車は必需品だ。行動範囲は狭くなった。だが、経済的にも、便利な大都市に移るわけにはゆかない。縁もなく移り住んだ、この異郷の空の下、運命に従い、今の住いが終の棲家となる。

車をやめてみて、車社会の現実が初めて解った。便、不便を別にして、これは大変なことになっていると思った。でも、もはや後戻りはできまい。行き着くところまで行くしかないか？　やれやれ……。

パソコンはメールと文書作成、情報検索くらいしかやらないが、詐欺まがいのメールには悩まされる。全く変な世の中になったと思う。独り歩きを始めたような、この冷たい文明は人をどこに引っ張って行こうとしているのか？　それが解らない。やれやれ……。

午後三時すぎ、連れ合いの佐知子とコーヒーを飲みながら、たわいない話となる。耳が遠くなり、スムースな喋り合いはできないが、互いの思いのすれ違いがないのが幸いだ。コーヒーはキリマンジャロ・ブレンドの豆を手回しのコーヒー・ミルで挽き、ドリップ式で淹れる。

佐知子が言う。

「暖かくなったし、間もなく、あの川沿いの桜が咲くわ……」

「あの川まで、車だったら一時間足らずで行けるが、バスやタクシーを乗り継いでゆくほどの所でもない。車におさらばしたのは大変なことだった。花見の仕方まで変わってしまうんだから」

「これから、いろんなことが変わるでしょう。買い物も、食べ物も……。で、今年の花見は公園の一本桜にしましょうか」

「寂しい感じだが、老木の桜をゆっくり眺めるのもいいかもしれない。老木が何かを語りかけてくるだろう……」

「私たちはただ忙しく働いていたばかりだった。世の中をゆっくり眺め、考えることはなかった。私たちが見ることができなかった世の中を老木は見ていたでしょうね」

「しかし、それを理解できるかどうかだ」

「解らないかもしれない。でも、一応耳を傾けてみなければ……」

「兎に角、花見酒をしながら、老木の話を聞こう。やはり、ほろ苦いラガービールで聞くのがいいか？」

「いや、キリマンジャロで聞いた方がよいかもしれない。キリマンジャロの苦味の方がきっと合う」

「老いた桜といっても、花は淡い甘い香りだ。それとキリマンジャロの香りが合うかどうか？」

「老いた花を見ながら、コーヒーを飲むのはまた違った感じになるわ。うまく合えば、あの老いた桜に『キリマンジャロ桜』と名前を付けたらどう？　一本桜では何だか捨てられた感じがするから……」

「みんな首を傾げるだけだろうよ」

「？……」

「悪い名前ではない。それぞれが勝手に好きなコーヒーの名前を付けて呼ぶことにしておけばいいのさ」

「あの川へ蛍も見に行ったけど、もうあの川へ行くこともないかもね……。とすると、あの川沿いの桜も蛍も思い出になってしまうということね」

「何もかも思い出になるか！」

「でも、何時かその時がやってくるんだから……、いや、その時がやってきたんだわ」

「知らぬ間に、何もかもやってきて、終わる。やれやれ……」

「コーヒーが冷めるわよ。コーヒーが苦くなるわよ、思い出のように……」


お互いにあれこれ喋った後、自室に戻る。連れ合いは自室でピアノを弾く。私はソファーに身を預け、軽いたばこに火を点ける。ガラス戸を通して差し込む西日は強く、暑いくらいだ。

目を瞑るが眠気はやってこない。たばこを吸いながら考え事になる。考え事というよりも、雑事、雑念が、土足で頭の中に踏み込み、駆け巡る。やれやれ……。


毎朝、朝食ではトーストを食べながら、新聞を見、テレビを見る。先ずは、コロナのパンデミック、米中の喧嘩、若者の失業、ＧＤＰ……、日銀……、政府……、三面には理解を超えるような殺人事件、本の広告には「若さを保つ方法……四十万部突破……」等々。コロナの状況には関心があるが、その他にはない。だが、こんな情報でもなくなると、寂しいに違いない。この世への未練か、煩悩だろうか？　世の中、時代から外に出ることはできないにしても、このように世の中に飼いならされているとすれば、煩悩とは悲しいものだ。

何故か、希薄になりつつある頭の中が雑念でますます発散してゆくようだ。まるで、海の底に沈み、何もかも海水に溶けてゆくようだ。

記憶と思い出を辿ってみると、「時間」とは実に不思議なものだ。時計は一定の尺度で時間を一定の方向に刻んでいる。しかし、記憶と思い出となると時間は一定の尺度ではないし、一定の方向でもない。

時間の尺度はその時代のその時その時で、また、それぞれの生涯のその時その時で随分変わるようだ。いや、尺度の違いというよりも、むしろ、その濃淡の違いだ。いや、もっと微妙な違いがある。譬えてみれば、エスプレッソ・コーヒーとアメリカンの違いのようなものだろうか？　いや、もっと大きいかもしれない。

子供が成長する時の時間、仕事をしていた時の時間、老いてからの時間……と、出来事を一つの平面の上に並べて、あれこれ思いを巡らせると、時間的濃密のみでなく順序も怪しくなる。更に、それらが絡まってしまって、思いは混乱してしまう。

七十年前の記憶や思い出となると、既に化石のようになっている。それぞれの輪郭は既に固定化している。

何故だろう？　恐らく、その思い出の人たちは既に鬼籍に入っているからだろうか？　思い起こそうとすると、その化石を手に取って、掌の上で転がしてみなければならない。

しかし、こうして化石を観察するのも悪くない。幾らか客観的に、わが身に起こっていたこと、人生、運命、わが想いを見ることでもあり、また、それらの時間の微妙な濃淡を見ることもできるからだ。

いや、それだけではなく、その時代、その世界の悲しみ、空虚さも手に取って見ることができるからだ。

しかし、表出しえない思い出も無数にある。矛盾し、絡まり合って解けない感情は表出できない。また、星のように小さな孤立した思い出も多々ある……。更に、表現技術の問題もある（優れた作家はこのようなテーマを上手く解きほぐし、一つの世界を描くことができるのだろう）。

母が亡くなって十一年になる。九十三歳だった。随分遠いことのようでもあり、ついこの間のことのようでもある。もしその時に、生まれた子がいれば、十一歳になる。小学校の五年生だ。子供の成長はめざましい。それを思えばずいぶん時間が経ったように思う。

しかし、今の私は八十五歳を前にして、十一年経って、自分がどれほど変わったのか解らない。何も変わっていないのかもしれない。とすると、時間は止まっていたのだろうか？……

## 少年期の思い出

遠くから誰かの声がする。誰だか分からないが、懐かしい人の声のようである。

「記憶とその時の思いを辿ってみるのはいいことに違いない。生涯の終わりが近い時期、過ぎ去った日々を辿ってみるのは有意義なことだ。きっと役に立つはずだ。

　さてさて……、お前さんが十一歳の頃、七十年以上の昔だ。当時あったことは既に化石となっているのだろうが、どんなことがあったか？　化石を掌の上で転がしながら、思い出せるか？……」

　相手は解らないが、それに応えようと思う。

　青みがかった灰色の確かな形をした化石が二つある。

　その化石の一つを手に取れば、ブルーマウンテン・コーヒーの芳しい香りがする……。心は過ぎ去った懐かしい世界を彷徨する。

　それは父が二年間のシベリア抑留を終えて帰って来た頃のことだ。十一歳、小学校の五年生の時だった。父は終戦の一年前に召集され、中年の二等兵として北朝鮮に渡っていた。だから足掛三年間、留守をしていたことになる。実に長い間、母も子供たちも切なく遠い父を思いながら、帰りを待ちわびていた。

　父は夜更けの汽車で帰ってくるとの知らせがあった。隣組の親しくしていた爺さんと子供たちが駅に迎えに行き、母は家で待つことにした。駅までは徒歩で二十分程の距離だった。

　爺さんは父の姿が見えたので、手を挙げた。父もそれに気が付いて手を挙げた。改札口を出てきた父に爺さんは言った。

「ご苦労でした。大変なことでした……。ほんとに、ご苦労でした。奥方は家で待っておられます。元気にしておられますよ」

「お迎え有難うございます。お宅や隣組の皆さんお元気ですか？」と父は言った。

「ええ、皆、何とか元気にやっています……。軍隊からも皆、帰ってきました。貴方が最後です。負傷した者はおりますが、お陰様で誰も命を落とした者はいませんでした」

「そうですか。それは何よりです……。よかった、よかった」と父は繰り返し言った。

　そして、子供たちに向かって言った。

「帰ってきたぞ。やっと帰ってきた」と父は笑顔を作った。

「大きくなったな……」と父は三人の子供の頭をそれぞれ撫でた。父は痩せて、日焼けしていたようだった。

「お帰り……」と子供たちは言って、頷くだけで、後は言葉にならなかった。

家への帰り道、爺さんは隣組の様子を話していた。父は一々頷きながら聞いていた。爺さんは家の前まで来ると、

「大変ご苦労でした。今夜はここで失礼します。積もる話もあるでしょうから、では、また明日……」と言って、帰っていった。

家に着くと、母は玄関から出てきて待っていた。

「お帰りなさい……。一日千秋の思いで、待っていました……」と母は言って、父の胸に顔を埋めた。

「帰ってきたぞ。やっと、帰ってきた……」と父は何回か繰り返したようだった。

父は軍服のままだったが、みんなで茶の間の卓袱台を囲み、落ち着いた。

「……自分は何としても生きて帰らなければと思っていた。幸いだったのは食堂の係だったこと。……タバコがなかった。……石鹸がなかった。……ソ連の兵士も結構貧しかった。……時計はくれてやった……」などと父は語った。

そして、続けた。

「はがきの便りで、様子は大体想像できた。大変だったろう……。しばらく休んで、これからのことを考えよう。いろいろ相談することはあるだろうが、しばらく休ませてくれ」

母はそれを聞いてから、ホッとした様子で言った。

「こちらもいろいろありました。でも、しばらくゆっくり休んでください。何もかもそれからです……。よく生きて帰ってくれました。有難う……」

母の安堵した様子は子供らにもはっきりと分かった。勿論子供たちも嬉しかった。暖かくなり始めた初夏の頃の夜だったと思う。母は善哉と梅干の握り飯を作っていた。家族そろったところで、それを美味しく食べた。

我が家にとっては、ここでようやく戦争が終わったことになった。

父は帰国後一カ月して、元の職場に復帰していった。

父は時々、「オーチン・ハラショー……」と言っていた。何かを思い出していたのだろう。

「冬の寒さは全く酷かった……」

「ロシア民謡をソ連の兵士が口ずさんでいた。ロシア語の歌詞は解らなかったが、哀調のメロディーはなかなかい

いと思った。『異国の丘』(吉田正)は聞いたことはなかった……」

「香月泰男のシベリア・シリーズは納得できた。記憶すべきことはあの絵の何倍もあるはずだ。忘れたいことは多いし、いずれ忘れてしまうのだが、記録は残しておかなければならないと思う……」

「思想教育はあったが……」と父は言いながら、何も話さなかった。察するに、食べること、命をつなぐこと、家族のもとに帰ることだけを考える者に思想などは無意味だったのだろう。

また、父は年老いてから、抑留中のことを二回、しんみりと時間をかけて、コーヒーを飲みながら、話したことがあった。内容は忘れてしまったが、イルクーツクとかバイカル湖という地名が出てきたことを覚えている。

父は十五年前、九十歳で亡くなった。夜遅くまで本を読んでいたが、翌朝、起きてこないので、行ってみると、亡くなっていた。苦しんだ跡もなく、理想的な死に方として、皆から羨ましがられた。父もコーヒーが好きだった。

また、遠くからのあの声が聞こえる。

「思い出は事実ではなく、様々な尾ひれが付いているはずだ。だから、何時までも残ってゆくわけだ。思い出の棲家は人の心だ。心は大切な思い出に何時までも住んでいてもらいたい。だから、大切な思い出ほど余計な何かが付いてくるわけだ。周りを花で囲っているわけだ。

言ってみれば、コーヒーのようなものかもしれない。コーヒーには砂糖とミルクがよく合う。苦味はやや薄くなるが美味い。すると、また飲みたくなるわけだ。思い出は大切にしておかねばならない……」

「成程、そして遂には、思い出だけになってしまうだろうが……」

「その時、思い出は大切な唯一の財産になっている。金では買えない。大切にしておかねばならない。尤も、金にしようとしても無理だが……」

「成程」

「忘れたいような苦い思い出も大切に持っておくことだ。苦いコーヒーもいいものだ」

戦中戦後は全く不思議な時間帯だった。実際、実に様々なことが起こっていた。

私たち家族が住んでいたのは田舎町の集落だった。この集落から大都市に出て行った者たちが、戦争末期、家を焼かれ、住まいを求めて帰ってきた。集落は彼らを受け入れねばならなかった。そのため、田舎町は賑やかになっていた。

　食べ物も着る物も何もかも不足していたが、遊び盛りの子供にとっては楽しい時間だった。大人も子供もそんな人たちとの間で、様々な出会いがあり、助け合いがあり、諍いがあり、別れがあった。こんな田舎に女郎屋もできた。赤痢が、腸チブスが流行り、何人か亡くなった。

　戦争が終わり、しばらくして、疎開してきていた彼らは都市に帰っていった。


　学校でも多くのことが起こっていた。終戦直前、学校は軍隊に接収され、生徒たちはそれぞれの集落の寺の本堂で授業を受けていた。

　和尚さんが最初に言った。

「ここには幽霊がいる。本尊の奥の暗いところには入ってはいけない」

「何だか気味悪いところだ」「肝試しするには丁度いいな」などと生徒たちは言い合った。

　終戦で再び学校に戻った。校庭は芋畑になった。どんな授業を受け、どんな遊びをしていたかは既に記憶から消えている。奉安殿は壊され、二宮尊徳の陶製の像も撤去されたが、校長からも担任の教師からも何の説明もなかった。


　学校の近くにパン工場ができ、雑穀入りの黒パンを焼いて売っていた。米軍が近くの小都市に駐留していた。彼らは二人連れで、大きなジープで一日おきにやってきて、パンを積んで帰っていった。それは特別にいい匂いのする食パンだった。或る日、私は幸運にも、やってきた米兵からチュウインガムとチョコレートをもらった。

「やあ、元気でやっているかい？　うん？」とその米兵は言った。私は頷いた。

「これをあげるから、夕飯の時、お母さんに開けてもらって食べるといい」と言って、牛肉の缶詰を差し出した。私は、「有難う……」と言って受け取った。

　彼は流暢な日本語でしゃべった。そして、私の頭をやさしく撫でた。

　彼はＭＰの腕章を付け、腰に小さな拳銃を持っていた。多分、彼は何かを調査するためにやってきていたのだろう。

　次の日、学校に行くと、それが仲間の皆に知れ渡っていた。

　担任の教師ではなかったが、「乞食のような真似をするのではない。恥を知れ」と言われた。

　頭を殴られ、ビンタをくらい、朝礼の間、列から離れて立たされた。その時の情けない、やるせない悔しさ……。

しかし、あの教師も価値観の転換に思いが混乱したのだと今になって思う。

教科書が変わり、教師の言うことも変わった。鬼畜米英が親米に……、そして男子生徒と女子生徒は机を交互に並べた。


さて、もう一つの化石だ。深煎りで苦味が一層深くなったコーヒーの香りだ。

この化石を手に取るたびに、人生の深い悲しみ、深い苦味、運命の過酷さが心にしみる……。そして、人間とは、人の世とは一体何だろうか？　と考えてしまう。


母には姉妹以上の親密な関係だった従姉がいて、家族ぐるみで付き合っていた。私たちは彼女、杜洋子を「杜のおばさん」と呼んでいた。互いの家は歩いて二十分程離れていたが、彼女は我が家にもよく来て、母としゃべっていた。

美人で、何時も身ぎれいに身辺を整え、どんな時にも薄化粧を忘れることはなかった。家の中は何時もきれいに整えられていた。庭もきれいに掃除されていた。日々の生活も規則正しく倫理的で、皆が模範とするところだった。私たち子供も可愛がられ、気を使ってもらっていた。

遊び疲れて、ぼんやりしていると、よく言われたものだ。


「そんなところで、ぼんやりしてるんじゃあないよ。わが身よにふる、ながめせしまに……だよ。時間は大切にするんだよ」

「ぼくは花じゃあないよ」と私が言うと、

「まあ、理屈を言って……」と、「杜のおばさん」に言い返された。

「勉強をするんだよ。遊んでばかりいないで、お母さんやお父さんの手伝いをするんだよ」

「はい、はい」と返事をすると
「はい、は一つでいいの」と言われた。

しかし、時に、「ご褒美だよ。これ……」と言って、赤や黄の美味しい甘い飴玉をよくくれた。


彼女の連れ合い「杜のおじさん」（杜明）も兵役にとられていたが、騎兵隊の中尉で内地勤務だったため、終戦と同時に帰ってきていた。仕事のできる有能な男だった。

男と女の二人の子供もいて、互いの家を行き来し、仲良く遊んだ。男の方は「浩ちゃん」（浩）で私より七歳年上、女の方は「郁ちゃん」（郁子）で、私より三歳年上だった。二人とも私たちを可愛がってくれた。

杜家の近くには大川があった。夏になると、私は毎日のように行き、水浴びを楽しんだが、「浩ちゃん」はいろんな泳ぎ方を丁寧に教えてくれた。自転車の後ろの荷台に乗せてもらい、あちこち遊びにも連れて行ってもらった。旧制中学の教室、体育館、図書館の中まで連れて行って、見せてもらったこともある。

「郁ちゃん」は私にとっては姉であり、初恋の対象だった。字も絵も上手だった。学校に提出する絵にはよく手を入れてもらっていた。また、バイオリンをやっていて、モーツァルトの小夜曲や、ベートーヴェンの「エリーゼのために」などを上手に弾いていた。更に、「別れのブルース」「夜霧のブルース」など大人の歌う流行り歌も得意だった。それを聞いた「杜のおばさん」は、「それは音楽ではないから止めなさい」と言っていた。

「郁ちゃん」は、「アメリカではこうして親しい者の間で挨拶するのよ」と言って、私のおでこにキスし、更に、ほっぺに、唇にキスした。

「わたしのここにキスしなさい」と言って、彼女はほっぺを指さした。

私は背伸びして彼女のほっぺにキスした。

「どんな感じ?」と聞かれたので、「柔らかい……いい匂いがした」と答えた。

「そう? ハハハ……」と彼女はおおらかに笑った。

大川で水浴びをした後、水着を着替えているのを彼女は見て、「可愛いオチンチンをしてるわね。ハハハ……」と何時もの笑い方をした。

「郁ちゃん」にはいろんな面で教えを受けたように思う。姉御肌のおおらかな女の印象もあり、憧れの的でもあった。

……化石を転がしながら、そんなことを思い出す。


戦後の世の中の混乱は依然続いていたが、生活が幾分落ち着いてきた頃だった。或る日、思ってもみなかった事件が起きた。殺人事件ではなかったが、事故で「杜のおばさん」が亡くなったのだ。

秋も更まった或る日、「杜のおばさん」と母は気晴らしのためにと言って、久しぶりに、或る行楽地に紅葉を見に出かけて行った。そこで二人は知り合いの男たちに出会った。男たちは「杜のおじさん」の仕事仲間であり、付合いがあった。その男たちの一人と「杜のおばさん」がボートで沖合に出た。そこで不良少年たちの操るモーターボートと接触した。「杜のおばさん」の乗っていたボートは転覆し、二人は溺れて亡くなった……。

新聞にも報道されたため、一大スキャンダルとなってしまった。杜家は大変なことになったが、男の方の家も、一家の支えを失ったのだから、杜家以上に大変だった。両家の間で諍いとなり、裁判になるかもしれないとも言われた。

あの時あの場所で、女二人が何で男たちに会ってしまったのか？　恋仲でもない分別盛りの女と男が何で一緒にボートに乗ったのか？　一寸した悪戯心、冗談のような遊び心だったとしか言いようがない。……とすれば、運命とは途方もなく過酷なものだ。その人から全てを奪い、周りの人たちの人生を巻き込んでしまうのだから……。

「杜のおばさん」が何故あんな行動をしたのか、男の方についても全く解らなかったが、罪は「杜のおばさん」の方が重いとされた。「杜のおばさん」はとんでもない女だということにされてしまった。

母はスキャンダルの現場にいたため、非難の対象になり、事件の一端を担いでいたように言われた。そして、ゴタゴタはしばらく続いた。当時、私は小学校の六年にはなっていたが、スキャンダルの意味、男女関係となるとよく解らなかった。母も父も、また幾らか関係のある者たちが頭を抱えながら、話をしていた。子供がそれらを聞くわけにはゆかなかった……。

母は一カ月以上、家から外に出ることなく謹慎していた。買い物には父と子供たちが行った。

家の中は惨憺たるものだった。勿論、杜家はもっと悲惨だった。

しかし、話をうまくまとめた者がいたのか、やがて状況は落ち着いてきた。事件から二カ月が経った頃、杜家の残された者たちはこの地を離れることを決めたようだった。そして、三カ月後、横浜に移っていった……。

出発の前日、杜家の残された三人が別れの挨拶に我が家に見えた。「杜のおじさん」が母に言った。

「……貴女に罪はない。偶然が創った事件、或いは、この混乱期の世の中が創った事件です。引っ越しのために家の中を整理しましたが、洋子は実によくやっていたことが解りました。私は洋子を見直しました。骨壺は横浜に持って行きます。いずれ墓も横浜に移しますが、そこに納骨します……」

三人は大きなショックから何とか立ち直ったように見えた。しかし、彼らの心の内のことまで解るはずはない。思うに、三人はそれぞれの立場で、人間存在の深い悲しみ、深い闇、運命の過酷……所謂、どん底を経験したに違いない。恐らく、その後の世界の見方、人間の見方は大きく変わっていったと思う。

浩ちゃんが私の頭に手を乗せて言った。

「元気でやるんだぞ……」

「勉強するんだよ……。シー・ユー・アゲイン」と郁ちゃんは何時ものように言って笑った。

これが郁ちゃんとの最後になった。

世間の目もあるし、この悲しい事件は何時までも長く尾を挽くのではないかと思っていた。だが、不思議なことに、やがて、この事件は世間の噂からも消えていった。

後になって考えてみるに、この事件が起こした様々なトラブルを解決したのは「杜のおじさん」だったと思う。相当の額の金も使っただろうが、相手の男の家との諍いも何とか解決したし、世間との関係もうまく収めた。また、「杜のおばさん」の名誉を回復すべく、事件をきちんと受け入れたことを皆に言っている。男として素晴らしいと思った。してみると、二人は素晴らしい夫婦だったと言えるのかもしれない。

あの事件から七十年以上経つ。どうにもならない化石だが、掌の上で弄っていると、今でも、いろいろと考えさせられる。

また、あの声が聞こえてくる。

「あの事件のことが忘れられないか？　人間存在の不可解な悲しい、よくある出来事だ。幾ら考えても答えなどあるはずはない。お前のお袋さんも皆に忘れてもらいたいと思っていた事件だ。あれはあのまま置いておいた方がよい。

負けて、戦争が終わった時なのだ。世の中がひっくり返ったようなものだ。いろんなことが起こるのは当然だ。まあ、小説が現実の世の中にはみ出してきていたのだ。あの時代の現実は小説をはるかに超えていたのだから……」

「成程。……して、考えさせられることがもう一つある。男と女の関係とは一体何なのだろうか？　愛、恋、好き、嫌い、慕う……様々な言葉があるが、どの言葉も適切ではないように思う。今になって思うが、愛、恋は男と女の関係で、最も遠い言葉のように思う」

「適切な言葉はない。人は未だ適切な言葉を作ることができていない。説明しようとすると、長い小説になる。『アンナ・カレーニナ』は随分長い小説だが、それでも十分だかどうか解らない。やはり、批評家が言うように、『幻想』と一言で片付けたのがいいだろう……。あの『杜のおじさん』も『杜のおばさん』を亡くした後、また新しい『幻想』を作ったわけだ……。いやいや、このことについては何も言えない。やはり、人間存在の謎としておく方がいいだろう」

「成程、成程……」私は頷くしかない。

そして、杜家との関係は次第に疎遠になっていった。年賀状のやり取りもやがてなくなった。母にとっては一生のうちの最も大きな悲しい別れだったに違いない。

また、母にはたった一人の姉がいたが、その頃、夫を病気で亡くし、夫の東北の実家に旅立っていった。別れ際、もう故郷へ帰ってくることはないと思うと言っていた。これも悲しい別れだった。思うに、母の人生は寂しすぎる。

――深煎りコーヒーの苦い味が心にしみる……。


我々はみんな或る星の下に生まれ、その小さな光に導かれ、それぞれの一生を生きてゆく。母たちの血統はあまり幸せな星の下に生まれなかったのかもしれない。今では、母の実家の家系は絶えている。

しかし、一生が終わってみれば、不幸な星の下に生まれた者がみんな不幸で終わったとは言えない。幸福な終わりであったかもしれない。不幸は人間を強くするからだ。母も強い女になっていた。


桜の開花の状況が報じられている。この地方都市の桜も見ごろを迎え、「キリマンジャロ桜」も見ごろではないかと思われる。そこで、コーヒー、ビール、弁当を持って、更に思い出をも持って、子供の遠足のように花見に行かねばならない。老木の桜は何を語るだろうか？

佐知子が言う。

「天気予報では今日は風もなく、花見には絶好の日和らしいわ。今日行きましょう。キリマンジャロは少し多めに淹れて頂だい」

「ああ、そうしよう。で、時間だが……」

「お昼を花の下で頂きましょう。食べるものは適当なものをコンビニで買いましょう」


朝刊には、コロナ・パンデミックは治まる様子はなく、難しい状況が続くとの記事があった。この地方には未だやってきていないが、人の混むところではマスクをしなければならない。花見にも、一応マスクは準備しておかねばならない。

私は杖を持ち、帽子をかぶった。連れ合いも鍔広（つばびろ）の帽子。未だ杖は必要としていない。コンビニに立ち寄り、花見弁当に適したものがないのでサンドウィッチと梅干の握り飯、ビールはぬるくなりそうなので日本酒のワンカップにした。日差しは柔らかだ。外気は暖かいというほどではないが、春を感じることができる。

公園を散策している人はいたが、花の下には誰もいない。私たちはシートを敷き、腰を下ろすと、冷たく感じた。春は未だ浅い。芝生と雑草が伸び始めている。

一本桜は、一本というよりも一株といった方がよい。一株から数本の幹が出て、それがたくさんの枝に分かれている。高さは五メートル余、枝張りの幅は十メートルはあろうか。花の枝先は手の届くところまで下がっている。老木とはいえ、見事な花をつけている。しかし、枯れて花をつけていない枝もある。また、根元には虫が入っていったような穴が開いている。

「老木とはいえ、見事な花だわ……。来てよかったわ」と佐知子が言う。

「あまり寂しげでもない……。この春を急いでいるのだろうか？」

「そうかもしれない……」

「幹の肌は少しばかり荒れている。枯れた枝もある……。しかし、花は見事だ」

キリマンジャロを紙のコップで飲んでみた。

「なかなかいいじゃあないか？　花の下のコーヒーも悪くないね」

「適当に甘いものを口にしながら、おしゃべりをすればいい。……『キリマンジャロ桜』で決まりだわね」

サンドウィッチを食べ、二杯目のキリマンジャロを飲んだ。それから、握り飯を食べ、酒にした。腹がいっぱいになると体が暖かくなった。シートの上に寝転ぶと、花が陰を作っているが、青い空はいささか眩しい。

「さて、折角来たんだから、そこら辺りを散策してみない？」と佐知子が言う。

「……何だか少し眠くなった。ここで休んでいるから、一人で廻って来てくれ。杖にすがっての散策はいささかきつい」

「じゃあ、ゆっくり休んで……」と言って、佐知子は腰を上げた。

私は帽子を顔の上に乗せ、眩しい日差しを避け、魔法瓶の水筒を枕にした。酒もはいっていた所為か、少しの間、うとうとしていたらしい。

私の顔の上に載せていた帽子を佐知子が取って言った。

「まあ、随分よく眠っているのね。私は公園の管理事務所に寄って、小一時間、いろいろ話をしてきたわよ。職員が一人いた」

「そんなに長く眠っていたか？　夢も見ずに、気持ちよく眠った」

佐知子は管理事務所でのやり取りを話し出した。

「一本桜は随分老いているようだから、次の桜の苗を植えておかなくていけないわね」

と佐知子が言うと、職員はそれに答えて言った。

「ええ、今年、十本程あの辺りに植えようと計画しております」

「それに名前を付けたらどうかしら？」

「いいですね。いい名前がありますか？」

「『キリマンジャロ桜』としたらどうかしら。……いい名前と思いませんか？」

「え？……」と管理人は首を傾げた。

「アフリカの山ですよね。どんな物語があるんですか？」

「コーヒーのキリマンジャロです」と佐知子が言うと、彼は更に首を傾げた。

「何かいい物語を付けてください。例えば、西行桜のような……」

「そうね。考えておきます」

「グレゴリー・ペックの『キリマンジャロの雪』という映画がありましたね」

「そうね、ありましたね。思い出します。グレゴリー・ペックはいい男でしたから」……

「そろそろ帰らなくては……。昼寝の時間ですから」と佐知子。

「俺はここで、このまま昼寝しよう。花の下は気持ちいい」

「どうぞご自由に……。私は先に帰りますよ」と佐知子は言って帰っていった。

私は再びうとうとしたが、直ぐに眠りに入ることができなかった。何だか、すごく疲れた感じだった……。

しばらくすると、老桜の根元から、老桜の精が出てきたようだった。

「先日来の思い出話は、貴方ですかね？」と私はその精に尋ねた。

精は如何にも親しげに言った。

「いや、私ではない……。誰だろう？　男の声？　それとも女の声？……」

「解らないが……」と私は応えたが、精は別の話を始めた。

「……私はお前さんより一回り歳をとっている。ずっと、ここで、人の世の有様を見てきた。

お前さんが思い出を辿ったように、あの戦後のことは混乱の極みだった。大部分の者はそれぞれの心の裡で処理して、思い出も化石になっている。しかし、人の世、この共同体としては、内側に対しても、外側に対しても戦後は終わっていない。これは実に危ないことだ。戦後を化石にしなければならんが、何時のことになるか解らん」

「成程……、戦後論は未だにあるが、様々でよく解らない」

「ゆっくり考えてみればいいさ。明治維新について知らなくっても、アメリカと戦争したことを知らなくても、この共同体の中で生きて行ける。飛行機に何故翼が必要か知らなくても飛行機に乗れるようなものだ。しかし……」と精は話を途中で切った。

「ところで、時間のことだが、ゆっくりするような時間はないぞ。お前さんは終焉まで、十年と思っているようだが、体が動き、頭が働くのは、後二、三年だろう。急がねばならぬ」

「しかし、それがなかなか難しい。この世への未練か、煩悩というものだろうか？」

「そうだろう……。だが、やらねばならん」

「時間よ、今しばらく止まっていてくれと言いたいところだ」

「思い出の時間は止まっても、現実の時間は止まらない」

「成程、それで、貴方もこの春を急いでいる？」

「そうさ！　急がねばならん」

「忙しくなるか？　やれやれ……」

公園に遊びに来た子供たちの声に起こされた。時計を見ると丁度三時半、いつも昼寝から目覚める時間だった。体が覚えている習慣というものは恐ろしい。私は杖にすがって家に帰った。

「花の下のお昼寝は如何でしたか？」と佐知子が言った。

「丁度、三時半まで眠っていた……。西行桜ではないが、老桜の精が出てきた。時を急げとか言っていたが……」

「そう？　何だか難しそうなことだわね……。また行って、話の続きを聞きますか？」

「話を聞いていると、何だか頭の中が混乱してしまう」

ガラス戸の内は今日も西日が強い。ソファーに身を預け、老桜の精が言ったことについて思う。体が動き、頭が何とか働くのは二、三年ならば、急がなくてはならない。思い出を整理し、気持ちを整えて、わが終焉を如何に迎えるか？　考えなくてはならない。やれやれ……。

## 青春期の思い出

戦後の混乱期を過ぎて、世間が少しばかり落ち着き始めた頃が私の青春の入り口だ。

平穏に、時間は大川の流れのように、静かに過ぎていったように思う。私の身の回りには事件と言われるほどのものは起きなかった。貧しかった若者が未だ贅沢ができる段階ではなかった。只、学校の勉強だけをおとなしくしていればよかった。

中学を卒業し、高校に入った。男女共学だったが、クラスは分かれていた。それでも若い女の子たちが身近にいることは楽しかった。花が近くにあり、いい匂いがするようだった。胸のふくらみ始めた頃の女の子はみんな美しく見えた。我々、男子生徒の目は何時も紺色の制服の女生徒の方に向けられていた（勿論、男子生徒の内側の目は制服に抑えられた胸のふくらみを見ていたし、スカートに隠され、黒いものに覆われた秘めやかな場所を夢見て、興奮していた。だが、行動に及ぶことはできなかった。今、そのことを懐かしく思う）。

男子生徒の目を引く美しい女生徒の一人が、一日に何回か我々、男子生徒の教室の前の廊下を挑発するように、スカートの裾を蹴って、スキップしていった。彼女は心の内で言っていたに違いない。

「わたし奇麗でしょう……わたしの鼻の形いいでしょう。脚の形もいいでしょう……」

「わたしが欲しい？……でも、駄目よ……貴方たち、わたしの対象ではないのよ……」

彼女は頭もよかったので、時々貼り出される学年の共通テストの成績順位は何時もトップクラスだった。

勿論、我々も心の裡では言っていた。

「我々が対象ではないのは解っているさ。貴女の顔に書いてあるよ……。でも、毎日あなたの美しい姿を楽しませてもらっているよ。あなたの冷たさも、スポーツ女子でなく、色白で何だか病弱な感じも魅力さ。あなたの姿が見えないと寂しいんだよ」

もし、私が彼女と喫茶店のテーブルで、コーヒーを前にして向かい合ったとしたら、どうなっていただろうか？　彼女の美しい姿を見ながら心は躍跳していただろうか？　映画の話なら少しはできたかもしれない。しかし、サルトル、ドストエフスキー、プルースト……などの話が出てきたら、私は何も言えない。ただ、俯くしかない。そして、地獄の底へ突き落されることになっただろう。

……やはり、教室の窓越しに美しい姿だけを見ているのが幸せだったと言える。心のどこかで、「杜のおばさん」の事件の教訓が尾を引いていたようにも思う。

――美しすぎるものには触ってはいけない（美しいガラス細工に触ると壊れ、手には怪我をする）。

だが、若者が思うことにしてはいささか寂しい。

勿論、心から好きな子はいた。おかっぱのYと、おさげのEだが、我々を挑発するようなタイプではなかった。やはり、彼女らを遠くに見るだけで、話をすることはなかった。これも後になって、それでよかったと思う。

尤も、我々にももっと素晴らしい女性がいたのだ。

勉強は所謂受験勉強だった。だが、よく映画は見た。仲間と見に行くこともあったし、気晴らしに学校からの帰りに、一人で映画館に寄ることもあった。ジョン・ウェーンの『駅馬車』、ヘンリー・フォンダの『荒野の決闘』（愛しのクレメンタイン）、モーリン・オハラの『我谷は緑なき』、イングリッド・バーグマンの『誰がために鐘は鳴る』『カサブランカ』、エリザベス・テーラー……等々だった。

悪友仲間の一人が言った。

「『誰がために鐘は鳴る』のバーグマンがいい。俺は惚れてしまった。あんな子のためなら、俺は命は惜しくない」

そこで、私は言った。

「確かに、バーグマンは最高だ。いい映画だった。だが、エリザベス・テーラーも奇麗だ。どちらもいい。俺はエリザベス・テーラーが好きだ」

「バーグマンは俺の女だ。お前はテーラーにすればいい」

「いやいや、バーグマンもいい」

「バーグマンは俺の女だ。手を出したら承知せんぞ。気軽にバーグマンなんて言うな」

「何だって？　ハハッ」と私は笑った。

「次にバーグマンなんて言ってみろ、首を絞めて殺してやる。心の内のどこかで思っていても駄目だぞ。解ったか！　この野郎！」

「変なことを言うな。だが、心の内で思っていて、どうして解る？」

「顔へ出るさ。今後、バーグマンの出る映画を見てもいかんぞ」

「馬鹿なことを言うな！　それでも、お前は男か？　本当の男はそんなことは言わない」

「え？……」

「『カサブランカ』を見たよな」

「勿論、見た」

「ハンフリー・ボガード演じるリックは恋敵にバーグマンを委ね、逃亡させるんだ。リックが最後に言う――『二人にはパリの思い出がある。それでいい』。これが粋な男というもんだ！」

「ああ、そうだったな！　夢中になると何も見えなくなる。隣さえ見えなくなる……。俺の完敗だ。参った、参った」と言いながら悪友は頭をかいた。

「バーグマンはいい女だ。だから、バーグマンが出る映画を見に行ってくれ、と言わなきゃあいかんのではないか?」

「成程、ヤキモチという奴か！　解ったよ」と悪友は言って、握手を求めてきた。

「いやいや、俺は身を引くよ。やれやれ……。ところで、現実のことだが……」と私は話を切り替えた。

「おかっぱのYとおさげのEと、お前はどちらがいいと思うか?」

「俺はおさげのEが好きだ」と悪友が言った。

「俺はおかっぱがいい……。安心した。恋敵にならなくてよかった」

「……殺し合いにならなくてよかった」

こんなことを言いながら、どちらも彼女たちと会って話をすることはなかった。もし会って話をすることがあったら、互いに相手を傷つけ、その後、どんな道を歩んだか解らぬ。しかし、貧しい、寂しい青春だったことは間違いない。冒険とか探検と言えるほどのこともなかった……。


バーグマンについては、やはり、初演の『カサブランカ』がよいと思う。共演のハンフリー・ボガードも好演だったし、主題歌の「時の過ぎゆくままに」もよかった。バーグマンが演じるルイーザは騒々しい大戦中に咲いた一輪のバラだった……。今も時々、DVDを引っ張り出して見ている。すると、悪友たちとの思い出が蘇ってくるというわけだ。

当時、「レジスタンスと恋」とか言えば、まじめな若者の憧れのテーマだった。今では全く考えられない。もし、今それを声高に言えば、テロリストのレッテルを貼られてしまう。これが平穏な世の中だろうか?……


時代が曲がり角に差し掛かる時、当然、ある社会現象があり、事件と言われるようなことがある。

花びらやごみを浮かべた川の流れも、何時しか、地形に沿って、右側に大きく曲がってゆく。その時、流れの中の大きな岩に当たって、数個の渦ができる。橋の欄干にもたれて、その渦の様子を眺める。或るごみは沈み、或るごみは再び浮かび上がり、流れの模様が変わってゆくのは見ていて面白い。——二つの渦が見える。


その一つ。——

『太陽の季節』(石原慎太郎)がやってきたのだ。小説がやってきたというよりも、社会現象がやってきたと言うべきだろう。「太陽族」という言葉ができ、あるグループの若者たちがそう呼ばれた。更に、「慎太郎刈り」というヘアースタイルまでも流行した。映画もでき、顕著な一つの社会的出来事となった。

　豊かになり始めた世の中で、その若者たちのグループは、自由を謳歌し、欲望を発散したかったということだろう。

　振り返ってみれば、あの頃、インモラルも含めて、皆が心の中で「太陽」を求めていたように思う。「太陽」が時代の一つのシンボルとなっていた。映画の分野一つを取り上げても、そのように見える。

　アラン・ドロン主演の『太陽がいっぱい』（ルネ・クレマン）はインモラル派の代表格だ。画面のバックを流れるニーノ・ロータの哀愁を帯びたメロディーは物語と随分距離を取っていた。それ故か、画面を見ながら、いろいろ考えさせられた。


「ああ、実に気持ちいい。……太陽がいっぱいだ」

（アラン・ドロンの最後の台詞）


　モラル派の代表格は『下町の太陽』（山田洋次）だろう。『陽のあたる場所』（ジョージ・スティーヴンス）は眩しすぎる太陽によって起こされたアメリカの悲劇だろう。その他にも、太陽をタイトルに使った映画は数限りない。

　また、太陽の塔は大阪万博のシンボルだった。

「心に太陽を、唇に歌を、そうすりゃ、何が来ようと平気じゃないか」（ドイツの詩人フライシュレン）は小学校の教科書にもあった。
「光あるうちに、光の中を歩め」（トルストイ）
「まっかに燃えた太陽だから……」と美空ひばりが歌っていた。
　大作家も太陽に魅せられていた。三島由紀夫が初めての海外旅行を船旅でした時のことだが、航海日誌にこう記している。
「太陽！　太陽！　完全なる太陽！……終日、日光を浴びていることの自由、仕事や来客に煩わされずに一日を日光の中にいる自由、自分のくっきりとした影を終日わが傍らに侍らせている自由、この一日サン・デッキにいて、忽ちにして私の顔は日灼けした。……」（『アポロの杯』）
　何と！　アラン・ドロンの台詞も映像も重なってしまうではないか！
　そして太陽は、三島の作品の中で次のようになってゆく。
「……正に刀を腹へ突き立てた瞬間、日輪は瞼の裏に赫奕（かくやく）と昇った」（『奔馬』）
「……芸術というのは巨大な夕焼けです。一時代のすべての佳いものの燔祭（はんさい）です。さしも永い間つづいた白昼の理性も、あの夕焼けのあの無意味な色彩の濫費によって台無しにされ、永久に続く歴史も、突然自分の終末に気づかせられる。……」(『暁の寺』)

「……この庭には何もない。記憶もなければ何もないところへ、自分は来てしまったと本多は思った。庭は夏の日ざかりの日を浴びてしんとしている」(『天人五衰』)

天才作家もあの時代、自由を手にし、太陽の支えを借りて書き、行動しなければならなかった。やはり時代の子だったわけだ。インモラルな若者と同じように……。

また遠くからの声がする。先日聞いたあの老桜の精のようでもある。

「太陽は何かにつけ、太古から人々のシンボルだった。シンボルというよりも、むしろ、神であった。だから、時代が上昇しようとする時、太陽はなければならないシンボルになる」

「成程。でも、上昇期のみならず、毎日多大な恩恵を世の中は受けているが……」

「上昇期、太陽が更に大きく、輝くということだ。ところで、お前さん自身はこの社会現象をどのように受け止めたか?」とあの声が問う。

「どういう訳か記憶に残っていない。女の子と太陽の映画を見に行ったことはあるが、何を見たか、その後で甘いコーヒーを口にしながら、何をしゃべっていたか、記憶にない……。私は傍観者として、社会現象を見ていたと思う」

「時代も過ぎてしまった。いずれあの頃のことは忘れ去られるだろう」

「しかし、『太陽がいっぱい』のニーナ・ロータのメロディーは今でもはっきり心に残っている。何故だろう?」

「あの映画は太陽とあの若者とあの音楽の三つでできているわけだ。……で、音楽が多くを語っている」

「成程……」と私は頷く。

「『日はまた昇る……』と、最近は聞かなくなった」と、あの声が言う。

「ガラス戸の内側で、西日を受けていると暑い。強烈に太陽は燃えているようだ。斜めに強烈な熱い日を受けていると、太陽は悪意に満ちているように思う。これから一層西日は強くなり、庭は砂漠化してゆくわけだ……」

「太陽は勿論、人間のことなど思っているわけはない」

「何故、人間は太陽に憧れるのだろうか?」と問うと、あの声が言う。

「基にあるのは『自由』だ。戦争も終わり、戦勝国も敗戦国も復興し、皆、多少の自由を手にし、味わい始めた。しかし、『自由』は一人では立つことはできないひ弱なものだ。

完全な自由は成立しない。あの時代、それを支えたのが太陽だったのだ。だが、自由が太陽だけで支えられることはない。何かもう一つ必要だ……。三位一体でなければならない。だから、太陽の季節も何時しか終わることになるわけだ」

（これらの出来事の時系列は、三島の船旅→『太陽の季節』→映画『太陽がいっぱい』だが、記憶では一点になっている）

さて、二つ目の渦は、「六〇年安保闘争」だ。

今や、あれから六十年が経過している。ある者にとっては全く関係のない出来事、ある者は忘れてしまった出来事、しかし、当時、学生時代を過ごしていた者にとっては未だ生々しく忘れられない出来事だ。私はやっと学生時代を終え、社会へ一歩を踏み出したばかりだったが、やはり忘れられない出来事だ。後で考えても、時代の大きな曲がり角だったと思う。そして未だその評価は定まっていないように思う。

「あの出来事にはどんな意味があったのか？　何を残し、歴史は何を語っているのか？」と、あの声に聞いてみる。

すると、あの声が答える。

「闘争には様々な課題が提出されていた。民主主義、講和条約、冷戦構造……。しかし、戦うには明瞭なプロパガンダが掲げられなくてはならない。それが『安保反対』だったわけだ。安保の改定自体は悪いものではなかった。幾分日本側に引き寄せた改定で、反対すべき明確な理由はなかった」

「闘争は大きな盛り上がりを見せていた。学生たちの組織『ブント』は大まじめだったから、多くの知識人をも巻き込んでいた……」

「もし、時代にも心があるとすれば、あれこそは時代の心だった」とあの声が言う。

「時代の心？」

「それは時代認識の底を流れているものだ。戦後追放され、死んだはずの者が、墓場から生き返ってきて、生き延びて残っていた者と手を結んだことだが、それを時代の心は我慢できなかったわけだ」

「成程、解りやすい解釈だ」

「しかし、『安保反対』ということだけでは如何にも弱い。ブントは純粋すぎて、戦略がなかった。潰されるのは明らかだった……。言ってみれば、二・二六の皇道派の若者や、明治維新の時の水戸藩の攘夷派と同じだろう。純真な心のみで、全く戦略はなかったわけだ」

「成程、生き返った奴らの方が勝つのは当然だったか？」

「その後、奴らは銀行と手を結び、最強の軍団を作った。新しい仮面を付けて、見事に戦前回帰を果たした。後は、見ての通りだ。どうしようもない時代に入ってゆくわけだ」

「尤も、半世紀以上も経て、出来事を解釈するのは容易なことだが……、しかし、それでよかったのかね？」

「良くも悪くも、そうなってしまったのだから仕方がない……。その後、如何に対応したかが問題だ」

私は会社の独身寮に入っていた。夕食の後、しばらくテレビを見るのが皆の習慣だった。安保闘争も毎晩テレビで見ていた。会社員である以上、左の立場で、この闘争を批判するわけにはゆかない。

……皆黙って、テレビの画面を見ていた。労務担当をしていた先輩格の男はポケット瓶のウイスキーを舐めながら見ている。一言も喋らない。何を考えているのか、何を見ているのか全く解らない。テレビの画面を見ているのか？テレビを見ている若者たちの表情を見ているのか？

賄いのおばさんが厨房から出てきて、皆とテレビを熱心に見ている。おばさんが言う。

「大変だね。これでは死人が出るよ。やれやれ……」。おばさんは真に世の中を嘆いている。

「女子学生が一人死んだよ」と労務担当の男が言う。

「え？　何てこった！　かわいそうに！　やれやれ……」

「もっとやれ、そこだ！」と一人が言ったが、学生側か警官隊側か、どちらに声援を送っていたのかは解らない。そう言った後、その男は自室に帰っていった。

やがて、学生たちの敗北で事件は終息していった。勝った政府側も政策を大きく転換した。

私たちの世代の就職も難しかったが、安保闘争後は更に厳しかった。就職を前に、大部分の者は学生運動から身を引いていたが、それでも活動していた者たちの就職はままならなかった。就職できなかった者の中で、親しかった友人の内のある者は受験塾の講師をやることになった。また、ある者はアルバイトでやっていたバーテンダーを引き続きやっていた。バーテンダーになった男は、こんなことを言っていた。

「ブントとは縁が切れていたが、就職はできなかった。彼らの純粋さは理解できるし好きだが、今更帰るわけにはゆかぬ。俺はこの商売、バーをやってみる。今度は、我々を負かした相手の裏側に回ってみる。……外資系ホテルの地下に会員制のクラブを作る。酒と煙草とコーヒーのサービスをする。地下室の、太陽は当らない場所だ。シンボルは太陽の代わりの永遠の輝きを持っている金（ゴールド、マネー）だ。で、会員の中心にバンカーを置く。……奴らから金を引き出す。担保は俺のアイディアとフォークロアだ。時代の心を探って分析してみようと思っている。どうか？　いい戦略だろう？　いや、奴らの戦略に乗ることになるかもしれない。しかし、今や大事なのは戦いに勝つことではない。勝った、負けたと言っても仕方がないよな……」

「素晴らしいよ！　俺は何も手伝いできないが、声援を送るよ」と私が応えると、

「声援をもらうだけで十分だよ……。有難いよ」と彼は言った。

その後、彼は不動産屋もやり、成功している。今、彼が思い出を辿るとすると、苦いものが胸に沁みているに違いない。

同じ頃、三井三池の争議もあったが、労働者側の敗北に終わる。そして、その後、炭鉱は悲惨な事故を起こすことになる。水俣病が起き、騒ぎは大きくなってゆく。

六〇年安保の後、左翼はみるみる力を失っていった。そして、戦前回帰を果たしたあの軍団は多くの問題を抱えつつも、前進してゆく。経済発展は全てを覆い、全ての問題を隠してしまう。どうしようもない……。

青春時代も何時しか過ぎてゆく。

深く付き合うことはなかったが、デイトの相手の心に幾らかの傷を負わせたことはあったと思う。

また当時、女を相手に酒を飲む場所は「〇〇横丁」などと呼ばれ、暗く寂しいが、ストレスを一時的に発散できる場所が街のいたるところにあった。また、法律ができてからもしばらくの間、赤線地帯も残っていた。

会社の独身寮の同輩たちも、しばらくすると次々と寮を出て、結婚し、家庭を持つようになっていった。私は知り合いの紹介で佐知子と出会い、互いに合意し、結婚した。

結婚してからが大変だった。愛だ、恋だ、好きだ、嫌いだ……などと言っている暇はなかった。協力し合わなければ、家庭は成り立たなかった。連れ合いたちは一円でも安いスーパーを探してきて、情報交換をしていた。水道の栓は固く締め、電灯のスイッチはこまめに切った。

こうして子供を持つことができた。子供がかすがいとなり、貧しい家庭も安定した。やはり、世の中は三位一体でなければ、良きことは成立しないようだ。

## そして、現在

世の中はやがて経済成長の時代に入ってゆく。六四年にはオリンピック、新幹線、東京の大改造、そして大阪万博へと繋がってゆく。また、六八年に各国の学生運動、東大の安田講堂事件、七〇年安保と続く。ビートルズの来日でブームが巻き起こる。また、ヒッピーなどの現象も見られた。

六〇年安保の辺りから、大規模な技術革新が始まり、生産性は飛躍的に上がった。会社の仕事は忙しくなり、給料も上がっていったが、生活が楽になったかどうかは解らなかった。

そして、車社会、プラスチック・エイジ、原子力時代がやってきた。世間は新しい時代の到来を謳歌し、人々の生活は劇的に変わっていった。

国の方は、ジャパン・アズ・ナンバーワンと言われたように、経済大国になっていった。当然のこととして、バブルが発生し、崩壊する。その後も成長は続くが、時代は最後の第四コーナーを曲がったことになる。

車社会、プラスチック・エイジ、原子力時代は、今や、ごみの山を築くことになってしまった（大気中に、海に、野に山に、都市に）。経済発展は全てを覆い、様々な課題や問題を隠してしまうわけだ。経済発展とは一体何だろう？……

その後も、地下鉄サリン事件、阪神淡路大震災、東日本大震災と続く。そして、今やコロナのパンデミックだ。騒がしく忙しい世の中で、多くの出来事や事件が続く。

しかし、何が起こっているのか？　何が残ってゆくのか？……何もなかったかのように、何も残らないかもしれない？……

暖かくなり、花は終わり葉桜となった。

今日も何時もと変わらず、佐知子と二人だけのコーヒータイムだ。話題というほどのこともない。同じような思い出の話が今日も続いている。

「暖かくなったし、散歩には丁度いいわね。天気はいいようだし、キリマンジャロ桜の葉桜を見に行きましょうか？」と佐知子が言う。

「また遠足？　子供の頃を思い出しながら行ってみるか」

「遠足の弁当を持って、思い出をもって……」

「弁当を作るのかい？」

「昔はお母さんがいろいろ丹精込めて作ってくれたけど、

今はスーパーで全て間に合う。でも、いいのか、悪いのか？……」

「何しろ七十年前のこと、昔々のことだ。いいも悪いもないさ」

「そう、昔々の別世界の話だわね……。私も四十年前、子供たちに何を作ったか、はっきりした記憶はない。子供たちはむしろ小遣いせびったのを思い出す」

「散らばった小さな点のような思い出がたくさんあるわけだ」

「遠足はその一つ……」

「ところで、老桜に名前をつける件はどうなっている？」と私が問うと、

「物語となると難しいから、短歌でもと思って……。そこで、こんなの如何？」と佐知子は言って、二つの短歌を示した。

花びらを　浮かべて飲まむ　キリマンジャロ
　遠き思い出　辿れば苦し
風誘い　花やいずこに　旅すらむ
　キリマンジャロの　雪今如何

「解りやすい。木の札に書いて根元に立てればいい」

「歌はその筋の人にチェックしてもらいましょう。十本ほどの苗木を植えると言っていたから……」

「だが、皆がキリマンジャロと呼んでくれるかどうか……」


キリマンジャロを入れた魔法瓶の水筒、ウイスキーのポケット瓶、チーズやハムなどを挟んだサンドウィッチを持ち、二人で公園に出かけた。

老桜は葉桜となり、豊かな陰を作っている。シートを敷いて、腰を下ろす。風はないが日陰は涼しい。昼にはまだ早かったが、サンドウィッチを口にしながら、ウイスキーを垂らしたキリマンジャロを味わった。

「ああ、気持ちいい……。太陽がいっぱいだ。今日もまた昼寝ができそうだ」

「老桜がいい日陰を作ってる。でも、死人と間違えられないように……」

「目が覚めたら病院のベッドだった、となったら大変だ」

「大変なことにならないようにね」

「目が覚めたらあの世だったとしたら最高なんだが……」

「どちらにしても、私は大変」

「さて、その前に、少し歩いて、公園の事務所に行ってみようか」

「キリマンジャロの件もあるし……」と言いながら、二人で事務所に向かった。芝生の間に生えた雑草が様々な小さな花を付けている。歩いて五分足らずのところに事務所がある。事務所にはその日も職員が一人いた。

佐知子は早速、キリマンジャロの件を切りだすと、その職員は言った。

「解り易い短歌だと思います。その筋の者に見せましょう。あの老桜ですが、数年は未だ大丈夫でしょう。来年の花時、短歌を書いた札を添えましょう」

「それから、作者は『詠み人知らず』としておいてください」

「その方が、みんなの話題になり易いでしょうね」

それから、職員は次のように言った。

「どこの公園も桜の木は多いものです。この公園のように一本の桜しかないところはありません。元々は二十本ばかりあったようですが、枯れてしまって、一本だけ残ったようです。何故か解りません。染井吉野も今では百種類以上あるようですから、取り敢えず今年、十種類、十本を試してみることにしております……」

三十分ばかり喋った後、昼になったので事務所を辞した。公園の樹々は緑を一層濃くしているようだった。佐知子は家に帰り、私は老桜の下に帰った。シートの上に腰を下ろし、キリマンジャロを飲み、ポケット瓶のウイスキーを舐めた。

仰向けに寝そべり、帽子を顔の上に置いて、眠気がやってくるのを待った。老桜の精との話は、「戦後は未だ終わっていない。それから、時間が迫っている……」だったことを思い出していた。

ウイスキーの所為か、眠気がゆっくりやってくるようだった。

しばらく眠っていたようだった。思っていた通り、老桜の精が現れた。

「戦後は終わっていないと言ったが、六〇年安保の後、あの軍団の連中は戦前回帰をやった……。そしてまた、また戦争が始まっていると思う」

「平穏なこの世の中で、戦争？」と私は首を傾げた。

「戦争の形も変わって、今度の相手は自分自身だ」

「成程、自分自身？……」

「大切なことはそれに早く気づくことだが……、気づかないとまた、負ける。

……ところで、お前さんには時間を惜しんで取り組まねばならないことがある」

「それは以前にも聞いたが……」

「お前さんは、自分自身の老いと、この時代の老いを嘆いているようだ。しかし、老いから逃げることはできぬ。上手くこれに取り組まなければ、上手くあの世へ行けぬ。人間五十年が、人間百年になっている。死に方はそれぞれ違う。他人のケースを参考にするわけにはいかぬ……。文明の進歩は老いも死も難しくしてしまった。高齢者のフレイル（虚弱）は病ではないんだが、そこから逃げることができると思って、みんな『悪あがき』している。結局、うまくあの世へは行けぬわけだ」

「難しいことだが……」

「自分の老いは自分で考えるしかない。その時、思い出は大切なものになるはずだ。死に向かって、前に進むためには、振り返って、過ぎ去ったことも見なければならぬ」

「成程……」

「時代もいずれ死を迎える。個人と同じように……。『悪あがき』では、いい世は開けない」

「いい方法はないものだろうか？　何か具体的な方法を言ってくれないか？」

「私は具体的な方法などは言わない。私は俗世の者ではないんだから……」

私は頷かざるをえない。


「この老桜も間もなく終わりを迎える。最後にいい名前をもらった。『キリマンジャロ桜』とはなかなか面白い名前だ。しかし、私も間もなく、近々来るはずの新しい桜に移らなくてはならない」

「私も同じ頃、終わりを迎えることになる。今日は面白い話を聞かせてもらった……。キリマンジャロを味わいながら、ゆっくり今後のことを考えさせてもらう」

「機会があれば、また会うことにしよう。結局、『鍵』はあの世だよ。そして、思い出だよ」と老桜の精は最後に言った。


子供たちの声がして目が覚めた。彼らは足蹴り自転車で遊んでいる。一人の子が言った。

「お爺ちゃん！　死んでるんじゃあないかと思ったよ。生きててよかった」

「寝てたんだよ。夢見てたんだ……」

「どんな夢？」

「ただの夢さ」

「ふ～ん……」と言って、その子は自転車を操って去っていった。

時計を見ると、三時半だった。何時もの昼寝から起きる時間だ。葉桜の陰を出ると、暑いぐらいだった。

西日を受けながら、杖に頼って家路を辿った。そして、何時ものようにキリマンジャロを淹れ、佐知子と話した。

「老桜は何か語りましたか?」

『キリマンジャロ桜』の名前は気に入っていたようだった。老桜はいろいろ考えさせるようなことを言っていた。結局、『鍵』は思い出ということらしい。最後はそれしかないわけだから……」

「成程ね。思い出は大切なものと?……」

「結局、思い出とはその中の人だ。コーヒーを飲みながら、その人たちと語り合うことだと言っているようだった」

## 母の最期

思い出の人となると、先ずは母、次に父だ。母にとって我が子は何時までも子供であるように、子供にとって母は何時までも母だ。父母に思いを馳せ、あれこれ考えてみる。

また、遠くからのあの声が聞こえてくる。

「……思い出を辿るか? その時の思いが思い出に被さってくる。すると、思い出は幾分変わってくる……。思い出は成長するわけだ。いや、歳を取ると言った方がよいだろう」

「成程。思い出は変わってくる? 記憶は小説だと言った作家がいたが……」

「全くその通りだ。小説であり、詩であり、絵画であり、音楽である」

「成程……、となると、歴史も小説かもしれない」

「その通り、歴史的事実などというものはない。物語なんだ」


父が亡くなってから、母はしばらく一人でいた。家の周りの田んぼや畑は人に任せていた。

都会での仕事を終えた長兄がその後、夫婦で帰ってきて家を継ぐことになった。母を呼び寄せて、都会での生活を続けることも考えていたようだったが、結局、都会の家を処分し、田舎の家を終の棲家と決めたようだった。これも運命といえるかもしれない。

その家で三人の生活が始まったが、やがて、母は離れで、一人の生活をするようになった。夕食は三人で食卓を囲んだが、その他は自分で好きなようにやってゆくと言った。

ある日、母は転倒し、骨折した。救急車で病院に担ぎ込まれた。フレイルは進んでおり、二カ月後、骨折は治ったものの、介護が必要となっていた。

私も長兄からいろいろ相談されたが、適切な提案をすることはできなかった。結局、本人、母の選択に委ねるしかなかった。人生の最終段階に至っての介護は正に大きな壁だ。制度が如何に整備されようとも問題は残る……。

母は家へは帰らず、介護施設に入ることを選んだ。病院を出た後、二、三の介護施設を回ったが、最後は特養に入った。私も時々見舞いに行ったが、新幹線を利用しても、施設まで四時間を要した。長兄か義姉が駅まで車で迎えに来てくれ、施設まで案内してくれた。

「お袋には、何時も言っているんだが……」と車で迎えに来てくれた長兄は言った。

長兄が母に「帰りたければ、いつ帰ってきてもいいんだよ」と言うと、母はこう言ったという。

「それは有難いんだが……、離れに一人寝ているのも何だか詰まらないしね。それより時々、貴方たちが見舞いに来てくれて、会って話をする方が楽しいように思うんだよ。まあ、これからどうなるか解んないけど……、しばらく、そうしておくれ」

「お袋はなかなか難しい、強い女だったが、倒れてから随分変わった。優しい、弱い女になった……。お袋としては、先のことが上手く見えないし、如何したらいいか解りかねているようだ」と長兄は遠い思い出を辿るように言った。

「成程、お袋も優しい弱い女になったとはね。歳かね?」

「それもあるが、倒れたことが大きいと思うんだ。一般的には、年寄りは頑固になると言われている」

「お袋がそんなに変わったとなれば、最期を見なければならない兄貴は大変だ」

「お前も、遠いところ大変だろうが、定期的に見舞いに来てやってくれ」

「当面、二カ月に一回ということにしておくよ。如何だろう?」

「それで十分だ。後は俺たちに任せておいてくれ。何とかやってみるよ」

「よろしく頼むよ……」

施設に行ってみると、母はベッドに横たわっていたが、顔色も良かった。

「遠いところを来てくれて有難いね。……どうにかやっているから心配無用だよ」

土産に持っていった和菓子を三人で口にしながら、話した。

「兎に角、介護というのは大変な仕事だよ。介護士はよくやっている……。私も婆さんの最期を看取ったけど、婆さんはあっさり逝った。あまり苦労をした覚えはないんだよ。でも、最近は最期が長い……。全く大変なことだね」と母。

「そうかもしれないが……、まあ、最後はゆっくり休むつもりでやることだね」と兄貴。

「私は今のところ、何も不満はない。でも、介護士との意思疎通は難しい。年寄りは問題だらけだから……、全くもって難しいね」

「施設もいろいろ工夫はしているだろうが……」

「何か人間関係を和らげるものがあるといいんだけど……。犬か猫がいればいいと思うんだ」と母。

「盲導犬や警察犬がいるんだから、訓練すれば介護犬もできるだろうね」

「介助犬というのはいるけど、一人の世話をするようになってる。ここの施設で必要なのは人間関係を和ませる役目だよ」と母。

「それができれば素晴らしいが……」

「私は猫が欲しいね。亡くなった婆さんは猫と仲がよかった。よく遊んでた。話がお互いに解ってたようだった……」

「ロボットを持ってきても、猫の代わりは無理だろう」

「あの温もり、スキンシップはできないだろうね。言葉ではないところがいいんだ……」と母は切実に猫が欲しいように言って、続けた。

「介護士と猫と入所者の三角関係だと思うんだがね……」

「成程、名案かもしれない。……でも、上手くゆくこともあるし、三角関係がもつれるとなると、大変だよ」と兄貴が言った。そこで三人は大笑いした。何事があったのかと近くのベッドに寝ている者たちがこちらを見た。


三十分余り母と話した後、施設を辞した。それから、新幹線の時間まで、駅前の喫茶店で兄貴とコーヒーを飲みながら話した。

「我々もいずれ介護士の世話になる。考えてみると大変なことだ。あの世へ上手くゆけるかどうか解らない……。医者の役割は長生きさせること。ホスピスをやっているところもあるが、基本的には病気を治して、復帰させること。介護施設の役割も同じ。あの世への道案内の役割は宗教が負うんだろうが、坊さんは葬式だけだ。ヨーロッパには安楽死の法があるが、これが難しい。下手をすると、ナチスの優生学の方向を向いてしまう……」

「成程、人間世界は難しいところに入っていったことになるか？」

「結局は個人の問題になる……。それぞれのことだ」

新幹線の席に身をゆだねてからも、いろいろ考えさせられた……。その頃、私は丁度仕事を終え、第二の人生を如何したものかと考えている時だった。未だあの世への入り口について切実に考えてはいなかった。

次に見舞いに行った時は、先ず長兄の家に行き、母がいた離れの部屋に入ってみた。

部屋の様子は母が出て行った時と何も変わっていないようだった。小さな仏壇には父の位牌と写真、三体の小さな仏像……それに御経本、数珠があった。小さな机の上には写経のための硯と筆、百枚以上と思われる般若心経を写した半紙が重ねられていた。本棚、テレビ、簞笥、小型の冷蔵庫、食器戸棚、縁側にはソファー等々。

「お義母さんが何時でも帰れるようにしております。……でも、お義母さんは帰らないと仰っています」と義姉は言った。

「好きなようにさせるのが一番いいですよ……」と私は頷いた。

「必要なものがあったら、持って行きますよと言っているのですが、何も持ってくるなと仰っています。お義母さんは今までとは違った何かと向かい合っておられるようです。何かは解りませんがね……。宗教には関心がおありだったようですが、今はないようです」

「介護施設に入って、随分変わったようだと兄貴は言いますが……、どう感じますかね？」

「いい感じですよ。随分優しくなられました」

「それを聞くと、私からすれば、何だか変な気がしますね……」

私は首を傾げ、笑った。義姉も首を傾げた。

「お袋たちと猫の話をしてたんだが……」と私が言うと、義姉が次のように言った。

「ああ、その話ね。コーヒーを飲みながら主人といろいろ話しました……。犬も猫も人間の仲間です。長い付き合いで、もはや切っても切れない関係です。種は違っても遺伝子レベルの関係になっていますね。でも、人間が作る規則に、犬は何とか収まるけど、猫は収まらない……。やはり施設で飼うことは難しいようです」

「成程、猫は難しい？」

「猫は自由なんです。だから多くの作家のテーマになるんですね……」

そして、義姉の運転する車で、介護施設に行った。母は何時ものようにベッドに横たわっていた。

「また、来てくれたかい……。ついこの間、来たばっかりじゃあないか？」

「もうあれから二カ月になるけど……」

「え？　そんなに？……」

それから間をおいて、母は言った。

「天気もいいから外を見てるんだ……。さっきから、あの屋根の上に、鳥が来てるんだよ。もう一時間もいるがね。何をしてるんだろう？」

「何かいいものが見えるんだろうよ。こっちを見ている？」

「解らんね……。何をしてるんだろう？」

母は同じ言葉を繰り返した。

「ところで、父さんは未だ帰ってきていないね。何してるんだろう？」と母。

「父さん？　ここにはいないよ」と私。

「お前の父さんではない。私の父さんだよ」と母。

「……そのうち帰ってくるさ。何してるんだろう？」と私。

「義父さんの写真を持ってきましょうか？」と義姉が言うと、母は言った。

「持ってこなくていい……。ここはあの人のいる場所ではないんだ」

施設を出て、新幹線の駅まで送ってくれた義姉の車の中で話した。

「少しばかり話がずれてきているように思うが、どうだろう？」

「でも、頭の中は明晰ですよ。認知症なんかではありません」

「そんならいいんだが……、新しい世界へ入っていったのかね？」

「きっと、そうですよ。世阿弥の世界ですかね？　私には解りませんがね……。でも、フレイルは進んでいますから、あと、そんなに長くは持たないと思いますよ」

「安らかに逝けばいいんですがね……。義姉さんも大変だ。施設との関係も気を使わなければならないんだから……。よろしくお願いします」

新幹線の席に身を委ね、目を瞑っていると、また、あの声がした。

「思い出は変わってゆく。すると、思い出を辿ってゆく自分が変わってゆくわけだ。そして、思い出がまた変わってゆく……。だからその時、その人の心の中を思い出自体が循環しているわけだ……。いや、この世は……と言った方がいいか？……」

次に見舞った時、母のフレイルは随分進んでいたようだった。ベッドに寝た切りで、食べ物も喉を通らず、鼻から管を通して胃に栄養を送っていた。母はか細い声で言った。

「ああ、また来てくれたかい。遠いところを……」

私は何も言わず、母の手を握ってやった。母はそれに応えたが、手の力は弱かった。

「……いろいろあった。今思うんだが、私はいい母親ではなかったようだ……。葬式は長兄がやるが、遠いところを来るには及ばんよ。あの女もとうとう死んだか！　と思ってくれればいいんだ……」

「そんなことはもう言うまい……」と言いながら手を握るしかなかったと思うが、確かではない。一時置いて、

「もう、何も考えたりせずに、成り行きに任せて、ゆっくり休んだら、いいんだ……」

そう言うと、母はゆっくり目を瞑ったと思う。

ここで私が、「いや、いい母親だったよ。感謝しているよ」と言っても、「いい息子ではなかった。孝行すべきだったが、できなかった」と言っても、もはやどうすることもできないわけだ。

母が眠ったことを確認して、施設を辞した。長兄と駅前の喫茶店でコーヒーを飲みながら話した。兄が言う。

「どうだい、俺はここのコーヒーが気に入っている。見舞いに来て帰る時、コーヒーを飲み、煙草を吸いながら、お袋が言ったことを考えるんだ」

「いい母親ではなかったと言ったが、どういうことだろう？　どう解釈すればいいか迷ってしまうが……」

「どうだろうね……、俺にも言ったよ。いろいろ考えてみたが、親にとっては子供は何時までも子供だ。どうしても過剰な配慮が働いてしまう。一人の大人として話し合わなければならんのだが、なかなかできない。……そんなことをお袋は言おうとしたのかもしれん。どういうことか？　と聞くわけにもいかんしね」

「最期、いろんな思いが頭の中を巡るのかね？　我々は未だそこまで行っていない」

「多分、最期が見えた時には思い出だけが残っているわけだ。だから、思い出を何回も反芻するわけだ。この世のしがらみを離れ、この世の義理を捨て、あの世へ逝った人と話をする……。いいことかもしれない。案外、楽しいことかもしれない……」

「成程、我々はこの世の義理としがらみで、がんじがらめになって、やってきたわけだ」

「お袋は家を離れた時、そこを考え始めたように思う。

何もかも家に残したままだった。仏壇に毎日手を合わせていたが、御経本も数珠も持ってきてくれと言わなかった。親父の写真も……。連れ合い関係も、親子関係も、宗教もこの世のしがらみと見たのかもしれない……」

「成程、考えさせるね……。とすると、あの世へ逝ったどんな人たちと話をしたんだろうか?」

「お袋の話には自分の親、兄弟と姉が出てきた。杜の浩ちゃん、郁ちゃんの話も出てきた。だが、杜のおばさん、杜のおじさんの話は出てこなかった。あの事件はお袋にとっては最も辛いことだったに違いない。誰にも触らせずに、あの世にあの重い石を抱いて、自分一人で持って行くつもりだったに違いない。俺も触れてはいけないと思っていたわけだ……」

「杜のおばさんの事件は重いね。俺たちにとっても、思い出の中で一番重い……」

「お袋は杜のおばさんと何を話したのか、解らない。我々にとっても遠い思い出だから、謎は解かない方がよかろう。お袋の最期は近いと思う……。思い出には十分浸っていたし、思い残すことはないだろうと思う」

帰りの新幹線の席で、お袋の思い出を辿っていると、また、あの声がした。

「……この世には実体はあるが、根拠とか本質はない。それが在ると思えば在るだろうし、無いと思えば無いということだ。あの世も同じ、在ると思えば、確実に在るだろう。

この世からあの世へは一本の細い道がある。お袋さんはその道を一人で行っていたということだ。重い石を担いで……。お前さんにもきっとそんな時が来るはずだ……」

最後に行った見舞いの日から一週間後、母が亡くなったとの連絡があった。長兄の家に駆け付けると、母は離れの自分の部屋に、北向きに安置されていた。死に顔は穏やかなようにも見えたし、元気だった時のいささか難しい顔もその下にあるようにも見えた。

葬式の翌日の午後、一応の後片づけを終えて、長兄夫婦、私ら夫婦、末妹夫婦の六人が母の部屋に揃った。

長兄はアルバムと、母が書き留めていた短歌のノート数冊を持ち出してきた。義姉がコーヒーを淹れてきたので、コーヒーを飲みながら思い出話となった。

「お袋は若い時から、自分が作った短歌を書き留めていた。膨大な量になっていたが、最後に五冊残していた。生活の歌と言っていいと思う。平凡な歌ばかりだが、時に目を止めさせるのもある。……これはなかなかいいと思う」

と言って、次の短歌を示した。

わが旅は　いつ果つるとも　知らずして
　辿りつつあり　ただに思いを

「成程、成程……」とみな頷いた。

「思い出を辿りながら、いろいろ思う。……コーヒーの味でしょうね」と末妹が言った。

「戦中戦後の歌も沢山あるが、あれは全て反戦の歌だよ……」と長兄。

――それから十一年が過ぎて、六人はそれぞれ歳を取り、あの世への入り口を前にしている。

季節は五月も半ば、暖かくなり初夏が感じられる。日も長くなった。私自身の平坦な日々は続いている。歳を感じ始めた私は時間を掛けて、思い出を辿ってみたわけだ。

本棚の古い本を引っ張り出し、あちこち見ながら、思い出と遊んだ。また、パソコンでも検索し、年代を確かめたりした。また、古いＤＶＤをパソコンに掛けた。

『風と共に去りぬ』は素晴らしかった。スカーレット・オハラとバトラー船長の男女のやり取りは素晴らしかったが、あのような男女関係の人生ドラマを演じた者は身近にはいなかった。

悪友との話を思い出していた時、深紅のバラ「イングリッド・バーグマン」の苗を見つけ買ってきて植えた。見ごろは三年先だが、見ることができるかどうか……。

思い出を辿るのも、母の最期を振り返ることで、一応区切りがついた。

キリマンジャロ桜の精の忠告ではないが、私自身は急がねばならない。終活などはさておき、身辺に整理しなければならないことが山ほどある（例えば、この終の棲家も適切な時期に、適切に処分しなければならない。朽ちるに任せるのは申し訳ない。思い出の沁み込んだ品々、生活を支えてくれた多くの物また物を廃棄物とするのは気が引ける……）。それを思うといささか気が重い。

ガラス戸を通して差してくる西日も傾き始めている。考え事の続きは夕暮れの老桜の下で、その精と話しながらするのがよかろうと思った。

「公園に散歩に行ってくる」と佐知子に言うと、

「キリマンジャロ桜との話？　ゆっくり話したらいいわ。夕食は？」

「勿論、家だよ。辛めの料理がいいよ」

「何時もの夕食を少し辛めにしましょう……」

私は杖を持って、公園に出かけた。外気は初夏の蒸し暑さが感じられる。老桜「キリマンジャロ桜」は多くの葉を茂らせ、緑を一層濃くしていた。やがて虫たちがやってきて、食い荒らすだろう。すると、老桜の老いは一層進む。

老桜の下の芝生に、仰向けに寝そべる。すると、老桜の精がやってきて、話しかけた。

「思い出を一巡すると、気づいたことも多いはずだ。老いが一歩進み、あの世へ近づいたわけだ……。いいことだ」

「本も読み直した。思い出も幾分成長したかもしれない。もしそうなら、貴方とあの遠い声のお陰だ」

「遠くからの声の主は解ったか？」

「それが解らない……。一体誰だろう？」

「杜の『郁ちゃん』と『浩ちゃん』だよ」

「成程……。あれ以来、会ったことがないんだ。風の便りに、杜家のことは聞いたことはあるんだが……。しかし、忘れたことはない」

「長い間意識の底で眠っていたわけだ。まあ、お前さんの老いが進んだということだ」

「そう言われれば、懐かしさが高じる……」

「やはり、思い出は大切だ。お袋さんがやったように、お前もあの世の彼らと話すがよい。彼らも積もる話があるだろう。浮世のしがらみを離れ、義理を捨てることだ……。あの世の人たちが待っているぞ」

涼しい風が頬を撫でたので、私は起き上がった。老桜の上の空には夕焼けがやってきている。私は杖を頼って立ち上がった。久しぶりに夕焼けを鑑賞した。そして、公園から家への細く曲がりくねった道を辿った。

全く知らなかったこの地方都市に来て、この集落に家を作った時、この辺りはほとんどが畑だった。細いあぜ道が迷路のようになっていた。家は次々にでき、畑はなくなっていったが、迷路はそのままだった。

暮れかかった集落を行く。集落に空き家が目立つようになった。暖かい灯が少なくなってゆくのは寂しい。空き家の庭の木々や雑草が伸び放題だ。何時の日か、この集落も老いて終わるのだろう。

キリマンジャロを味わいながら、父母は言うまでもないが、あの懐かしい「郁ちゃん」「浩ちゃん」、そして「杜のおばさん」「杜のおじさん」たちと、浮世のしがらみから離れて、積もる話をしなければならない。先ずはあの化石になっている思い出を中に置いて、話さなければならない。訂正しなければならないこともあるだろう。すると、また一つの世界が生まれるに違いない。

……人生最後の楽しい有意義な時間になるに違いない。

（了）

コラム

## パンと私

私は障害者になって以来、外出が減った。一人でバスに乗ることができないため、常に親の同伴が必要だった。

そのような頃、市の主催する障害者対象の講座にパン教室があるのを知った。パンが好きなので参加したかったが、バスでの行き帰りが問題だった。結局、母が付き添ってくれたので、パン教室に通うことができた。その後リハビリセンターに入所する決心がついたのは、パン教室で出会った障害者の方々の影響だろう。

リハビリセンターでの訓練の結果、一人で外出したりバスに乗ったりできるようになった私は、就職の夢が叶った。パンが好き、という単純なことが今の就職に繋がったと思うと、不思議なものである。

就職後は、通勤途中にあるパン屋に時折寄るのが楽しみになった。朝、昼食用のパンを買うと、昼休みを楽しみに仕事ができた。

入院して食欲が落ち、少しでも食べなければと悩んでいたとき、食事にパンが出たことがきっかけで、食欲を回復させることができたこともあった。好物の力は意外に大きい。

パン教室に行ったものの、家で実践したことは殆どない。教室の成果は、今のところ外出の機会を得、就職に繋がったことだけになっている。

（由）

# 雪しぐれ

由比和子

暖炉の薪の燃える音が心地よい。ぱちぱちとはじけて火の粉を含んだ炎は、千切れては上部の煙突へと吸い込まれていく。大広間は十分に暖かい。

中央の白布をかけた食卓には、料理を盛った大皿が湯気を立てて並んでいる。

十分に客人をよぶ準備ができたゆとりから、おきよは窓際に行き、窓硝子をおおった結露を指で拭き、外の様子を見る。

外はすっかり雪景色だ。平戸町のこの吉尾家の二階から、雪の降り積もった出島の家並、その向こうの唐人荷蔵、更に遠く島々が見える。雪が陽の光を浴びて美しく輝いていた。

「薪が足りないな」

主の耕作の声におきよはふりむき、「ただいま、ご用意致します」と答えて階下へ足をふみ下ろす。

そこへ早くに客人として来ていた近所に住む忠次が「僕が取ってきてあげるよ。勝手知っているから」と、おきよをさえぎり足早に下りていく。

それと平行して、客人達が次々と上がってくる。

「さ、どうぞ、どうぞ。本日は雪の中、ありがとうございます」

耕作自ら客人を食卓へと導く。

今日は、阿蘭陀通詞・吉尾耕作家恒例のオランダ正月の日だ。

オランダ正月とは元々、長崎出島のオランダ商館で毎年年初めに、オランダ人の商館長（カピタン）が日頃世話になっている住民の大通詞・小通詞、町年寄（行政に参加できる有力者）、乙名（有力者）、出入りの職人など、出島に関係のある者達を家族ともども招いて、オランダ料理でもてなす、何とも楽しい正月行事である。

耕作はそれをまねて、自らオランダ風に築造した座敷に、日頃懇意にしている通詞仲間、町年寄、乙名らを招いて労をねぎらうのであった。

今し方家族を伴いやってきた客人は、それぞれ耕作にみやげの品々、山うずらや鴨肉、薬草などを渡して徐に席につくのであった。

食卓には、料理人が腕によりをかけたオランダ料理の数々が並んでいる。鶏卵と椎茸の汁物をはじめ、鯛ひらめの潮煮、牛肉と豚肉の油揚、焼豚、野鴨丸焼、牛豚肉の腸詰、すりつぶした豚肉の小麦粉包み焼、オランダ菜カブラのバター煮、それらが大皿に盛られている。クッキーやカステラ、タルトの菓子類もある。客人らは、料理の色どりの美しさとおいしい匂いに歓声をもらすのだった。

耕作の年始の挨拶が終わると、お腹をすかせた子ども達が真っ先にスプーンを摑んで汁物をすくい口に運ぶ。それに便乗するように、大人達もおずおずと料理を小皿に取り分け、何とかナイフやフォークを動かし始める。だが、大人達は料理の大半を持参した御重につめて持って帰り、近くの親類とゆっくりと夕食に楽しむのが習いであった。

大人達がたわいない世間話に花を咲かせている横で、すっかり慣れた子ども達が腸詰を手に持ち、笑いころげている。

子ども達の中に、耕作の子、伝之助もいた。彼は器用にナイフやフォークを使い、「クウベイス（牛肉）、レッケル、レッケル（おいしい、おいしい）」と蘭語を連発して周囲の目を引いている。わずか四歳で蘭語を上手に操る様は、さすがに阿蘭陀通詞の名門吉尾家の御子だと、誰もが感動するのであった。これは耕作の適切な指導によるが、伝之助自身も今のところ嫌がらずに学び、しかものみこみが早い。

オランダ正月宴も盛り上がる中、おきよは時に席を立ち給仕役に回りながら、伝之助を目を細めて見守っている。この先、伝之助の成長が楽しみだ。おきよは母親としての喜びをかみしめるのだった。

あの頃からすれば、吉尾家の通詞後継の子の親になるなど思いもしないことであった。下女であった当時のことが甦ってくる。

おきよは、出島の荷役として働く日傭の娘。貧しい故、いずれは遊里の丸山へあがる予定であった。

ところが父親が仕事中に骨折して、医師でもある耕作に治療してもらったが、その治療費が払えず、また代わりに払ってくれる人もおらず、そこで娘のおきよが丸山に上がる間もなく吉尾家の下女として返済するまで働くことになったのだった。

既に母親は亡くなっており、元々高齢の父親を治療後はおきよの姉が看ていた。

おきよの仕事は多岐にわたった。まず、病の床に臥す奥方様のお世話。朝食後のテリアカ（解毒剤）の服用は欠かせない。

通いの賄い婦と朝餉をとると、次は二階のオランダ座敷の掃除。更に、その奥の蘭書を収納した書物部屋のはたきかけ。あわただしく昼餉をすませ、今度は医療室のお手伝い。

掃除はもちろん、結果的に一番収益をもたらしている梅毒治療薬「スウィーテン水」作りを、患者に渡すのが間に合わないとき調合を手伝った。一時期、頻繁に手伝わされたので、今も調合の割合を思い出すことができる。水：一二〇匁（四五〇グラム）、汞水：四分（一・五グラム）、白砂糖：四匁（一五グラム）。汞水とは水銀のことである。

砂糖を加え甘くして飲みやすくしたものを朝・夕二さじずつ服用すれば、梅毒が快癒していくというスウィーテン水は、蘭方医学史上、画期的なものであった。

吉尾家の医業は長男の永久が継いでいた。だが、もうひとつの阿蘭陀通詞の後継は、当てにしていた次男が長崎会所請払役の佐藤家へ養子に行ったので、誰もいない状態であった。

いずれにしても働くことは苦ではなかった。むしろ楽しくもあった。父の治療費返済のために下女奉公に入ったというよりも、よくもまあ何もわからない若い娘を雇ってくれたものだと、日がたつにつれ感謝の念さえ生まれてきた。

長年、年番大通詞（通詞団における年度当番幹事）と、江戸番大通詞（オランダ商館長一行が江戸参府をする際に付き添い東上する）の二役をこなす吉尾家は、長崎の町から隔絶されたような蘭語満ちあふれる世界であった。代々名門通詞職の家はどこもそうであろうが、特に吉尾家は蘭語教育が徹底しており、身の引き締まる思いでおきよは働いた。

来た早々、一番に驚いたことは、耕作が運営する医師育成のための成秀館塾で学ぶ門下生への「免状」授与式であった。

全国津々浦々から集まる門下生は延べ六百人から千人近くいたが、まず何よりも蘭語修得、かつ四十項目近い医療方法を学び通した者だけが巣立っていくのであった。

授与式は、故郷に戻り活躍する門下生に、耕作が訓辞をのべて「免状」を与えるのであるが、その後、食卓に招いて門出を祝った。ふんぱつした馳走を用意し、彼らを励ますのであった。これは習慣であるからして、この馳走にありつきたくて頑張る者もあると聞いた。

席上では全て蘭語で話すのが条件で、その場で恥をさらすまいと和語が出ないよう苦慮する門下生を、温かく見守る耕作の姿があった。

傍で給仕をしていたおきよは、誰も目もくれない自分の立場を思い知る。地味な小袖を着た唯の下働きの小娘に、若い医師達が興味を持つわけがない。

せめて、何とか雇い主の耕作の目に止まりたい。そうでなければ、借金返済と同時にお払い箱だ。

「そういえば、この頃あの娘は見ないが、もう借金は返し終わったのか」

「はい、丸山へ上がったようでございます」

そんなやりとりで忘れられていくのが落ちだ。

おきよは、ぶるっと身震いする。ここは、貧苦にあえぐ世間から程遠い別天地だ。それに比ぶれば、丸山など地の底に等しい。丸山になど行くものか。何とか、吉尾家にとどまっていたい。おきよは懸命に方策を考えた。

耕作は通詞職のかたわら、成秀館塾での講義指導や、医療にもたずさわる多忙極まりない生活を送っていた。たまに自室でゆっくり休むことを知ったおきよは大胆な行動に出る。

オランダ商館長から年始の挨拶に頂くゼネーフル酒（ジン）を耕作が大層に好むと聞いたおきよは、早速酒棚から出して、耕作の部屋を訪れる。

蘭癖（らんぺき）なわりには何もない簡素な部屋であった。まるで自分を空っぽにして振り返っているような……。中央の和机の前に、ぽつんと座っている耕作の姿があった。

耕作は、おきよの出現に驚きはしたが拒否はしなかった。じっとおきよを見つめて、下女となった経緯を思い出したようだった。

おきよは自分を印象づけたくて、いろいろなことを訊いて楽しい話の輪を演出する。どこにそんな力があったのかと思うほど、おきよは積極的になっていた。

「耕作様は今や偉大な阿蘭陀通詞でおわしますが、私奉公に上がりまして、初めて通詞になるためには並々ならぬ努力が必要であることを知りました。私、耕作様を尊敬致しております」

尊敬。これ以上ゆるぎない言葉があろうか。

「それはありがとう。確かに通詞になるためには努力もだが、それなりの能力がいる。血筋といった方がいいかもしれない。継ぐために父親から叩き込まれた」

耕作は、おきよがすすめたジンを一口飲んで、なつかしむように目を瞬いた。

「実のお父様からですか」

おきよの敷く流れに、耕作はのっている。

「もちろんそうだよ。父藤三郎は阿蘭陀通詞の名門・品川家の生まれでな、吉尾家に通詞の跡継がいなかったので養子に来たのだ」

「え、吉尾家に後継がいなかったのですか」

「祖父の代の時、子ども二人、医師の道に進んだからな。それで通詞になる者がおらず、絶やしたらいかんということで、父が後継として迎えられた。何しろ、長崎の商いは通詞がいなくては成り立たんからな。すぐに長崎奉行から父に口稽古が命ぜられた」

「それで、お父様はどのような方だったのですか」

「父は、ひと言でいえば、この吉尾家を背負って努力した人だ。将軍吉宗の時代でな、吉宗様は珍獣や洋馬の輸入に熱心だったが、当時の大通詞・今村源右衛門と共に、父は『差添え』という役で江戸へ赴いたことがあった。江戸では『御用生類方』を仰せつけられ、源右衛門を補佐して、輸入洋馬の飼育・調教などの加役もあって、相当の激務であったと聞いた。いずれにしても、当代随一の阿蘭陀通詞今村源右衛門から蘭語教育を受けていたのだから、おやじはすごい」

「それで耕作様は、偉大なお父様の影響でめきめきと上達し、十四歳で稽古通詞、十九歳で小通詞、そして二十五歳の若さで大通詞に昇進した」と、襖の外から若い女の声で語られると、カラリと襖が開いてひとりの女が入ってきた。女はすぐに耕作の横に腰を下ろす。

「おお、おせんか。かぜ気味と聞いていたが大丈夫か」

耕作が優しく気遣う。女は離れに住む耕作の妾であった。

「はい、もうとっくに治っております」

だから、かまってくださいと言わんばかりに耕作に体をすり寄せている。

おきよが敷いた流れが、いち時に崩れる。


おきよは押し出されるようにその場を立ち去ると、驚きと悔しさで涙が出てきた。

おせんは丸山の女郎上がりであっても、正妻の次の立場である。下女身分ではかなわない。

しかし、この際、子を産んだ方が勝ちではなかろうか。

負けるものかと気を取り直すと、おきよは二階のオランダ座敷へ向かう。気分を変えるために、掃除をすることにしたのである。

　出島のオランダ屋敷の欄干をまねて作った青漆塗り（ちゃんぬ）の梯（はし）子を上ると、そこにはオランダ渡りの珍品が所狭しと並んでいる。オランダ琴、望遠鏡、天体模型、地球儀、あつかい方のわからない寒熱昇降機、壁には西洋天象図、イギリス細工のビードロ額の洋画など、耕作が財にまかせて蒐集したものである。

　誰でも自由に観覧することができて、地方からの訪問客はオランダ座敷のすばらしさを故郷に帰って吹聴するのであった。

　おきよはむしゃくしゃがおさまらず、乱暴にはたきかけをしている。

「わあ、驚かさないでくださいよ」

　隣の書物部屋から不意に出てきたのは、阿蘭陀通詞の忠次である。通詞の家に養子に来ていながら、本業そっちのけで、こっそりやってきては蘭書を借りていって読んでいた。

「こっちこそ、びっくりしたわ。ひょっこり顔出すもの」

　おきよは、はたきかけの手を止める。

「どうしたのですか。掃除は朝のうちで、今頃はここにはいないでしょ」

「何もないですよ。ただの気分転換よ。忠次さんこそ昨日来たばかりでしょ」

「昨日借りた本はまだ途中ですけど、同時に色々と読みたいのですよ。近くにこんなに膨大な蘭書を収集した家があって、しかも自由に読んでよいということで、ほんとに助かっていますよ。肥前国平戸藩の松浦静山（まつらせいざん）は収集本を藩士にも利用させなかったそうですね。それからすると、成秀館塾の門下生も私も恵まれていますよ」

　忠次は借りていく本を上下に動かしながら、うれしそうに話す。忠次の、知識欲に不似合いな人なつっこい丸い目を見ると、とがった気持も和らぐ。

「耕作様は太っ腹ということね」

　気を取り直したおきよは、さらりと言う。

「まあ、欲を言えば、大半の医学書を出版すれば、門下生の書写の手間が省けますけどね。耕作さんは今のところお忙しくて、そのゆとりもないようですね」

「そうですよ。耕作様のお仕事は多忙をきわめ、年番通詞ひとつとってみても、全通詞の扶持米の請取りや配分、長崎奉行所とオランダ商館との連絡や交渉とか、蘭人の出島外の行動の手続き。それに大名などが出島視察の際にはつき合わなくてはならないの。その他にもいっぱいあるのよ。とても出版など気が回らないのよ」

　おきよはつい、むきになる。

「へえ、よく知っていますね。だけど、おきよさんが耕作さんの肩を持つの珍しいな」

忠次が不思議な顔をして、「じゃ、また」と、風のように去っていった。


今日も成秀館塾から、耕作の朗々とした講義の声が聞こえてくる。一度傍に行き話したことから、おきよにとって最早遠い存在ではない。かといって、狂おしいほどお慕いしているわけではない。

好き嫌いを通り越して、偉大なお方に自分の存在を知ってもらう……。いや、それでは弱い。子を産むのだ。耕作の子を。子の親になれば出て行かずともよい。一種の賭けだ。

とにかく、耕作が休んでいる時を見計らって、労をねぎらう形で近づくことを決心する。


おきよは、耕作が別室で、その前庭で飼っている猩々（オランウータン）という動物をながめるのを好むと知る。珍獣を嫌うおせんは、そこには近づかないらしい。

ある日、その時がきた。おきよは今度は酒棚からぶどう酒を持ち出し、ビードロの盃を添えて、猩々が見える別室へ行く。

「おお、名はおきよだったな。おせんはここには寄りつかんでな。おまえさんが来てくれて、ありがたい。いつも蘭人相手に蘭語ばかりだと、たまには若い娘と和語で話したい時もあるのだよ」

耕作は顔をほころばせた。おきよはうれしかった。

「でも、今し方蘭語を発しておられましたけど……」

おきよは、透明の盃に鮮やかな深紅のぶどう酒をそそぎながら訊く。確かに襖の外で聞こえたのは蘭語であった。

「こやつはな、ヴァタビアでオランダ人から調教を受けてきているからな、蘭語しかうけつけんのだよ」

おきよは、人よりも大きな毛むくじゃらの茶色の動物に、内心、腰が抜けそうに驚いていた。

「わしは珍獣好みでな。冬になれば温かい寝床を用意したり大変だが、飼っているとかわいいものだ。わしが来るのを待っておる。おきよ、今は恐いだろうが、直慣れる」

耕作は、ぐいとぶどう酒をあおると、おきよを不意に抱き寄せた。望んでいながら、思いがけないことにおきよは戸惑ったが、身をまかせる。

「この猩々は雌だ。こうしていると、やきもちをやくかもしれんな」

広い檻の中でのろのろと動く猩々に、耕作は優しい目を向けて言った。耕作が体を離す。

「あの、私、耕作様を心から尊敬申し上げております」

おきよは耕作の前にひれ伏した。一か八か、この機を逃してはならない。

しばし時がたった。耕作はおきよの手を取って再び抱き寄せた。温かい懐に包まれているようだった。


おきよは耕作の子を身籠った。

そのことがわかった日を一生忘れないであろう。もしやと思い、裏の神社傍の産婆宅を訪ねた。産婆は、間違いなく子を宿していると言った。おきよの目から涙があふれてきた。

「え、どうしたんだい。悲しいのかい?」

「いいえ、うれしくて……」

産婆は訊いた。望まぬ妊娠と見えたのだ。

「そりゃ、よかった。この頃、出島の商館員の子を宿して泣く女郎が後を絶たんからな。てっきり、そうだと思ったさ」

「子を宿して、泣くの?」

「そうだよ。相手の商館員が本国に帰る時、置いていかれるからさ。本国には妻子が待っていてな……。後は自分で蘭人の血の混じった子を育てなくてはならないからな」

「私はそうではない。産みたい。尊敬する人の子。とてもうれしくて泣いたのよ」

奇跡的ともいえる妊娠。うれしいのは確かだ。

「そうだったのかい。必ず丈夫な子を産むことだね」

産婆は手を握って励ましてくれた。

たどりつくまでのいくつもの階段の第一段に達したのみ。これからが大変なのだ。産婆の手の温もりの残る中で、おきよは覚悟を新たにしたのだった。


子を宿しても日常は変わらない。寝起きしている女中部屋からお屋敷に出て仕事をこなし、そしてくたくたになって女中部屋に戻り、泥のように眠る。

今でさえ体が熱っぽくだるいが、そのうちつわりがきて、仕事に支障をきたすこともありうる。

早めに耕作に妊娠を告げた方がよかろう。告げたとしても、産むことを許してくれるかどうか。おせんが妊娠すれば、そちらを大事にされるのだろうか。おきよは、不安に体が冷えていくようだった。

どんなことがあろうと必ず産む。おきよはまだ目立たない腹部に手を当てて、決心すると夜具から出た。

いつものように賄い婦と朝食を用意し、奥方様へ持っていく。

「あら、今朝は御飯が多い。お茶碗の半分と決めているのに……」

「あ、申し訳ございません。すぐ取り替え致します」

おきよは立とうとする。

「もう、いいですよ。それよりも何かあったのですか。初めての間違いですよ」

何かを見抜くように、奥方様はおきよの全身を隈無く見つめる。目が恐いくらいだ。

「いいえ、特に何もございません」

おきよは緊張して俯いている。

「耕作のお世話を、あなたにお任せするしかありませんね。若いあなたに……」

奥方様は肩で大きく息をし、溜息をつくとお箸を持つ。思いがけず全部召し上がった。

「今朝はなぜか食べる元気が出ました。あなたに負けまいとしてかしら」

奥方様はそう言って、おきよの腹部に視線を向ける。女の勘が働くのだろうか。「お大事に」と小さく言って、布団にもぐられた。「ありがとうございます」と、おきよも小さく答えてお膳を引く。軽くなったお膳を持ちながら、今後疲れた顔だけは見せまいと思った。

耕作様の朝食のお世話をすませた賄い婦と朝餉をとると、おきよは二階のオランダ座敷へ向かう。

床の拭き掃除、珍品のはたきかけ。次に書物部屋に入り、びっしりと並んだ蘭書のはたきかけ。丁寧にすれば、ゆうに半刻（一時間）はかかる。

おきよはふと手を止め、蘭書一冊を抜いて手に取ってみる。重たい。堅牢な獣皮による装幀。鼻を近づけると皮の匂いがした。

頁をめくる。和本と違って左からめくるのに、まず新鮮な驚きを感じる。蘭語の字面の間にある、精巧な銅版のさし絵。緻密な幾筋もの線がまるで本物のようだった。何が書いてあるのか知りたいと、女子(おなご)の自分でさえ気持が昂(たかぶ)る。

おきよは本を元に戻し、お腹に手を当てる。この子にも先で異文化に触れる機会が訪れる。いや、訪れなくてはならない。

おきよは気持が昂ったまま窓際に行き、硝子越しに外を見る。出島の右側には異国へとつながる海が広がっている。

書物部屋の膨大な蘭書は、この海を渡ってきて今ここにある。一冊一冊が、名前も顔も知らない異国人が長い年月をかけて研究に研究を重ねて著したものである。

陽にきらきらと光る海が、知識を運んでくる貴い道のように見えてくる。

確かに忠次が言ったように、和語に訳せば誰もが簡単に読める。忠次とのやりとりを思い出していると、また本人が現れた。

「この頃よく会いますね。おきよさん、ちょっとお尋ねですけど、以前珍品の中に雲中飛行船という袋のついた物がありましたが、どこにいったか知りませんか」

「それは確か、平賀源内さんとかいうお人が貰っていかれたという記録がありますよ」

「そうでしたか。三つ袋のついた船の形をしたものですがね。その袋を真空にすれば、宙に浮くかもしれないのですよ。僕はその実験がしたかったのです」

「シンクウ、とは何？」

「シンクウとは、真と空と書くのですよ。今、僕達の回りにあるのは『空気』といって、生き物が生きていく上で必要なものを含んでいます。口を抑えて苦しくなるのはそのためです。でも、見かけは同じ透明でも、それを含まないのが『真空』です。しかも軽い。それを作って袋につめてみたい」

「そんなもの、どうやって作るの？」

「出島からポンプを借りてきて抜けばよいのです」

「そんなに簡単なことなの？」

おきよにとって、全く想像がつかない。

「蘭書に、そんな話があるのですよ。今日は天体の本を借りて行きますよ」

忠次は夢から覚めたような顔をして、本を片手に帰っていく。

忠次が帰った後、おきよは現実に引き戻される。これからお腹はふくらんでくる。早いうちに、耕作に妊(はら)んだことを伝えねばなるまい。耕作の子だと言わない限り、お腹の子は、そして自分も宙ぶらりんのままだ。

今し方忠次が話したことを話題にすることができる。

数日後、おきよは猩々のいる別室で休む耕作に会いに行った。

「何の用だ」

耕作は何故か機嫌が悪い。

「あのう、お話がございます」

耕作はおきよの方は見ない。

「忠次さんが、真空を作るのに出島からポンプを借りたいと話してありました」

興味がわいたのか、耕作がやっとおきよの方に目を向ける。

「出島にある水をまくポンプのことか。あれでは真空は作れん。オランダ製の空気ポンプならば作れるが」

「雲中飛行船とかいうものについている袋に真空をつめて、空を飛ばしてみたいと、夢のような話をされるのです」

「あいつは変わり者でな。通詞の枠におさまりきれんやつだ。知識欲が旺盛でな、書物部屋に入り浸っておること、わしは知っておる。前にな、真空を作る実験がしたいから、水銀を貸してくれと言ってきたことがあった。スウィーテン水用の水銀をだぞ。貸せんと言った。その後、菜種油で試しているはずだ（トリチェリの実験）。だが、果たして真空の袋で飛べるかどうか……。お、出てきた、出てきた」

それまで檻の隅に隠れていた猩々がのっそり出てきた。

耕作がにこにことして機嫌がなおる。

それに乗じて、おきよは妊娠を告げる。

「耕作様の御子ができました」

「お、そうか。間違いないのか」

耕作はにこにこ顔のままだ。

「はい」

「大事にしなさい」

「ありがとうございます。それで、無事に産んだ暁には、御子として認めてもらえるのでしょうか」

「無事生まれたとしても、子どもに光が当たるかどうかは、おまえの心掛け次第だ。三日後、豊後から三浦梅園という者が来る。宿泊するだろうから、よろしく頼む」

「三浦梅園様ですか」

「そうだ。医者が本業だ。老いて旅するは長崎と決めていたというが、八年前に一度、長男と従者十人を引き連れてやってきた時には、こっちが忙しくてな、ゆっくり話すこともできなかった。今度は従者二人と気楽な旅と聞いておる。確か歳はわしと同年代だ。よろしく頼む」

「はい、承知致しました」

おきよは引き下がる。

妊娠を告げても、耕作は特に驚くふうでもなく、喜ぶふうでもなかった。通りいっぺんに気遣いながら、仕事を言いつけられた。試されているのだ。

元はといえば、自分から耕作に近づき妊んだのだ。無事に産む責任は自分で負うということか。これから腹の子は自分で守るということか。しかも大層な仕事をこなしながら。

せっかく授かった子、決して流れることがあってはならぬ。そう強く思う一方で、無事出産にこぎつけるだろうかと不安がよぎる。

離れで悠長に構えているおせんが羨ましかった。庭に出て、そっと様子を窺う。ひっそりとしている。妊めば、一応はその子の立場は妾腹の子で、優秀な男子であれば阿蘭陀通詞の後継として育てられるはずだ。

今のところ妊娠は聞かない。もしそうなったとしても決して負けはせぬ。仰せ付かった役目をこなして、優位に立つよう気張らねば。そうして初めて、生まれた我が子の頭上に光が差し込む。

おきよは気を取り直すと、屋敷に戻り、賄い婦と夕食の準備にとりかかる。


二日遅れて、三浦梅園はやってきた。『養生訓』の著者だけあって、歳よりも若々しかった。しかもまだ学ぶ意欲が健在で、来た早々、耕作の外科手術を門下生らと見学したのだった。

夜は、オランダ座敷の食卓での夕食後、長男の永久を交え、耕作、梅園の三人で歓談する。接待役のおきよは隅に控えている。

酒好きの耕作が食卓に並べた様々な形と色合の酒瓶が、行灯の光に微妙な美しさを放っている。それに見惚れていると、耕作が酒の説明を始めた。

「これは、ゴルトワートルと申しましてな、ゴルトは金、ワートルは水、黄金水という酒です。次はマーガワートル。マーガは胃腑のことで、胃によい酒ということですかな。胃をよく保つ酒とは面白いですな」

耕作が豪快に笑う。

ひとしきり酒の話をした耕作の合図で、おきよは客人に酒を勧める。酒が入ると緊張感も解け、気宇雄大に到り、話題も天地宇宙に及ぶ。

「『混円たる一天地、畢竟、始めも無く、終わりも無し』ですよ。気の遠くなるような話ですな」

耕作が和訳したものをのべて、視線を宙にはわせる。

「人間はどこからやってきたのか、どのようにして肉体ができたのか、不思議極まりない」

少し酔いが回った梅園が大仰に首を傾げる。

耕作が答えるために、蘭書を膝の上に置いて蘭語で読み上げる。次に和訳する。

「始め、天よりアーダムが肉を取ってエーハルとなる。アーダムは雄となり、エーハルは雌となる。この二神、身に光あり、子をその間に宿し、食欲を生じ、終に人となれり……」

「ほー、それは耶蘇教の天地創造の話ですな」

何のためらいもなく、しかも声も潜めず耶蘇の話をする耕作に、梅園は驚いていた。

咄嗟におきよは、このような場所に給仕とはいえ同席させることは、余程信用していなければできないのではなかろうか、と気づき胸が熱くなるのであった。

「享保の時代、漢訳洋書緩和令が出されて以来、大目に見られていると思いますが、まだ大っぴらに話せない内容の本もあります。しかし、我が蔵書は医学をはじめ天文学、地理学、本草学など三十四種に及びます。開放して、若者が自由に学べるようにしております」

耕作の話に感動して、梅園は小さく何度も肯いている。一方で、この先、耶蘇教の話は避けたいと、話題を医療へ持っていく。

「今日は本当にいい手術を見せて頂きました。足の中の腫物を取り除く外科手術でしたが、血の出る機を見計らって、丁度その場に受け皿を置いていたり、後縫合も手際がよかった。元々耕作さんは外科がお得意でしたね。かつて江戸番通詞のお役で江戸へ赴かれた時の、貴方様の御活躍を思い出しました。豊前中津邸の昌鹿君の母上が不慮の事故で足の脛を折傷なさって、医師をさがしていた折、丁度居合わせた貴方様が招かれた。すぐに治療にあたり母上は無事に回復された。この逸話は今も語りつがれていますよ」

話し終えた梅園は、硝子のコップの水を一口飲む。

「遠い昔の話ですよ」と耕作が苦笑する。

そこへ今まで黙っていた永久が話の流れをつかんだように口を開く。

「ええ、父は私の自慢でもあり、目標でもあります。この先越えられるかどうか、頑張るしかありません。父は出島に赴任するオランダ人医師から医術を学んできたのですが、一番の功績は梅毒薬スウィーテン水です。今我が国にスウィーテン水があるのは、父の働きによるものです」

永久が我がことのように胸を張る。

「そういえば、江戸の杉田玄白先生は梅毒の名医になっておられますな」

梅園が、ふと思い出したように話す。

「それは、私が江戸番通詞として東上した折、杉田にスウィーテン水の作り方を教示しましたからな。定宿の長崎屋（江戸での宿）に通いつめて、とても熱心でしたな」

耕作が、当時をなつかしむように話す。

「それが当たったと申しましては、玄白先生に失礼かと思いますが、元々『解体新書』で有名になっておったのに加えて、梅毒の専門医として流行っておられるのですよ。流行りに流行って、年収が五百四十両と聞いております。桁違いの利益ですよ」

一両もあれば娘ひとり一年間、十分に生計ができるのにと、おきよは溜息をつく。

梅園は話し終えると、今度はカステラに手をのばす。甘党と聞いていたので、おきよが用意していたのである。

「うちもおかげ様で利益を上げておりますが、御覧の通り蘭書、珍品の購入、そしてオランダ座敷の築造と費やしております。出島のオランダ商館には行けずとも、ここには自由に来れると、長崎住民にも喜ばれております。まあ、本来の出島よりもここの方が新しいようです」

　耕作が小さく笑う。

「全国から学ぶ者が集まるはずですよ。吉尾家は宝の山ですからね。老いた私でさえ、わくわくしますよ。そういえば当のスウィーテン水は、商館長フェイトの侍医として来日したツュンベリーから教示を受けられたのでしたよね」

　梅園の目が光る。永久が梅園の疑問に答える。

「確かに、その通りです。ですが、そもそも父はスウィーテン水欲しさにツュンベリーに近づいたわけではありません。そこは誤解のないように……。ツュンベリーは本草学者でもあって、我が国に来た理由は植物採集が目的でした。目的を果たすべく、ツュンベリーは高名な父に近づきました。初めはさまざまな植物でしたが、段々要求がふくらみ、遂には国外搬出禁止の地図や刀剣の武具、金銀銅の和銭まで求めてきました。親切な父は断りきれず、便宜をはかったのでした」

　梅園は真剣に話を聞いている。それまで俯いていた耕作が意を決したように口を開く。

「息子の話した通りです。ツュンベリーの要求を拒むことは、何故かできませんでした。その代償といっては自己弁護がすぎるかもしれませんが、ツュンベリーから賜った梅毒薬で多くの患者が助かっております」

　耕作に続き、また永久が話す。

「父は、教えてもらった調合を何度も乞食同然の者に試し、今のスウィーテン水が出来上がっているのです。それを父は惜しげも無く、成秀館塾の門下生に教え、それが地方に帰った彼らによって広まっています」

「長崎から入ってきた病は、また長崎から入ってきた薬によって治すというわけですな」

　梅園がそう言って微笑んだ。耕作と永久は誇らし気に、残りの酒をあおった。

　翌朝、耕作と梅園は朝食をとっている。客人に合わせた和風で、鰯のぬたに唐辛子とネギを入れたものや、橙のお酢をまぶした魚と、海草のみそ汁と飯だが、耕作は酒も飲んでいる。

　梅園が箸を休め一口茶をすすると、「昨夜は楽しかった」と言って話を続ける。

「前回の旅では、宿屋の主人の案内で長崎の町を見て回りました。十人町の御薬園に始まり、小高い丘から中国人の居留地唐人屋敷を見下ろしたり、丁度『くんち』があって、傘鉾（かさぼこ）や唐船龍船（じゃぶね）の出し物も見物しました」

「こちらにも御訪問いただいたのに、忙しくまともなもてなしもできませんでした。何とかおみやげは渡せましたが、その節は大変失礼致しました」

「何の何の、迷惑をかけたのはこっちの方でして。帰りに貰ったおみやげの鼻眼鏡は、今も大切に使っていますよ」

「そうでしたか。今度は、オランダ痰きり（ドロップ）をさし上げましょう。荷物にならんでよかでしょ」

「それはお気遣い、ありがとうございます。今日は出島へ行ってみたいですね」

朝食を終えた梅園が遠慮がちに言う。

「それが、幕府の役人や大名は別として、誰でもは出島へ入れないのですよ。どうしても入りたい者は、長崎会所（長崎貿易の税を司る所）の商人風や通詞の草履取りになって、何とか入っていますがね」

耕作はさすがに酒はもう飲んではいない。

「そうですか。どちらかになって是非入りたいですな」

「それならば、商人風になって、長崎会所で表門の切手を請け取り、出島の入口で私の名を告げれば大丈夫です。今日、私は今から成秀館塾の講義がありますので、この者を出島の表門まで御案内させましょう」

耕作はおきよに命じた。おきよはうれしかった。大切な役目を仰せ付かったのだ。

梅園とおきよは吉尾家を出て、長崎会所へとつづく町家を歩いている。二人の従者も一緒だ。話し好きの梅園は、おきよを相手に語り始める。

「おー、若者が歩いていますね。異国文化あふれる長崎に何を学びにやってきたのでしょう。画業か医療か、千差万別でしょうな。思い出しました。かつて林子平（しへい）が三度もこの地を訪れています。北方問題を憂慮していた彼は解決策をさがしていたのです。時の商館長フェイトから、ロシア南下の危機を啓発され、『海国兵談』を自費出版したのでした。しかしですよ、フェイトと子平とのやりとりも、通詞がいなければ成り立たなかったのですからね。やっぱり通詞は偉いですよ。耕作さんはすごい……」

梅園が話の途中に、おきよの方を見る。

「おきよさん、顔色が悪い。昨日の疲れが出ているのでしょう。もう、ここまでで結構です。私は長崎会所へは従者と行けます。長崎には他にも知り合いがいて、そこへ泊まって明日は稲佐山へ行くつもりです。どうぞ、戻ってゆっくり休んでください。せっかくの耕作さんの御子、あ、耕作さんから聞いています。大事にしないといけませんよ。一応、あなたには最後まで来て頂いたことにしておきますので、あ、駕籠をよびましょうか」

「そこまでは、大丈夫です」

駕籠をさがしに行こうとする梅園をさえぎって、おきよが言う。

「ありがとうございます。お言葉に甘えて帰らせて頂きます」

実際にくたくたで、倒れそうだった。おきよは、梅園に旅の安全を祈念するあいさつをして踵（きびす）を返した。何とか吉尾家にたどりつくと女中部屋に倒れ込み、そのまま眠ってしまった。


どのくらい眠っていたのだろうか。おきよは人の気配で目がさめた。目の前には、人の顔、顔、顔……。心配する目、目、目……。

おきよは、梅園と別れて吉尾家に戻り、床についた時までは覚えている。

あ、そうだった、お腹の赤ちゃんは?

おきよは手で自分の腹部をまさぐる。ふくらみが確かにある。大丈夫のようだ。

「もう丸二日眠っていたのだよ。よかった」

産婆の声。危急に備えて呼ばれていたのであろう。ほっとして声が上擦っている。


「熱はないからな。お腹の子は大丈夫だよ」

永久の優しい声が体にしみる。

「びっくりしたな。耕作さんの子を宿していたなんて思いもしなかった」

忠次までが来ている。忠次の泣き笑いのような顔に、おきよは照れる。

「まあ、私の代わりに産んでくれるようなもの。もう私は耕作のお相手はできないので仕方ありません」

奥方様の諦めたような声。しかし心配して病をおして駆け付けてくれた。ありがたい。

「先を越されてしまったよ。今日になって、耕作様があんたが身籠っていると皆に報告したのだよ。だから、こうして見に来たのさ」

おせんが悔しさに唇をかんでいるが、おきよが目覚めて、ほっとしている。

お腹の中の貴い命に皆が気遣い、無条件に心配してくれていた。おきよは、うれしさに涙が出た。

「急に呼ばれてきたけど、赤子も慌てて出てこんでよかった。そうなりゃ大変なことになっていた。十分滋養とって、きつい時は休みな」

産婆はそう言って帰った。

そこへ耕作が入ってきた。

「今、産婆さんから言われた通りだ。大事にしなさい。ちょっと無理をさせてしもうた。もうこれから仕事はぼちぼちでよい。わしも楽しみにしておる」

耕作がおきよをねぎらった。おきよは、働きが認められたのだと思った。

「耕作様、皆様、ありがとうございます」と絞り出すような声で言って、おきよは今度は安堵から再び眠りについた。


無事に月日はすぎ、季節は春。生命の息吹に元気がわいてくるようだ。今日もおきよはゆっくり梯子を上り、オランダ座敷へ向かう。大腹を抱えての仕事はしんどい。途中で息切れがする。梯子を上り切ったところで、忠次が書物部屋から出てきた。相変わらず読書三昧だ。

「やあ、大変ですね。今、息切れが聞こえてきましたけど大丈夫ですか。産み月に入っているのでしょ。ゆっくりしていてくださいよ」

忠次が気にかけてくれている。

「お気遣いありがとう。寝てばかりいても退屈なのよ。体を動かした方が安産だし、産むまで頑張るつもりよ」

「ところでおきよさん、この絵見てくださいよ」

忠次の憂い顔が元の生き生きとした表情になり、一冊の蘭書を開いて見せる。

「何、これ、大きな袋が空に上がっている。何か乗っている。動物かしら」

忠次はすぐさま『気球』だと説明する。挿画には回りの山々や家、そして飛ぶ気球を見上げている地上の人々が、銅版画の緻密な線によって見事に立体的に表現されていた。

「この絵ではですね、気球の中は真空ではなくて煙なのです。煙が空気よりも軽いということがわかって、いっぱいにつめて上げています。地上に焚火のあとがありますね」

忠次は興奮していた。

「真空でなくて、今度は煙なの？」

「そうです。火が燃える時、煙が上がっていくでしょう。それで軽いとわかったのです。それに、真空をつめても空気圧でつぶれてしまうのです」

「ふーん、色々とわかってくるのね」

「僕もいずれは気球を作って、空を飛んでみたいのです」

「袋は中のものが絶対に漏れないものよね。薄い紙にろうを塗ったものとか……」

「そうですね。でも余程金持ちでない限り、広い紙は用意できないでしょ。耕作さんに相談してみるかな」

「きっと応援してくれると思う」

「飛ばす所は稲佐山がいいかな」

「そうね。牛や豚ばかりで人はあまりいないから、大丈夫かもね」

「そうだね。稲佐山が一番いいかな」と、おきよの話にのった忠次が窓際に行って窓を開ける。風がすーっと入ってくる。遠い海の右側に緑におおわれた稲佐山が見える。

「風が気持いいなあ。これって、肥前長崎の風だよね。今僕達が話したような異国の文化を多分に含んで、もったりとしている。そしてまた、学ぶ者の生気に満ち満ちて刺激的なんだ」

忠次がそう言って大きく息を吸い込んだ。

「そうだね。ここは特別な貴い所で、風も違うのよね」

風に当たりながら言ったおきよが、突然腹痛にうずくまる。慌てた忠次が人を呼びに階下へ走る。

その日の夕刻、おきよは無事男子を出産した。


その時の子が現在、蘭語を楽しく学ぶ四歳の伝之助。幼いながらも、大勢の客人を前に堂々として、阿蘭陀通詞吉尾家を継ぐにふさわしい子に育っている。おきよは、伝之助を産んでよかったとつくづく思うのであった。

さすがに長丁場に疲れた伝之助を、耕作が抱き寄せている。御年六十五歳の耕作は伝之助が孫のようにかわいいらしい。

暖炉の火が燃え尽きる頃、オランダ正月の宴も終わる。耕作の最後のあいさつがすみ、客人達は、残りの料理を持参した重箱につめて家族と共に帰っていった。


片付けが一段落して、耕作をはじめ永久やおきよの面々が腰を下ろす。

「皆、お疲れさん。今年のオランダ正月も無事に終わった。ありがとう」

耕作が皆を労う。

「おや、忠次がいないな。来ていたはずだが」

「途中、帰られましたよ」

出入りの賄い婦が答える。

忠次は、「退屈だから帰る」と、そっとおきよに告げて去って行った。そのことに耕作は気付かなかったらしい。

耕作が、すっかり寝入ってしまった伝之助を抱いたまま話す。

「そうか。また何か実験を思いついたのかな。この前フランスの新聞を蘭語に訳したものを見せたが、その中に『水素』という軽いもので有人飛行が成功した記事があってな。驚いていたな」

「それならば、あいつのことだ、水素を作る実験をしているのかもしれないよ。硫酸に鉄片を浸すと小さな泡が出る。それが水素だが、集めるのは大変だ。根気がいるぞ」

永久が笑っている。

「忠次のやつ、空を飛ぶのが夢だからな」

耕作が言った後、永久と二人で笑った。

忠次さんは純粋な方です、とおきよは心の中で忠次をかばう。

そこへ、おせんがやってくる。相変わらず美しい顔に笑みをたたえ、元丸山の花魁だけあって身のこなしも艶っぽい。

「大丈夫か。今日は体調がすぐれず参加しなかったが」

耕作はおせんに優しい。

「はい。何とかこうして遅ればせながら、ごあいさつに上がることができました」

なぜ、こうもおせんは自信たっぷりなのか。耕作は、子を産めないとしてもおせんの方がいとおしいのか。おせんを見る耕作の目が、そうだと語っている。

この自分は、いったい何なのか。結局、後継の子を産む道具にすぎなかったのか。いや、子を産む道具にでもならなければ、自分の立つ瀬はなかったではないか。これでよかったのだ。でも、どこか淋しい……。頭の中をぐるぐると考えが回って、わからなくなってくる。


ここは今までいなかったおせんに場をゆずるとして、おきよは眠っている伝之助を耕作の腕から抱き取り、寝かせるために階下へ行くことにした。伝之助を抱き、梯子の踊り場から、ふと窓の外を見る。

薄闇が家々を、港をおおっている。日中溶けきれなかった雪が薄紫色に淀んでいる。

「母さま、何か降っているよ」

窓端の寒さに伝之助は目が覚めたらしい。

「みぞれのようね。雪しぐれというのよ」

「ふーん、雪よりも重そうだね」

「そうね。明日も寒くなるよ」

私には、この子がいる。おきよは伝之助をしっかりと抱き、階下への夜目にも鮮やかな青漆塗りの梯子を、しっかりとした足取りで下りて行ったのだった。

【主な引用・参考文献】
片桐一男著『江戸の蘭方医学事始――阿蘭陀通詞・吉雄幸左衛門 耕牛』丸善ライブラリー、二〇〇〇年
松尾龍之介著『長崎蘭学の巨人――志筑忠雄とその時代』弦書房、二〇〇七年

■科学エッセイ

# 細胞の寿命　個体の寿命

## 腹八分で召し上がれ

屋代彰子

### 堤通雨宮町

仙台駅前から東二番丁通りへ、そこから北へ向かって二キロメートルほど行ったところに堤通雨宮町(つつみどおりあまみやまち)がある。今はもう青葉山に移転したのでなくなったが、数年前までは東北大学農学部の広いキャンパスがあったところで、研究棟、講義棟、事務棟、小さな実験農場や果樹園などが点在していた。その中には私が大学院生として約七年間を過ごした講座の研究室があった。それからすでに、五十年近くも経った。

当時のキャンパス内には、旧制二高当時からのイチョウ、ユリノキ、メタセコイアなどの巨樹が何本もあり、三階建ての学舎と高さを競っているかのようだった。春、夏、秋には幹と枝をすべて覆いかくしてしまう豊かな葉色の美しさに目を奪われたが、すっかり葉を落とした裸樹が針金のオブジェのように屹立する冬の姿も見事なものだった。枯葉がハラハラと舞い落ちることが語源の「アポトーシス（プログラムされた細胞死）」という言葉を知ったのはその頃だったと思う。

木々の中でもユリノキは、私にとって特別な木になった。ハンテンボクという異名のつけられたこの木の葉は、その名のとおり手のひらほどの袢纏(はんてん)の形をしている。初夏になると、若緑の葉に隠れるようにしてチューリップに似た橙色の可憐な花をつけるので、チューリップ・ツリーとも呼ばれている。ユリノキという名はどこかで聞いたことがあった。そういえば、それまで通学していた東京・目白の日本女子大学のキャンパスの中央に、この木が堂々とそびえていた。仙台での新しい学究生活もユリノキとともに始まり、四季折々、悠然とした姿で高みから私を見守ってくれた。

所属した講座は栄養化学講座で、農学部にある二十五講座の一つである。講座のトップは当時四十五歳の木村修一教授だった。教授、助教授、助手、技官、教授秘書らのスタッフに、大学院生、四年生らを合わせて総勢二十数名の大所帯。国や企業などからの研究費が潤沢にあり、実験研究だけでなく、講座抄読会、院生自主ゼミなども活発に展開されていた。

木村教授はビタミンのひとつであるパントテン酸の研究で著名な栄養化学者だったが、そのいっぽうで、生物学と栄養学とが重なる部分に新しいテーマを見出した日本では稀有な学者だった。そして、加齢と栄養、腸内細菌と栄養、運動と栄養、ストレスと栄養、発がんと栄養など、生体の置かれた状況での栄養環境とそれに対する応答と適応という視点で研究を始めようとしていた。そのようなテーマの研究成果は、その後の健康ブームの波に乗り注目を浴びて現代に至っているのだから、彼は栄養学者として時代を先取りしていたといえるし、当時から強い自負をもっていた。しかし一九七五年頃は、如何せん異端視されていた。なぜなら、当時の学会の主流は、「食物中の栄養素の化学とその働き」といった分子としての栄養素を化学的視野の中だけで捉えるテーマがほとんどだったからだ。その背景には、日本における栄養学が、ビタミン学が母体になって輝かしい成果をあげてきたという伝統があった。

生命現象の側からたべものをみるという生物学的視点に立って栄養学を追究する木村教授に私は強い共感を抱き、研究指導を仰いだのだった。

## 加齢する系と制限食

いくつか掲げられている講座の研究テーマの中で私に与えられたのは、「加齢と栄養条件」というものだった。加齢する系として、何を実験の対象とするか。そこで浮上したのが、消化管の小腸粘膜上皮細胞の加齢だった。

この細胞の「寿命」に関する研究では、強いエックス線の影響によって寿命が短縮するという報告があったけれど、栄養条件の影響をみた研究は、国内だけでなく海外を見渡してもなかった。研究室ではWさんによる試験的な実験が行われていて、私はその仕事を引き継いで発展させ、細胞の寿命だけでなく、細胞の誕生・成熟という加齢のプロセス全体について実験動物のマウスを使って追究することになった。そのための栄養条件は、「制限食」である。

「制限食」とは、バランスのとれた組成の食餌を一定の量だけ、一定の時間に実験動物に与える栄養条件である。現代生活での「規則的な食事」とか「ダイエット」という概念に近いかもしれない。制限の程度は研究者によって異なる。多くは、自由摂食（いつでも食べたいときに食べられる状態）に対して給餌量を三〇〜四〇％制限する。そのような食餌制限でも、動物の毛のツヤは良いし、体重も増える。実験動物はケージの中で、極端な運動不足状態に陥っているということである。

アメリカのマッケイら、そして後のベルグやロスらは、制限食がラットの寿命を延長させることを見出し、同時に老化したラットでしばしば見られる腫瘍が制限食で減少することをすでに報告していた。彼らの結果は、制限食がからだの中の細胞分裂・増殖に強い影響を与えることを示唆しており、木村教授はそのことに強い関心を抱いていたのである。

## 絨毛に魅せられて

小腸粘膜の表面は肉眼で見るとヌルヌルしていて、平らで滑らかで、ヒトもラットやマウスの実験動物と似ている。平らに見える表面をルーペで数倍に拡大して見ると、絨毯（じゅうたん）の毛のような小さな突起物がたくさん出ているのがわかる。さらに組織学標本（プレパラート）を作製し、光学顕微鏡で観察すると、ちょうど指のような構造物がぎっしり並んでいるのが見える。肉眼で小さな突起に見えたのはこれである。その指のような突起を「絨毛（じゅうもう）」という。絨毛の長さは、ヒトでは一ミリメートルぐらいあるが、ラットやマウスは、せいぜいその数分の一に過ぎない。

光学顕微鏡で数百倍に拡大した絨毛の縦断面を見ると、一層の細胞が指の付け根にあたる「陰窩（いんか）」から絨毛表面をびっしりと覆っている。細胞の形は、一辺が約一〇マイクロメートル（一〇ミクロン、百分の一ミリメートル）の円柱状をしている。走査型電子顕微鏡で絨毛の表面を見ると、絨毛はまるで土筆のようであり、皮を剥いたときのトウモロコシのようでもある。おもわず手を伸ばして、触ってもいい？と語りかけたくなるほど、愛嬌のある顔をしているのだ。

ところで、チャーミングな表情を見せる絨毛表面にある円柱状の細胞一つ一つは、実は栄養素吸収の最前線であり、その細胞膜には個々の栄養素に対する関門がある。

そのような働きを発揮するので、これらの細胞は「吸収上皮細胞」と呼ばれている。

## アポトーシス

吸収上皮細胞とは、陰窩に散らばっている「幹細胞」が規則的に分裂して新しく誕生した細胞で、ひと足先に生まれた細胞を新しい細胞が斜め上へと次々に押し上げていく。細胞は絨毛上を螺旋状に滑るように上り、その間に吸収上皮細胞としての働きを発揮する。ついに絨毛のてっぺんに達した細胞は、小腸管腔内へポロポロと落ちて、細胞の一生を終える。このような出来事は、「アポトーシス」と呼ばれる「細胞死」のひとつのタイプである。それは、「生の営みの中の死」ともいえる。さらに、「個体の死」が「見える死」だとすると、「細胞の死」は「見えない死」ともいえる。

からだの中には、アポトーシスを内包して生を営んでいる正常な組織や器官が小腸以外にもいくつもある。ある報告では、一日当たりに消化管に落ちる小腸の細胞数は一千万個と試算されているが、正確なところはわからない。小腸だけでなく、口腔、食道、胃、そして大腸など、消化管全体の粘膜表面の細胞も、毎日たくさん剝がれ落ちている。剝がれ落ちたおびただしい細胞たちと腸内細菌の死骸とが便の主な内容で、実は、たべもののカスはさほど多くないのである。

小腸の吸収上皮細胞たちの寿命、つまり陰窩で生まれてから剝がれ落ちるまでの生存時間は、ヒトでは約一週間、ラットやマウスでは約二〜三日。陰窩で生まれる細胞数と絨毛てっぺんから落ちる細胞数とはほぼ同じで、アポトーシスという細胞死によって組織としての平衡が動的に維持され、絨毛全体の形は大きく変化せずに、個体の消化吸収機能が安定的に保たれている。

## 動く細胞を追跡する

吸収上皮細胞の寿命が制限食によって変わるということをまず、はっきりさせたい。そのために使われたものが、「放射性同位元素トリチウム」が結合したチミジンという物質である。このようなチミジンを、正確にはトリチウム・チミジンと呼んでいる。トリチウム（三重水素）という名前には馴染みがないけれど、水素の仲間で、非常に弱いベータ線という粒子放射線を出す性質をもっている。

チミジンとは、そもそもＤＮＡを構成する分子のひとつである。細胞が分裂増殖するときには新たなＤＮＡが作られ、新しい細胞の核ができる。そのことを「ＤＮＡ

の複製」というが、その際に新しくチミジンが必要になるわけだ。

マウスの腹腔内にトリチウム・チミジンを含む生理食塩水を少しだけ注射する。腹壁の毛細血管に浸み込んだ注射液中のトリチウム・チミジンは、マウスの心臓を経て小腸粘膜の毛細血管に達し、分裂増殖する活発な幹細胞に瞬間的に取り込まれてDNAの複製に使われるはずだ。その後、生まれた新しい細胞は絨毛上を上り始める。実験では、このトリチウム・チミジンを取り込んだ細胞を追跡しようとしているわけだ。

この実験の制限食は、自由摂食に対して四〇％給餌量を制限したものである。その栄養条件で一カ月間飼育したマウス（三カ月齢、体重約三〇グラム）にトリチウム・チミジンを注射する。その後、数時間ごとにマウスを解剖する。全長五〇センチメートルの小腸を切り取り、胃幽門部から下、一五センチメートルあたりを使う。数センチをホルマリン液で処理し、それを用いて顕微鏡観察用のプレパラートを作る。

厚さ五マイクロメートルにスライスされた組織切片が貼りついているスライドグラスを、銀粒子を含む特殊な乳剤の中に数秒間だけ浸けて引きあげ（ディップ法）、数日間、乳剤のついたスライドグラスを暗室内に放置する。その間に、乳剤の銀粒子は、スライドグラスに貼りついている組織切片から出る弱い放射線に感光する。乾燥して薄いフィルム状になった乳剤のついたスライドグラスを定着処理すると、放射線に感光した部分の銀粒子が「黒点」として見えるはず。顕微鏡でそれを確認するには、核を紫色に染めるヘマトキシリンと細胞質をピンクに染めるエオシンによる二重染色をほどこし、細胞一つ一つをくっきり染め出さなければならない。そうすることによって初めて、顕微鏡で観察できるプレパラートが完成する。ここまでくれば体力勝負のこの実験もようやく一区切り。やれやれ。

## 制限食は吸収上皮細胞の寿命を延ばす

いよいよ顕微鏡の世界に足を踏み入れ、絨毛を凝視する。

小腸の組織切片を顕微鏡で見ながら、絨毛基部から先端まで縦断面が真っ直ぐに伸びている理想的な形を保っているものをマウス一匹につき三十本選ぶ。プレパラートによっては、望ましい絨毛が全く見えずに空振りになるものもある。指のように理想的な形を保っている絨毛に視野を定め、光学顕微鏡の倍率を六百倍にあげ、絨毛一本を大きくとらえる。そのようなものは、絨毛の縁にずらりと細胞がきれいに並んでいて観察に適している。

まず、絨毛片側の細胞数をカウンター片手に数える。そのとき、細胞の中にはっきり「黒点」の見えるものがある。それが、トリチウム・チミジンを含む核を持った細胞である。絨毛の一番下から先端へ、黒点がないかと目で追う。黒点をもつ細胞の先頭を確認し、一番下からの細胞数を数え、絨毛片側の細胞数を一〇〇%として、それに対する%を求める。黒点をもつ細胞は、注射後の時間が経った個体ほど先端近くまで移動しているはずである。黒点をもった細胞はいったい何時間かけて、絨毛の先端、つまり一〇〇%に達するのだろうか。

結果は明らかだった。制限食を与えられたマウスの細胞が絨毛の先端に達する時間は約七十四時間。それに対して、食べ放題に餌を食べたマウスのものは約五十七時間だった。制限食は吸収上皮細胞の寿命を三〇%も延ばした。しかも、制限を受けたマウスの絨毛の長さは、制限を受けないマウスの絨毛の長さよりも五%短かった。少しだけ短くなった絨毛上をずいぶんゆっくり動いたのだ。このことが数百本の絨毛で観察されたのだから、ゾクゾクするほどの驚きだった。こんなにはっきりした結果が得られるとは予想していなかった。細心の注意を払って、あと戻りできない一つ一つのステップを根気強く進めた実験の成果が、栄養学という学問の醍醐味を初めて実感させてくれた。

切磋琢磨

ところで、研究室は男社会だった。総勢二十数名の中の女性の数は、教授秘書、技官に学生を合わせても五人に届かない年が多かった。

実験の都合で徹夜になることもあり、泊まり込む場所は「中二階」という薄暗い空間。一度だけ梯子段を昇って覗き込んだことがあるが、汚れた寝袋と壁には女性のヌード写真。ここは女人禁制の聖域かぁ……。そこに女子学生が寝るわけにはいかないでしょう。だから、夜中の実験のときはいつも机にうつぶせになって仮眠をとった。当時は、当たり前のように煙草を吸う男性が多かったが、研究室も例外ではなかった。さすがにくわえ煙草はなかったが、揮発性や引火性のある様々な有機溶媒を使う実験室内にもかかわらず、休憩コーナーの灰皿は一日で吸い殻の山ができるほどだった。

そんな男社会の中に、牢名主のように全体に目を光らせている博士課程のOさんがいた。四年生の卒論のときからで、もう五年もいるらしい。すでに額は後退気味で縮れ毛。ヒョロヒョロと背が高く、いつもツンツルテンのズボンに汚れた白衣だった。二つ年上だけなのにどこか老成した雰囲気があり、メガネの奥の眼差しはいつも鋭かった。

その頃の農学部には学生運動のしこりがまだ残っていて、教授と院生との間の意志疎通は決してよくなかった。遡ってみると、Oさんが講座に配属された四年生の頃は学園封鎖の嵐が農学部にも吹き荒れたときで、それからの数年間を彼は講座の中で過ごしてきたわけである。そして、多少なりともそのような体験のあるスタッフや学生たちが研究室に数名いて、それぞれが虚無感や将来への不安を引きずりながら新たな一歩を歩み出そうとしていた時期だった。

院生が自分の研究テーマを決めて教授を説得したり、半ば強引に始めるケースもあった。詳しい経緯は知らないが、Oさんがそうだった。そうすることを教授が許していたのは、講座教授の専制を義(よ)しとしない時代の背景があったのかもしれない。その結果、百花繚乱(ひゃっかりょうらん)のごとく、自由に選択された様々な研究テーマが乱立することになり、教授の無責任さを責める院生もいた。

Oさんのテーマは、ビタミンAを血液中で運ぶたんぱく質（レチノール・バインディング・プロテイン、RBP）に関するもので、他のテーマとはまったく異なる生化学の先端をいくものだった。彼は、動物組織の加齢と栄養条件のテーマに取り組む私に興味をもったようだった。話がよく合って、いつのまにか私にとっての一番の話し相手になっていた。

「結局、生物をどうみるかだべ。アンタはもっと勉強すべきだっちゃ」。彼は強烈な仙台弁で諭し、レーニンジャー『生化学　上・下』（和訳本）の輪読会を毎週一回、早朝に開き、彼に誘われた他の院生も参加して一年かけて読破した。エネルギー代謝の視点で書かれたこの本は、海外の教科書にはよくあることだが、章ごとに演習問題がついている。私は物理化学的な問題が解けずに劣等感にたびたび襲われた。さらに翌年は、『米国科学アカデミー紀要（PNAS）』の輪読会を開き、生化学、栄養学の英文レビューを片っぱしから読んだ。

「アンタそんなことも解らねぇのかやぁ。ダメだべっちゃ！」と、容赦なくやり込められて血の気の引くこともあった。しかし、これらの輪読会を通して、切磋琢磨ということを肌身で感じた。そして、ようやく研究の基盤を固めることができたと思った。そのとき輪読に使ったレーニンジャー『生化学』は、いまも私の本棚の特等席に納まっている。

Oさんとのおしゃべりはたいてい昼どきで、大学生協の食堂でお昼を済ませた私が、実験室内の彼の個人机のそばまで行ってだべった。

「なんだやぁ、また来たのすか」と苦笑いされるときもあったが、彼は母親手作りのきまったおかずの弁当（ご飯、タマネギとサツマイモの天ぷら、ソーセージ）を、「俺んちは金ねえからなぁ。タマネギの天ぷらは美味ぇなや」とぼやきながら、ガツガツ食べていた。私はそれを見ながらお茶をすすり、実験の進み具合や失敗の愚痴などをはき出した。研究テーマのかけ離れていたことがむしろ話を面白く感じさせたのだろう、話がとぎれることはなかった。

何かのきっかけで話題が下ネタにおよぶこともあった。奥手だった私は散々笑いものにされたが、逆に女性のからだについては、こちらが恥も外聞もなく真面目に教えたこともあった。生化学の専門知識には詳しいくせに女性についてはとんでもなく無知だったし、いい年なのにと驚いたのだが、本当は私の方がただからかわれていただけなのかもしれない。ずいぶん開けっぴろげな間柄で、苦み走った表情と笑ったときに見せる八重歯は気になったけれど、それ以上の気持ちにはならなかった。彼はたぶんわかったのではないだろうか。「こいつ、煮ても焼いても食えねえわ」。

ひとあし先に学位を取得して研究室を後にした彼はいま、仙台市内のある女子大学の理事長をしている。あのときの他愛ない会話の数々を、篤い友情を交わした日々のことを、彼は覚えているだろうか。

## 陰窩からの細胞の供給量が減少する

さて、吸収上皮細胞の寿命が制限食で延びることはわかった。では、なぜ延びるのだろう。

ここで登場するのが、コルヒチンという化合物である。この薬剤には、細胞分裂を中期で止める作用がある。つまり、DNAが複製された核が二倍の大きさになって、いよいよ細胞が二つに分かれようとするときにストップをかけるのである。このような細胞を観察すると、明らかに普通とは違う大きな核が見える。つまり、活発に分裂増殖する細胞の在りかを見つけることができる。細胞分裂にはバイオリズムがあるので、最も活発に分裂する時間帯を予備実験によってあらかじめ確かめてから、制限食の実験を行わなければならない。

寿命実験と同様の飼育を行ったマウスに対して、最も分裂が活発になる時間帯にコルヒチンを注射し、三十分後に解剖して小腸を切り出す。この実験で観察すべき部分は絨毛下部の陰窩。そこで大きな核を持つ細胞を探す。

明らかな結果が得られた。すなわち、制限食は、陰窩での細胞分裂を抑制した。いやいや、その表現は適切でない。分裂細胞の割合を減少させたといったほうが正確である。コルヒチンによって停止された核をもつ細胞数が、制限食によって減ったのである。つまり制限食は、絨毛への細胞の供給を減らした。そのために、絨毛上を動く細胞のスピードは遅くなり、先端まで行く時間が延びたのだ。

陰窩で分裂する「幹細胞」は数か所に散らばっている。それら活発に分裂増殖する細胞たち全体のことを当時は、「ジェネレーション・プール」と呼んでいた。制限食は、このプールを小さくしたというわけだ。

### 寿命の延びた細胞の働きは衰えない

寿命が延びた細胞の働きはどうなっているのだろうか。細胞の「老化」が進んで、役立たずのまま絨毛上に留まっているのだろうか。次の実験が始まる。

新しく使う手段は、絨毛の凍結切片を作製するための「クリオスタット」という装置である。初めて使う器械だった。技術をマスターしなければならない。

洗濯機ぐらいの大きさのマイナス二十度の箱の中に、分厚いステンレス製の「刀」のついたミクロトームが入っている。ミクロトームとは、組織の薄切切片を切る装置のことだ。ミクロトームの台座に載せた小腸（あらかじめ反転させて、粘膜側を表面にする）を急速冷凍し、絨毛先端から基部にむけて数十マイクロメートルずつスライスする。スライスした絨毛を緩衝液に溶かし、遠心分離した上澄み液に含まれている「終末消化酵素」を分析するのである。

終末消化酵素は吸収上皮細胞の膜にあり、栄養素を小さな分子に分解すると同時に細胞内に取り込む働きをする。分析の結果、絨毛の先端部分にある細胞の酵素活性は高い状態にあった。つまり、寿命の延びた細胞は、消化吸収機能が低下するどころか、むしろ高いままだ。制限食によって五％短くなった絨毛全体の働きを補うかのように、いままさに剝がれ落ちんとする間際まで、細胞はしっかり働いているのだった。

約五年間にわたった実験研究は終わった。

小腸粘膜の絨毛に存在する細胞の生存時間に目を向け、それに対する制限食の効果を試した実験だった。かつてラット個体での延命効果が知られていた制限食は、マウスの細胞・組織レベルでも明らかな延命効果を見せた。吸収上皮細胞の寿命が延長すること、それは陰窩での幹細胞の分裂が抑えられるためであること、寿命の延びた細胞は機能を維持しながら最後まで働いていることなど、それまで誰も見いだしていない、ささやかながらも驚きに満ちた新しい発見だった。

例のOさんは、いつものお喋りの中で、こう言っていたものだ。

「いままで誰もやらねかったことの理由（わけ）は、二つのうちのどっちかだっちゃ。一つは、難しくて出来そうにねかったから。もう一つは、やる価値がないと思ったからだっちゃ。あんたの実験は、どっちなんだべ?」

## ボスは栃木訛り

ここで、独特の雰囲気を醸し出していた木村教授について、もう少し話さなければならないだろう。

彼は、研究室内では「木村さん」と呼ばれることが多かった。「僕はそれで構わないんだよね」と呟くのは、ナヨっとしたイントネーションの栃木訛り。宇都宮出身の彼は、ジャズマンの渡辺貞夫に喋り方がそっくりだ。そして、「僕は片肺飛行だから」と、若い時の気胸で片方の肺をつぶしたことをよく話していた。どうりで、肺活量が低そうだった。声に張りがなく、口数も少ない。それなのに熱気を帯びたあの表情はなんだろう。風貌は映画監督の山田洋次に似る。その風貌とイントネーションとで言葉少なに話す「栄養化学」の学部講義は、学生達にはすこぶる好評だった。とてもわかりやすく、頭にストンと落ちる。この名講義を聴いた多くの学生は一人残らず、「栄養学は面白い!」と思ったに違いない。

わかりやすい講義と関係ありそうだが、教授のことを「口説き上手」と評した院生がいた。たしかに、話していると「誑（たぶら）かされる」「言い包（くる）められる」気がする。難しい指示でも出来そうな気がする。その魔法にかかってやり始めたことがうまくいかないと、「うまくいかないねぇ……」と言われたときに泣くのはこちらだ。そのときはもうすでに、教授の気持ちが冷めているからだ。そんな彼を、「あきっぽい」と言った院生もいた。

にもかかわらず、木村教授は強力な磁力をもっていた。それに引っ張られた人間が集うのである。私もその一人だった。慕うにしろ、反発するにしろ、彼の周囲には大きな磁場がつくられる。そして、そこに引っ張られるのは人間だけではなく、研究資金もしかり。農学部では研究費の稼ぎ頭だった。

木村教授はアイディア・マンだ。「演繹（えんえき）的」である。つまり、直感、閃きが起動力になる。彼の直感には根拠がある。情報量は豊富だ。新しいものが好きだ。俯瞰的で幅広い視野を持っているからこそ、直感による演繹的な思考ができる。彼の場合、テーマを思いつくときは独特の思考過程をたどる。離れた二つの現象を大胆に掛け合わせて仮説を立てる。育種技術による新種の創出のようなものだろうか。石橋を叩くように一歩ずつ結果を積み重ねて結論に到達する「帰納的」研究に終始する人（日本の研究者はこの方法をとる人が多いのだが……）にとっては、突飛な発想に思えるかもしれないけれど。

「加齢と栄養条件」もそうである。アンチエイジングを目的に、様々なたべものを調べ挙げるわけではない。彼の描く研究のイメージはそうではない。ヒトがもって生まれた生命の原理に栄養条件がどのように関わることができるのか。その問題提起をしたいのである。生き物を主体にした発想だ。もし影響があるとするなら、なぜそのようなことが起きるのかをさらに知りたいのである。知りたいのは、栄養条件に対する生き物の応答とか適応である。「生き物にとって栄養とは何か」ということを、彼は常に問い続けていた。

## 温故知新

どう読んでも面白いとはいえない研究の話を個人的な青春の想い出話に終わらせないためには、おそらく誰にとっても大切なことを最後につけ加えなければならないだろう。

マッケイが、食餌制限によるラットの寿命延長を明らかにしたのは、一世紀近く前の一九三五年のことだった。ネズミの寿命を確認して結果を得るには少なくとも三年以上かかる。研究者はそのような実験デザインを描くことに二の足を踏むものだ。当時、この発見に関心をもった人は多かったが、第二次世界大戦をはさんだこともあって、再現性が認められたのは一九六〇年、ベルグによるラットを用いた実験だった。彼は、栄養学分野で最も権威ある米国の学術雑誌 J.Nutrition に三本の論文を立て続けに発表した。制限食は個体の寿命を延ばすだけでなく、腫瘍の発生、腎臓や動脈の炎症、骨格筋の変性など、一般的に老化したラットに見られる様々な症状を抑えることも明らかにした。このような古典的手法ともいえる動物個体を用いた栄養学研究は、誰の目にもはっきりわかる現象を示すことによって、結果に対して有無を言わせない強い説得力を発揮する。

多くの人たち、なかでも生き物の老化や寿命に関心をもつ生命科学者たちは、食餌制限という栄養条件に強い関心を抱いた。栄養学者の木村修一もその一人だった。その後二十世紀末になると、老化や寿命を制御する遺伝子が次々と発見され、それらと食餌制限との関係にも関心が注がれてきた。

## 遺伝子と制限食

酵母、線虫、ショウジョウバエ、マウス、そしてヒトなどの細胞では、現在までに「寿命遺伝子・老化遺伝子・長寿遺伝子」などと呼ばれる数十個の遺伝子の存在が明らかにされている。この数が多いか少ないかと問われれば、非常に少ないと答える。なぜなら、ヒトの場合、細胞の核には約三万個の遺伝子が入っているのだから。老化や寿命を制御する遺伝子は、細胞の中でお互いに促進したり、抑制したりしながら、最終的には細胞・組織・個体などの寿命を長くしたり、短くしたりしていることがわかってきた。

これら遺伝子の働きは、その情報によって作られるたんぱく質（酵素や受容体など）の働きとして現れる。細胞内でのエネルギー産生と消費のプロセスを調節したり、細胞の分裂・増殖のスイッチを切り換えたり、細胞のおかれている体内環境への応答に関わったりする。このように八面六臂（はちめんろっぴ）の機能を発揮することによって、老化や寿命の制御をおこなっている。すべての生き物にとって共通した生命現象で、ただ自然の成り行きと考えられてきた老化や寿命が、遺伝子による巧妙かつ複雑な仕組みで制御されていることが、いまや明らかになっている。

そんな複雑な仕組みに対して、栄養の制限がそれら遺伝子の中のいくつかに対して影響することがわかってきた。単独の栄養素でなく、エネルギー（カロリー）摂取が、である。

しかし考えてみれば、当たり前のこと。なぜなら、「食」の一番の目的は、外界からのエネルギー獲得にあるからだ。遺伝子に最も強いインパクトを与える要因が、細胞内のエネルギー代謝であっても何ら不思議なことではない。

では、細胞の老化や寿命と個体のそれとは具体的にどのように結びつくのだろうか。かいつまんで言えば、つぎのようになる。

酵母や線虫、さらにショウジョウバエ、そしてマウスなどでは、細胞の老化や寿命は、個体の老化や寿命と「因果関係」にある。つまり、老化や寿命に関わる遺伝子が人為的に操作された個体では、老化や寿命が直接的に左右される。そのうえ、栄養条件が制限されたときには数種類の遺伝子の働きを介して細胞の老化は抑制されて寿命は延び、個体の老化も遅くなって寿命も延びることがわかってきた。制限食による個体の老化の抑制や寿命の延長というものは、細胞の遺伝子の関与なしには実現しないのだ。そこがあまり知られていない、とても重要な点だ。

では、サルやヒトなどの霊長類でもそうなのだろうか。ヒトやサルなど霊長類の健康や長寿を保つ遺伝子はいくつか発見されているものの、その働きについては、制限食の影響も含めて、わからないところが多い。唯一といっていいだろうけれど、参考になるのはアカゲザルに関する報告だ。長期的な制限食で飼育された個体では、疾病予防効果や寿命延長などが確認されている。かつて、ネズミで明らかにされた結果と同様である。そこで、ヒトの老化や寿命に対しても、遺伝子を介した制限食の効果が期待できると考えられている。

さらにヒトで調べられた近年の研究では、体内にできる「老化細胞」の全身への影響が明らかになってきた。体内のどこかで生じた働きの衰退した細胞(老化細胞)の悪影響が、組織や器官へと広範におよぶ。他の細胞の働きを阻害したり、がん化を誘発したり、動脈硬化症に代表される「老年病」の発症を引き起こしたりする。そして、ときに全身的な重篤な病態を呈し、それによって個体の寿命が縮まる。そもそもの主な原因は、細胞が受ける過剰な酸化ストレスだ。

実は、その酸化ストレスの軽減に制限食の効果が発揮されるというのである。すなわち、制限食は老化や寿命を制御する遺伝子に影響し、それによってエネルギー代謝によって生じる過剰な酸化ストレスが軽減し、細胞や個体の老化が抑制されて寿命が延長する、という図式が成り立つということだ。いまだ十分に解明されたとは言えないものの、制限食が遺伝子に与える詳細なメカニズムについては興味がつきない。

「腹八分は長寿の秘訣」という先人たちの経験則が、いまなお貴重な実験条件として生命科学とりわけ老化研究や細胞科学の先端研究で活かされていることにはあらためて驚くし、感慨深いものがある。一世紀前に生まれた制限食という実験条件の「研究寿命」は、さらに延びそうである。半世紀前に演繹的思考で日本の栄養学にこの実験条件をもちこみ、細胞の寿命と結びつける研究を行った木村修一先生は、この「制限食」の長寿ぶりをみて、ご同慶の至り！と思っているに違いない。

(了)

【参考文献】

McCay,C.M. *et al.* (1935) J.Nurition 10 63-79.

Berg,B.N. (1960) J.Nurition 71 242-254.
Berg,B.N. *et al.* (1960) J.Nutrition 71 255-263.
Berg,B.N. *et al.* (1961) J.Nutrition 74 23-32.
Ross,M.H. (1961) J.Nutrition 75 197-210.
Koga,A. *et al.* (1978) J.Nutr.Sci.& Vitaminol. 24(4) 323-329.
Koga,A. *et al.* (1979) J.Nutr.Sci.& Vitaminol. 25(3) 265-267.
Koga,A. *et al.* (1980) J.Nutr.Sci.& Vitaminol. 26(1) 33-38.
本城咲季子ら「食事制限による寿命延長のメカニズム」『生化学』第八二巻第五号、二〇一〇年
早川智久ら「ＳＡＳＰ：細胞老化と個体老化の接点」『基礎老化研究』第三五巻第三号、二〇一一年
佐藤俊朗「腸管上皮幹細胞」『生化学』第八五巻第九号、二〇一三年
森　望『寿命遺伝子』講談社、二〇二一年

コラム

## 夜釣り

　夏の夜は、光進丸に乗って薩摩硫黄島へ釣りに行く。家にいると暑いが、夕方船に乗り夜風を受けると涼しい。二時間弱で硫黄島の釣り場に着く。陽が沈むころ、釣れる時間に合わせて出港するのだ。なぜ夜かというと、南国のため昼間は暑いという単純な理由だ。

　船には千馬力のディーゼル機関が搭載されていて、乗用車の速度と変わらない速さで走行できる。GPSやレーダーも設置されていて、夜であっても航行に何の支障もない。通常、お客さんは四、五人程度。ほとんどの釣り人は常連客で顔見知りだ。

　今日の目的は二十キロから三十キロ程度のアラかカンパチ。この大きさの魚を釣るには、泳がせ釣りという方法で釣る。釣り場へ着くと、まず餌になるサバかムロアジを釣る。水槽に生かしておいて大きい釣り針をその生餌のサバやムロアジに刺し、素早く水深五十メートル程度の海底に下ろす。下ろした処からメートル引き上げ、獲物を狙う。さあ、今日は釣るぞ、と思いながら何十回となくボウズだったことか。

　しかし今夜は、もしかして釣れるかも知れない。胸を時めかせながら竿先を睨み付ける。しかし明け方近くになっても、七十の爺さんの竿はピクリともしない。

　もうじき陽が昇る、ボウズで帰るわけにもいかない。竿や仕掛けを替え、エサはオキアミに変更し小魚を釣ることにした。

　釣果は一、二キロのホタ（ウメイロ）が四枚、四キロのオナガグレが二匹。陽が昇り始めた海抜千メートルの薩摩富士を、虚ろな目で眺めながら帰路に就いた。

（園田明男）

# 小論 意識と感情

## 天守台で考えたこと

野見山悠紀彦

眼下には、冬枯れの老樹がこの城址をぐるりと取り囲んでいる。更にその向こうには、まるで檻のような高層ビル群が林立し、今にもこちらに向かって進撃を開始する素振りを見せる。独り天守台の跡に立ち、冬の透明な陽光を浴びながら考えた。機能的に発展したこの中核都市は、穏やかな海と豊かな城址公園を備え、まことにバランスの取れた快適な都市となっている？　あるいは豊かな自然は次第に追い込まれ、人口の増大と共にかくも窮屈な特色のない都市となってしまった？

果たして自分はどちらの側に立つのだろうか？　簡単に答えが見つかる筈もないが、改めて社会を成立させている根源的要素である文明と文化について考察を試みた。

### 言葉とは何か

下手な小説を書き始めて、そろそろ十年に達する。素人ながら、改めて言葉とは何なのかと己に問い直した。一般的に「言葉は文化である」と言われているのだが、果たしてそうなのであろうか？　今少し考察が必要だと思った。

例えば「リンゴ」という言葉（単語）は、それ自体で文化なのか？　どうもそうとは言えないような気がする。一つの言葉は、一つの事物や事象を指し示す機能しか持たないようだ。言葉を連続して使用し独自の表現を持ち得たとき、初めて文化的色彩を帯びるのではないか。

そもそも言葉はどのようにして生まれたのか？　世界に

は七千に及ぶ言語が存在するという。七千の民族がそれぞれの言語を有するということは、七千の文化が存在することになる。中には文字を持たない民族も多く存在している。

言葉が生まれる根源は、他者との意思疎通を図ろうとする強い意志に起因していると考えられる。しかし、なぜ民族によってかくも異なる言葉が生まれたのか？　その答えはその民族を取り囲む背景が違っていたとしか言いようがない。あるいは、その民族にとって重要な事物や事象が違っていたとも言える。だからといって言葉の違いが、そのまま文化の違いとは言い難い。言葉そのものは、あくまでも道具であり機能である。

その言葉を巧みに組み合わせ、抱く情念を他者に伝えようと試みるときに初めて文化は生まれるのではないか。これは言葉に限ったことではない。音楽でも絵画でも演劇でも、あらゆる芸術に共通する。抱く情念を様々な手段と素材を使って表現し、他者に伝え、共感を得ようとする試みこそが文化なのであろう。

だがここにも一つの疑問が残る。人にとって、または民族にとって文化はなぜ必要なのか？　なぜ価値を持つのか？　文化の神髄とは何なのか？　失礼ながら、この問いに即答できるお方は少ないのではないだろうか。

私自身、この問いに対する答えを探して右往左往した。その挙句、たどり着いた答えは至極単純なものであった。それは司馬遼太郎氏の一文に出会ったことに因る。氏は、「文化とは気持ちの良いことであって、最小限二人の人間の間にも成立する」と語られている。それは具体的な事物に限らず、抽象的な事象であっても良い。気持ちの良いことで共感を呼び、共に時空を共有することであった。

しかしそれでも、なぜ必要なのかの問いには答えていない。これに対する答えも難しい。気持ちが良いから、それで充分ではないかと、つい答えてしまいそうだ。だが、ここまで突き詰めると、脳科学とまで言わずとも、人体の科学的構造まで踏み込まざるを得ない。人間の構造を語ることは、即ち社会の構造を語ることとも直結している。

人間社会を考えるとき、世界は文化だけで成立しているわけではない。そこには衣食住の為の経済活動が欠かせない。恐らくは経済活動が優先し、文化活動はそれに付随して生まれたものであろう。曰く、「衣食足りて礼節を知る」の譬え（たとえ）である。原始においても現代においても、この原理は変わらない。だがこれは譬えの話であって、どんなに厳しい原始の生活の中にあっても、文化的行為は並行的に行われていた筈である。壁に絵を描き、粘土を捏ね、手を叩いて声を発していただろう。

生物としての人間は、その生物であることの生理からは逃れられない。衣食住を満たし、安全な環境を築き、子孫を残す欲求は本来持ち合わせている。同時に文化的行為も生理的欲求として備えているものである。いくらこれを否定しても、それは意識の中だけで、肉体の欲求から完全に解放されることはないであろう。なぜ必要かではなく、本来人間は双方を兼ね備えた存在と言えるのではないか。

いま意識という言葉を使用したのだが、意識こそが人間を他の生物から隔絶した存在にしていると言って良い。大脳新皮質を獲得したことで生じた意識とは何か？　それは五感から齎（もたら）された情報を整理統合して記憶する機能を言う。

そもそも原始において、衣食住を効率よく手に入れようとするところから意識が生じた。論理を組み立て、効率よく労力を使い、安全で快適な生活を獲得しようとした結果ではないだろうか。それは取りも直さず文明を生むことになった。多くの人間が集積し、衣食住を満たし、安全な空間を形成した。現代の文明社会もこの原理が根本にあると思える。

だが文明の原理だけで社会は成立していない。文化だけでも成立していない。そこで社会を構成する要因として、文明と文化の関係について考察を試みる。この両者は普段は意識に上ることもなく、言葉としては実に多くの場面で使用されている。中には全く混同して使用されているケースもあり、それほど無意識の内に許容されている。

## 文明と文化

文明とは何かと問われて、直ちに頭に浮かぶ物は文明の利器である。飛行機でありテレビでありスマホである。身の回りには無数の文明の利器が存在し、改めて意識に上ることもない。では、これらの物に共通する概念とは何であろう？　それは利便性・効率性・快適性・論理性・普遍性である。世界中の人々に受け入れられ、同じ手順で快適に使用されている。現在の社会はまさに文明が大きな力を持ち、人々はそれを享受していると言えるだろう。

一方、文化とは何かと問われて心に浮かぶ物は、伝統芸能や服飾や料理ではないだろうか。無意識の所作の内に引き継がれ、生活の細部までその影響は浸透している。文化も文明と同様に普段は意識に上らない。それでは、これらに共通する概念とは何であろう？　先に申し上げた「気持ちの良いこと」の他に、非利便性・非効率性・非論理性・非普遍性である。このことは文明の概念とは悉く対立し、その対極にある。祭や芸能はドメスチックな存在であり、伝統芸能も一部の支持者によって継承されている。論理性があるとは言い難く、どこを探しても効率的とは言えない。何度でも言うが、それをすることによって気持ちが良くなり、共感を得るからである。日本文化を世界に広めるとおっしゃる方がおられるが、それは文化の本質を理解されておられない。勿論共感される方もおられようが、それは限られた人数で止まっている。

文化が世界性・普遍性を持ったとき、それは文明的性格を帯びてくる。例えば日本の柔道である。柔道は本来攻撃的なものでなく、護身を旨として高い精神性を追求する。だが現在、世界で行われている柔道は勝敗にこだわり、攻撃しなければ減点されてしまう。形は柔道でも本来の意義は失われ、真逆の様相を呈している。国技とされる相撲でも、勝敗にだけ拘る傾向が強く、極意の心技体は忘れられてしまった。江戸期までは勝敗に黒白をつけず、今では不思議に思える決着が図られていた。「勝負なし・預かり・引き分け・痛み分け」などもあり、桟敷で酒食を伴う観戦はまさに神事芸能であり、決してスポーツではない。

また、文明における「快適性」と文化における「気持ちの良いこと」とは似通ってはいるが、必ずしも同質のものではない。文明における快適性は人工的に造られた事物によって齎され、文化における「気持ち良さ」は感情の内に育まれる。必ずしも事物を必要としない。いわば肉体的心地良さと精神的心地良さの違いと言えるだろう。両者の間には明確な線引きがなされているわけではなく、濃淡があり、日常の生活では複雑に絡み合っている。文明的な快適性を、文化的な心地良さと混同している場合も多く見られるのである。昔、鉄筋のアパートが登場したときには、文化住宅と呼んで異を唱える方は誰もいなかった。

## 意識と感情

ではなぜ、人間はこの相反する両者を必要とするのか？　あるいはこの両者を一人の人間の内に備えているのか？　生まれながらにして矛盾を抱えている人間は、そのままで原罪を抱えた存在とも言える。これは人間社会にも通ずる疑問であり、様々な場面で衝突を起こして事件化する。

ここまでくると、どうしても人間の生理的構造まで踏み込まざるを得ないことになる。意識（理論）の内だけでは解明できない問題なのである。

文明と文化の関係を模索していた過程で、養老孟司氏に出会う幸運を得た。ご存じの通り、氏は解剖学の権威であり、『バカの壁』の著書で知られる。そのアプローチの方法は解剖学的・病理学的であり論理的でもある。人体の構造を機能から捉え、感覚と脳の機能の関連を解明することで人間の基本的思考パターンを推定されている。意識と感情の関係を言葉で言えば至極単純と言わざるを得ないが、実際の人間に於いてはその関係に濃淡が生じる。一億人の人間が存在すれば、一億個の点が両者の間には存在する。なぜならば、感覚から得た情報の処理には二つの道が存在するからである。このことは後で述べる。

さて感覚（五感）とは何か？　改めて述べるまでもなく視覚・聴覚・臭覚・味覚・触覚である。以下は養老氏から借用する。

それぞれの器官から情報が脳に伝達されるのだが、その情報はそれぞれ独立したもので、それぞれの感覚が得た情報をどこかで整理統合しなければ混乱が生じる。脳はその役目を担っているのである。

例えば、ここにリンゴが三個あるとする。視覚はそれぞれのリンゴの色や形の違いを識別している。臭覚はそれぞれの熟れ具合を嗅ぎ分けているかも知れず、味覚は明確に違いを感じ取る。リンゴを叩いてみれば音の違いで腐れを見つけ出すかも知れない。触れれば肌の感触や重みを感じ取るであろう。これが三個のリンゴだけならまだしも、身の回りには無数の物体が存在する。情報の氾濫が起き、脳が破綻しないのはなぜか？　そこにこそ大脳新皮質の担う機能が物を言っている。いわば抽象化である。リンゴはリンゴという「言葉」のもとに抽象化され、同時に効率化と普遍性を獲得する。一つ一つのリンゴの違いを言葉にしていくと、それこそ無限の言葉を費やさねばならないし、不可能と言って良い。その抽象化はアルゴリズム（一定の手順で同じ作業を繰り返すこと）による。コンピューターはこの原理で成り立っている。

「口ばっかり……」とか、「そうは言うけれど……」と反駁するとき、それは実態を離れて抽象化されているからで、目の前で実感（感得）した人々にとっては受け入れ難い。総論賛成・各論反対の場合もこのパターンがほとんどである。あるいは政治における政策と庶民感覚のズレとなって表面化する。

因みに仏教思想では、このことは周知の事実として認識されていた。「般若心経」にいう、「眼・耳・鼻・舌・身(触)・意」は五感と意識の存在を明確に認識しており、初期の仏教では認識論的要素が強い。南都六宗に於ける「三論・法相・倶舎・成実・華厳・律」は人間救済の要素を必ずしも含んではおらず、法然以前においては希薄である。興福寺は法相宗に属するが、一つの事象でもその認識の仕方は様々であるとし、その道歌に「手を打てば　はいと答える　鳥逃げる　鯉は集まる　猿沢の池」とあり、唯識の考えを示す。

人間だけがなぜ大脳皮質を獲得したかは学者にお任せするとして、文明と意識の同似性は何によるか？　意識は先に述べた文明の概念をそのまま内包しているのである。いや文明をかたち造っているものは意識そのものであり、意識が文明を作り上げたと言って良い。文明は必ず都市を形成し、人口の集中を齎す。過去の文明もすべて同じ要素の上に成り立っていた。そして必ず滅びた。

文明の崩壊に関しては様々な理由付けがあろう。意識が作り上げる都市は論理の上に成立しているのであって、「こうすればこうなる」という完結した構造を持ち、都市が巨大化すればするほど論理を積み重ねていくことになる。そこでは複雑な外界情報は意識によって抽象概念化され、論理の中に組み込まれてしまい多様性を失う。言い替えれば個々の感覚・感情は排除されてしまい、人間が本来内包している感情と意識のバランスを失い、引いては文明の崩壊に繋がるのではないか。

余談にはなるが、現代の社会を観察していると、その危うさを感じずにはいられない。

例えばコロナの出現で、その論理性が崩れてしまった。こうすればこうならなくなった。ただ恐怖のもとで、息を凝らして身を潜めているより他に手段がない。論理を積み重ねた巨大な都市の一角が崩壊すると、全体の構造に歪みが生じる。まさに至る所で問題が噴出している。

人工物の上に人工物を積み重ねることによって都市は膨張する。論理という意識の上に意識を重ねる。外界(自然)と隔絶することによって、快適な環境を手に入れようとする。それは快適ではあっても「気持ちの良い」ことではない。

視点を変えてみよう。生まれてからずっと都市の中で育った人間と、田園の中で育った人間を考えるとき、どちらが多くの情報を得るか？　ほとんどの人は都市を揚げるであろう。だが実際は逆なのである。

先に挙げたリンゴの例にあるように、田園の自然の中で成長することは、その五感を精一杯働かせることになり、膨大な量の外界情報を吸収し、生物や事象の多様性を知ることとなる。その結果、多角的視点や寛容性を身につけることになる。片や都市の中で育つと、意識によって抽象概念化された人工物からの情報しか入手できない。パソコンやモニターの映像をいくら見ても、花の香りや美しさは伝わらない。それどころか実物以上に鮮明に加工された映像を毎日見ることになる。言葉だけが巧みな人間が優秀とされ、不寛容な大人が氾濫することになる。

反対に田園ばかりで成長した人間は、都市の論理性や効率性からは距離を置くことになり、口ごもり沈黙してしまう。それは事物事象の多様性を肌身で知っており、感情の中に生活基盤があるからである。論理で割り切れるほど世界は単純ではないと、その五感を通じて体得しているからに他ならない。

意識と感情は、時にはバランスを失い一方向に偏ることがある。社会や個人が意識至上に走ると、何事にも論理的帰結を求め黒白を着けよと迫り、甚だ不寛容な社会が誕生する。現代文明社会の膨張はこの危険性を孕み、何時破綻するかもしれない。養老氏の曰く、「世界は煮詰まっている」と。片や感情に流されると、社会の効率性や機能は無視されて混乱を生じるだろう。社会そのものが成立しなくなる。

## 感情と意識の同居

さて、文化とは「気持ちの良いことである」と述べたが、では感覚との関連を何処に見出すのか？　文化あるいは文化的なものを成立させているのは人間の感情である。先にも述べた通り、非論理・非効率であり、常に意識と対立する。意識であれ感情であれ、それを喚起させる原点は五感が齎す感覚情報にある。同じ感覚情報を得ながら、何故に対立するのか？　それは人間の脳の構造から解明されている。

人間にあって他の動物にないものは大脳新皮質であるが、人間を含めて他の動物に共通するものとして偏桃体がある。脳の左右に存在する神経細胞のかたまりであるらしい。その特徴として、五感から得た情報が超高速で伝わるらしいのである。思うに動物の本能を司っているのではないだろうか。生存に関わる外界の情報は瞬時に伝わり、即時に対応しなければならない。そのときに起きる反応が感情なのである。恐怖・怒りは瞬時に発生し、論理立てて考える余裕はない。笑いや喜びも然りである。生命保存・子孫繁栄は動物の根本原理であろう。更に家族や仲間はより安全な状況を作り出そうとし、そこには愛情とも呼べる感情が起こり、仲間を得た安らぎみたいな感情も生じる。それこそが文化を成立させている原理と思われる。

　本来動物である人類は感覚的（感情的）であることから逃れられず、一個人の内に感情と意識（論理）が同居するに至ったのだが、これこそが文明と文化を誕生させたと言えるのではないか。文明は意識（論理性）と素材で成立するが、文化は感情（非論理性）と意識、及び何らかの記号（素材）との融合があって初めて成立する。

　感情だけがあっても表現を伴わなければ、文化は陽の目を見ないのである。壁に様々な色彩を投げつけても、それは原始的な感情の爆発であり、文化足り得ない。意識との整理統合を経て初めて形が与えられ、そこに共感が生じる。偏にその文化的作品がより多くの共感と永続性を獲得するには、意識との凄まじい相克があって初めて成功する。逆説的かも知れないが、意識を獲得したことで文化が誕生するに至ったとも言えるのであり、それを感情と意識の統合と言うのである。感情と意識の関係において、その両極端に立つ人々には両者の関係に理解が及ばず、そこにこそバカの壁が生じるのであろう。優れた芸術文化は、この両者の凄まじい葛藤と統合を経て、初めて何の違和感もなく鑑賞者に受け入れられる。つまり意識の特性である普遍性を獲得する。

　ついでながら知性について言及するならば、感覚から得た情報を脳で整理統合して認識（抽象化）に至る心的機能を言うが、それでは不十分である。なぜならば、それは意識の世界だけの出来事であり、感情との統合は果たされていない。知識の集積と整理統合だけならば、それはコンピューターの仕事である。

　真の知性とは、両者の激しい相克を経て統合を体現したものでなければならない。でなければ真の知性とは言わないのである。また理性という言葉があるが、感情に左右されず思慮的に行動する能力を言う。知性の先にあるものだが、知性そのものが感情との統合を経ていなければ意味をなさない。

　ここで注意を喚起しておかねばならないことがある。感覚（感情）は刻々と変化する対象を同時進行的に捉えているが、意識は過去の情報から形成されているのであって、同時進行ではないということである。またデジタル情報は、必ずしも今現在の実態を反映しているわけではない。たとえ映像で見せられても加工編集されており、視覚と聴覚だけに頼るわけにはいかないのである。

　反対に感情も暴走を始めるときがある。身辺にも大小はあれ再々起こる現象で、大きなうねりに成長すると社会全体に影響を及ぼす。意識が作り出す唯物論と感情の高ぶりが齎す民族主義とは、その根本原理が違っていても同じ全体主義を生む。

ただ、ここで申し上げておきたいことは、感情の暴走を抑えようとする機能も存在することである。それは大脳新皮質の前頭前野と言われる部分であり、それは瞑想などの行為によって増幅されるという。興奮した人間に対して、「落ち着け……、理性的になれ……」と言って落ち着かせようとする。まさにこのことを示している。それとは逆に、意識が齎す形式主義は、往々にして感情の爆発によって破壊される。両者は相反する存在でありながら、互いに相手の暴走を抑制する機能を有する。不幸にして均衡が崩れ一方が他方を圧倒した場合、周知のごとくナチスやスターリン、東条が出現する。民主主義の誕生は、この両者の均衡を保とうとする苦渋の中から生まれたと考えて良い。常に左右に振れている社会を固定的に捉えようとすると、必ず摩擦を生じる。浮世とは良く言ったものだと、江戸人の感性には感心する。

## 文学とは

ここで文化の一翼を担う文学について述べておかなければならない。

文化に属するものとして、文学・美術・演劇・音楽・宗教があり、各々には様々な分野がある。文学が他と異なっているのは必ず言語（文字）を使用することである。演劇や音楽も言語を使うが、必須条件ではない。身体表現や楽器の音だけでも成立し得る。ただし、それだけでは原始的絵画であり原始的音楽である。直接的には言語を使用しないが、向き合う対象物や感情との間で、深い会話が繰り返されていると考えるべきであろう。

再度認識しておかねばならないことは、文学だけは文字を手にしたところから始まったということである。それ以前の口伝による伝承は文学ではないと断定はしないが、証明のしようがない。

意識により抽象化された言葉は文字という記号を手にした。その抽象化された記号を巧みに織りなして文章を綴る。感情という非論理的なものと、論理的な帰結を要求する意識との相克が始まった。文学においては、言語という意識と感覚が齎す感情とが真っ向から衝突を繰り返す。別の言い方をすれば、感情と意識が衝突し、融合と調和を試みる。言葉では表現できない感情を、なんとかして言葉に置き換えようとする。素っ気ない言い方をすれば、その行為そのものを文学と言うのではないか。

世に前衛という言葉があり、それぞれの頭に付けて表現されるが、前衛美術も前衛音楽も感情が先立ち、意識的な関与を極力排除しようとするもののように思われる。

この前衛分野が必ずしも成功しないのは、意識の普遍性を持ち得ないからで、いわば独りよがりに終わる可能性が高いからである。文学が普遍性を獲得し陳腐化しない為には、逆説的かも知れないが、意識との攻防を経て、両者の融合が達成されることが必須条件ではないだろうか。対立しながら融合を目指す、その葛藤と真摯に向き合う時代を経て、初めて不朽の名作が誕生するのではないだろうか。

敢えて言及するに、難解な言語を駆使する作家や評論家が存在するが、彼らは意識の迷路に入り込み、どこまでも言語で解説を試みる。あたかもそのことが知的であると錯覚している。意識をどれほど突き詰めても抽象的概念を積み重ねるだけで、体感（実感）として読者には伝わらない。彼らは読者の感情の囁きに、もっと耳を傾けるべきである。

日本における文学の流れをひと言で表すことは乱暴かも知れないが、常に情緒的であったといえよう。意識的に詰め寄ることが避けられている。感覚感情に重点が置かれ、意識的（論理的）な追究に力を注いでこなかったのではないか。人種を越えた人間そのものの追究や、歴史的視野に立つ深い論理的思考が欠如し、私小説的な世界に終始する。

何度でも申し上げるが、現代は意識（文明）が世界を席巻している。片手落ちである。知識によって人類は進歩し、更に発展していると疑わない信者が急増している。知識の蓄積は進み文明社会は拡大したが、そのことで人間の肉体や脳が進化しただろうか？　思考のパターンに飛躍的な進化が見られただろうか？　古代人が感じていたことと、今私たちが感じていることとに大きな差異があるのだろうか？

文学は役に立つかとの問いがあったが、それは読者が思うことであって、作者が考えることではない。役に立てるために創作すると考える作者があるとすれば、それは文明の理論（効率性・利便性）に立つ視点であり、ハウツー物に通じる。

一度、進歩・進化という言葉の全てを変化という言葉に置き換えてみると良い。人間が動物であることを無視するか忘れようとしている。文学に要求されているのは文明と文化を統合する力であり、それは甚だ体力と情熱を要する仕事であると、いま認識を新たにしている。

（了）

# ご挨拶

第八期『九州文学』編集発行人　木島丈雄

　多くの皆様に惜しまれながらご逝去された中村弘行前編集長の後を受け、令和三年六月二十七日に実施された九州文学同人会総会において、『九州文学』の編集長という大役を仰せつかりました木島丈雄でございます。

　長く輝かしい『九州文学』の歴史に思いを致すと、恐れ多い思いですが、精いっぱいつとめたいと思います。よろしくお願い申し上げます。

　若干所信を述べさせていただきます。

『九州文学』を隆盛させるには、まず何をさておいても皆さまが立派な作品を書いていただくことに尽きると思います。

　そのために、皆さまが安心して創作に専念できる環境を整える、ということが私に求められている役割だと心得ております。

　私自身は能力も経験もありませんので、運営委員、編集委員の方々とのチームワークを大切にして、風通しのいい同人誌運営を心がけたいと思います。

　現に同人として作品を掲載されているあなた、これから我々のところに作品を送られて九州文学の同人となり、九州のみならず全国の同人誌の世界に一石を投じようとしておられるあなた。

　皆さまが、誰もがうーんと唸るような素晴らしい作品を『九州文学』に投稿されることによって、『九州文学』はさらに磨かれていくでしょう。

　同人誌でしか書けないこともあるはずです。たとえば、あまりにも先鋭的で商業誌では掲載されない実験的作品とか、誰も知らなかった稀有な体験とか、あるいは、歴史に埋もれた市井の人生の一瞬のきらめきとか。

　あなたの思いのたけを文章に定着させてください。

『九州文学』はあなたの思いをしっかりと受けとめます。

　面白い作品を待っております。よろしくお願い申し上げます。

# 運営・編集委員会便り

## 同人の近況

### 「出版しました！」

前号の本欄で紹介しておりました箱嶌八郎さんの小説が、この夏出版されました。

『鳥山二郎・鑑定実録
されど風水』

出版社　㈱文芸社
定　価　六六〇〇円（税込）
購入方法　文芸社のブックサービス（〇一二〇―二九―九六二五）への電話注文、またはネット書店か、直接著者に申し込んでください。

電話〇九二―七六一―三六八五
（箱嶌）

### 「出版します！」

同人の、後（うしろ）銀作さん（埼玉県）が、早くてこの秋、遅くとも今年中には小説を出版すべく、現在最終調整に入っているそうです。

出版されましたら、またこのコーナーでお知らせいたします。

## お知らせ

### 《新会員》

永井　竜造さん（埼玉県）
森　泰一郎さん（長崎県）
＊森さんは再入会です。

### 《広告欄を作りました》

今号から本誌に広告欄を設けることにしました（51、125、215ページ参照）。内容は、現在入手可能な書籍に限ります。掲載料は、一件に付き一万円です。

掲載ご希望の方、詳細をお知りになりたい方は、木島までご連絡ください。

電話〇九〇―七一六四―八七八九
メール：2kyubundojinkai@gmail.com

### 《カンパのお礼》

濱田源一郎様
ありがとうございました。

## 運営委員より一言

本づくりは基本、手づくりだと思う。つくった人の個性が出るものだ。木島編集長体制になって初めての『九州文学』。「笑顔で和気あいあいと」を標榜した新体制の風を、ページのどこかに感じていただければうれしい。

作品も同じ。行間から作者のお人柄が見える。毎回、届けられた作品をいち早く読ませていただきながら、いろいろ想像するのは楽しい。

次号へ向けて、もう力作が揃い始めている。

（森）

## 『九州文学』4月から 秋・冬号入稿までの活動報告

■2021年

4月30日　アジア文化社に「全国同人雑誌協会」設立の件問い合わせ。

5月1日〜　アジア文化社・五十嵐編集長より「設立要項を送付します」旨ご連絡があり，その後要項が届く。直ちに委員全員にコピーを郵送。(コロナ禍のため）文書とメールで意見交換。ぜひ入会したいとの全委員賛成があり，入会届提出。5月中旬，「全国同人雑誌協会」へ入会

6月4日　13時〜 花乱社にて

○夏号の最終校正

6月8日　作業日

○夏号発送準備と掲載同人への請求書の準備など

6月15日　作業日

○6月27日の総会準備・確認事項

6月22日　13時〜 花乱社にて

○『九州文学』夏号・通巻576号発送

6月25日　アクロス福岡1階喫茶コーナー（福岡市天神）13時〜 合同委員会開催

○総会準備　コロナ対策の打ち合わせ，進行などの打ち合わせ など

6月27日

○第八期九州文学同人会第2回総会 西鉄イン福岡2階会議室にて開催。第5回安川電機九州文学賞の授賞式（総会後）

7月4日　作業日

○総会の報告書の印刷

○宛名などの準備作業

7月6日　作業日

○総会報告書発送作業

7月10日　運営委員会 筑紫野市にて

○木島編集長へ，秋・冬号用に同人から預かっていた原稿やUSBの引継ぎ

○園田氏から寄贈の九文パソコンの引継ぎ

○この日より木島編集長体制で動き出す

○木島編集長，各編集委員へ秋・冬号の原稿の割りふり，及び編集作業開始

7月31日　11時〜 花乱社にて

○秋・冬号原稿入稿 など

8月20日　アクロス福岡1階喫茶コーナー 13時〜 合同委員会開催

○予定していた9月11日例会の中止を決定

○役割分担の確認

○夏号の反省，秋・冬号の進捗状況

○広告掲載要綱，ホームページ活用法，年間賞概略 など

8月21日

○例会中止連絡葉書の印刷・発送

（2021年8月21日）

## 【受贈誌】

『詩と眞實』6月〜8月号(№864〜866)
［熊本県］詩と眞實社・今村有成

『戞戞』127〜130号
［香川県］詭激時代社・各務麗至

『海峡派』151号　［福岡県］若窪美恵

『季刊遠近』第76号
［神奈川県］遠近の会・江間　徹

『文芸思潮』第79〜80号
［東京都］アジア文化社・五十嵐勉

『海』第二期第26号
［福岡県］海編集委員会・有森信二

『南風』第49号
［福岡県］南風の会・和田信子

『九州作家』№134
［福岡県］九州作家・中尾三郎

小九州詩人会 Bragi（ブラギ）NO36号
［福岡県］小九州詩人会・柴田康弘

『季刊文科』第82号
［東京都］鳥影社

（2021年7月20日）

ありがとうございました。

## 第5回「安川電機九州文学賞」表彰式報告

令和3年6月27日（日）西鉄イン福岡にて，第5回「安川電機九州文学賞」の表彰式が行われました。

応募作品56編の中から大賞に選ばれた長洲実月さん，佳作の児玉剛さんへ，興膳克彦実行委員長代理・岩崎実行委員から，それぞれ賞状と賞金が授与されました。

コロナ禍の中，お二人はそれぞれ久留米市，鹿児島県からのご来福です。奇しくも，男子高校生が主人公のお二人の受賞作品に，会場から大きな拍手が送られました。

続いて令和2年度「九州文学年度賞」の表彰が行われ，小説部門・優秀賞：城戸祐介さん，佳作：木島丈雄さん，詩部門・優秀賞：松野弘子さんへ，それぞれ賞状と賞金が授与されました。

また，当日ご出席いただけなかった「安川電機九州文学賞」佳作：小西宏子さん，「九州文学年度賞」小説部門・佳作：椎窓猛さん，中野和久さん，そして急逝された特別賞：中村弘行さんへも賛辞の拍手が送られました。

終了後は公園に面したカフェテラスに場所を変え，受賞者を囲んで茶話会が開かれました。和やかな雰囲気の中，文学談・近況報告など話題は尽きませんでした。受賞のみなさまのますますのご活躍を期待しています。

＊「安川電機九州文学賞」作品集（定価500円＋送料）をご希望の方は，実行委員会事務局・岩崎（電話 093-571-9438）までご連絡ください。

## 既刊号への時評・季評抜粋

▼「図書新聞」3507号　5月同人誌時評
志村有弘（相模女子大学名誉教授）

【宮川行志の力作「崩落」（九州文学第575号）は、石造建築物文化史研究家の米田、米田の後妻淑子、前妻の子の共垂三者の悲劇を綴る。共垂はゲームに溺れ、不登校となり、癲癇の発作を起こし、淑子に性的な関心を示し出す。作品の最後で、発作を起こした共垂が米田・淑子の背中をつかんだまま転落し、三人は命を落とす。そのとき老朽化していた橋も崩落した。警察は事故死と断定したが、共垂が「ニヤッと白い歯」を見せ、「落ちる時はみんな一緒に地獄行きだ」と「心のうちで呟いていた」という文章が事件の真相を示している。「崩落」とは橋の崩落だけでなく、家庭の崩落をも示している。聖書を作品の根底に置き、人間の幸・不幸、運命を考えさせられる、重く、辛い作品だ。】

▼「佐賀新聞」7月13日
花木芙美（佐賀新聞編集局報道部学芸班）

【『九州文学　2021夏号』（通巻576号）が発刊された。佐賀県内からは佐々木信子さん（唐津市）の小説と高森保さん（伊万里市）の詩が掲載されている。佐々木さんの小説「初嵐」は、母を亡くした女性が主人公。遺品を整理する中で、自宅から遠く離れた場所での樹木葬を望んだ母の心中に触れる。高森さんの詩は「あの日は忘れない」で、発生から10年の節目を迎えた東日本大震災に思いをはせる。新編集長に就任した福岡県筑紫野市の木島丈雄さん（64）＝本名・目野展也さん＝は、1994年に第一回九州さが大衆文学賞で佳作に輝いた経験を持つ。「同人の高齢化など同人誌を取り巻く環境は厳しいが、刊行を続けていきたい」と語り「若手の作品も積極的に取り入れたい」と意欲を示す。】

▼「南日本新聞　郷土の雑誌欄」7月17日

【九州文学（576号）佐々木信子の小説「初嵐」、中園倫の俳句「炎へ立ちぬ」ほか】

▼その他、深水由美子さん「優しいお墓」（576号）が「西日本新聞」に取り上げられました

## 【同人】

### ▽福岡県

秋山喜文
麻田春太
今給黎（いまきゆうれい）靖子
金子秀俊
神崎たけし
岸川瑞恵
木島丈雄
城戸祐介
木村　咲
興膳克彦
椎窓　猛
篠原博人
柴田康弘
末次鎮衣
高瀬博文
坪井勝男
十時政徳
中野和久
中村重義
野見山悠紀彦
箱嶌八郎
林　由佳莉
深水由美子
舟越　節
松尾富行
松野弘子
緑川すゞ子（小川ひろみ）
森　美樹子
森村瞳子
八重瀬けい
屋代彰子
由比和子（わかまつわこ）

### ▽佐賀県

稲葉けい子
小松陽子
佐々木信子
高森　保
富崎喜代美

### ▽長崎県

かんなづきまこ
平野　宏
森　泰一郎

### ▽熊本県

出　町子
林　恭子
宮川行志

### ▽鹿児島県

大山要子
園田明男
中園　倫

### ▽大分県

岩男英俊
小泊有希（笠置英昭）
三東崇昇
中尾賢吉
山人海人（桧垣伸晶）

### ▽山口県

小野　悟
木澤　千

### ▽広島県

森田昌樹

### ▽岡山県

村生田（むろうだ）雅古

### ▽埼玉県

後　銀作
永井竜造

### ▽茨城県

森田髙志

## 【特別同人】

波佐間義之（福岡県）
八田　昂（同右）
濱田源一郎（同右）

## 編集後記

◆白紙の原稿用紙を前に一字も書けない時がある。「綴り方は人の言葉でなく自分の言葉で書け。じっと見つめて感じてみろ。書き方は次第にわかってくる」。誰が書いたか忘れたが、行き詰った時に出会った言葉。自分の言葉で書けと言われても、なかなか難しい。何のために私は書こうとしているのか、と最後は自棄になる。それでも未練たらしくペンを離さないのは、書くことが好きなのか、話すことが苦手だから文字で伝えようとするのか……。心の中を見つめて何かを感じ、はっとするような言葉に巡り会いたい。いつか私の中から抉り出してみたい。（岸）

◆日々の単調な生活を送っていると、どうしても目に見える結果というものに引き寄せられる。片や何か新しい物事を始めようとする時には、しばしば及び腰になる。こんな風に右往左往するのは、前に進んだことにはならない。創作に関してもそれは当てはまる。文章に意識が埋没している時や、書くこと自体が目的になっている時、初めて作品が前へ向かって歩き始める。我々はこの物事の妙理について知らないわけではない。いうなればそれは苦しげな肉体の鍛練に近い。今の苦しみが道となる。この理をいつになれば自分は理解できるだろうかと思いながら、任務に当たりました。（垂漢）

◆大震災やコロナウィルス、猛暑、豪雨、洪水、土砂災害と、世界的規模でめまぐるしい展開を見せる混沌とした中を、運営委員、編集委員の五名は、目標達成に向かって、心身を労し、弱音も愚痴も零さず、黙々と着々と進んでいった。完成した『九州文学』の、なんと暖かく立派なことか。ただ見聞することしかできなかった私からも、大きな大きな感謝の拍手を贈らずにはいられない。努力に勝る天才なし、という諺を改めて思い出した末席の小さな私。（陽）

**▼次号の締め切りは、11月20日です。**

第八期 九州文学 秋・冬号・通巻第577号
定価一一〇〇円（10％税込）
二〇二一（令和三）年十一月一日発行
編集・発行 九州文学同人会
発行人 同人会代表・木島丈雄
問い合わせ先 Eメール：2kyubundojinkai@gmail.com
〒八一八－〇〇三五
筑紫野市美しが丘北三－一一－一〇－六〇一 目野方
電話 〇九〇（七一六四）八七八九 ［木島丈雄］
振込先 ゆうちょ銀行：記号17400 番号8987381 九州文学同人会
編集委員 岸川瑞恵・城戸祐介・小松陽子
運営委員 森 美樹子・八重瀬けい （50音順）
制作・発売 合同会社花乱社
〒八一〇－〇〇〇一 福岡市中央区天神五－五－八－5D
電話〇九二（七八一）七五五〇 FAX〇九二（七八一）七五五五
印刷・製本 大村印刷株式会社